CADW TŶ MEWN CWMWL TYSTION

Ffenestr Goffa Stephen Hughes

Llun: Gweinidog ac Ymddiriedolwyr Eglwys Annibynnol Heol Awst, Caerfyrddin

Cadw Tŷ Mewn Cwmwl Tystion

Ysgrifau Hanesyddol
ar
Grefydd a Diwylliant

Geraint H. Jenkins

Argraffiad cyntaf—1990

ISBN 0 86383 641 0

ⓗGeraint H. Jenkins

*Dymuna'r cyhoeddwyr gydnabod cymorth a chyfarwyddyd
Adrannau'r Cyngor Llyfrau Cymraeg
a noddir gan Gyngor Celfyddydau Cymru.*

*Argraffwyd gan J. D. Lewis a'i Feibion Cyf.,
Gwasg Gomer, Llandysul, Dyfed.*

I

D. J. BOWEN

Nid ydyw llwybr ein traed ond cyfyng. Ar y clogwyn hwn y mae cenedl yn ein dwylaw—cenedl a'r oll a berthyn iddi am amser a thragwyddoldeb. Yr ydym wedi ei derbyn fel cymunrodd gysegredig oddi wrth ein tadau.

IEUAN GWYNEDD

Beth yw bod yn genedl? Dawn
Yn nwfn y galon.
Beth yw gwladgarwch? Cadw tŷ
Mewn cwmwl tystion.

WALDO

Cynnwys

Darluniau

Rhagair

Y mae'r gyfrol hon yn ymdrin yn bennaf â chrefydd a diwylliant yng Nghymru yn ystod yr ail ganrif ar bymtheg a'r ddeunawfed ganrif. Yn ystod oes y Stiwartiaid cenedl fechan, dlawd ac annatblygedig oedd Cymru, yn swatio'n betrus ar gyrion gorllewin Ewrop ac yn destun sbort i'w chymydog agosaf. 'A Country in the World's back-side' oedd Cymru, yn nhyb Syr John Vanbrugh, a dengys cyhoeddiadau fel *Taffy's Progress to London* a *The Distressed Welshman* fod jôcs gwrth-Gymreig yn frith yng ngwindai a thai coffi Llundain. Un o'r ffraethebion mwyaf poblogaidd oedd hanes y Cymro simpil a gredai ei fod wedi priodi un ar bymtheg o wragedd ar ôl clywed offeiriad yn adrodd y geiriau 'four better, four worse, four richer, four poorer'!

Gwlad heb sefydliadau cenedlaethol oedd Cymru ac nid yw'n rhyfedd yn y byd fod ei thrigolion yn affwysol brin o hunan-barch a hunanhyder. Yn wir, y farn gyffredinol ymhlith beirdd a llenorion yn ystod oes yr Adferiad oedd fod yr hen ffordd o fyw wedi darfod amdani yn sgil colli hen noddwyr hael. 'Cymru sy'n ffaelio, mae'r beirdd gwedi'u priddo' oedd cwyn y prydyddion, ac ofnai Edward Morris fod 'iaith gain Prydain heb bris'. Daethai'n gwbl eglur nad oedd gan y teuluoedd bonheddig mwyaf grymus unrhyw awydd mwyach i ysgwyddo'r baich o noddi bardd a hybu gweithgarwch llenyddol Cymraeg. Pori yn y *Tatler* a'r *Spectator* a'r *Gentleman's Magazine* a wnâi Lefiathaniaid sir Forgannwg erbyn y ddeunawfed ganrif ac edrychent mewn dirmyg ac atgasedd ar iaith 'y Cymry mynyddig' a'r 'caridyms Cymreig'. 'Saesneg yw iaith y deyrnas', meddai'r Prydeingarwyr hyn wrth Lewis Morris, 'a honno a ddyle fod yn gyffredin iaith i bawb o'r wlad.' Lles cenedl y Sais oedd nesaf at eu calon ac yr oedd morio canu 'The Roast Beef of Old England' yn dod yn llawer haws iddynt na chathlu hen alawon gwerin Cymreig. Ymdebygent fwyfwy i'w cymheiriaid yn Lloegr. Pan soniai Syr John Philipps o Gastell Pictwn am 'anrhydedd y genedl' ac 'ewyllys y wlad', nid sôn am Gymru a wnâi. Yn wir, yn ôl William Jones, Llangadfan, credai boneddigion gornerthol na fyddai'r un wlad wâr yn dewis arddel yn gyhoeddus y fath fregliach â'r Gymraeg: 'we can scarcely be distinguished from Brutes by the number of our supporters and . . . our Language is but an incoherent Jargon'.

Truenus o ddi-hid a rhagfarnllyd hefyd oedd agwedd prif weinyddwyr a swyddogion y gyfundrefn eglwysig at hawliau'r

Gymraeg. Pan sefydlodd noddwyr Anglicanaidd y Gymdeithas er Taenu Gwybodaeth Gristnogol wyth dwsin o ysgolion elusengar yng Nghymru wedi 1699, hysbyswyd yr athrawon mai Saesneg fyddai cyfrwng yr addysg gan na ellid goddef i ddisgyblion arfer rhyw fratiaith sathredig megis y Gymraeg. Er dyddiau'r Werinlywodraeth tybid mai cymwynas â phlant a oedd yn byw yn y fath gornel dywyll o'r deyrnas fyddai eu trwytho yn iaith, moes a diwylliant Saeson de-ddwyrain Lloegr. A phan ddechreuwyd—am resymau gwleidyddol yn bennaf—benodi 'Esgyb Eingl' anghyfiaith i wasanaethu ym mhedair esgobaeth Cymru, yr oedd dadl gref dros gredu bod cynllwyn ar droed i geisio defnyddio'r eglwys fel offeryn i Seisnigo pobl Cymru. Tybiai'r mwyaf rhagfarnllyd ymhlith yr 'estroniaid gormesawl' hyn (chwedl Ieuan Fardd) mai gorau po gyntaf y diflannai'r Gymraeg oddi ar wyneb y ddaear ac mai eu dyletswydd oedd hybu ei thranc drwy wobrwyo offeiriaid di-Gymraeg, Sais-addolwyr a chynffonwyr.

Gan na feddai Cymru ar na llys na phrifysgol na llyfrgell nac amgueddfa genedlaethol, bu raid i'w phobl dorchi llewys er mwyn ceisio llunio cenedl o'r newydd. Thema gynhaliol yr ysgrifau hyn yw'r modd y tyfodd ymhlith haenau canol Cymru—pobl lythrennog ac amlweddog fel offeiriaid, gweinidogion, gweision sifil, ffermwyr a chrefftwyr—ryw ymwybyddiaeth fod gan y genedl werthoedd na ellid fforddio eu colli a bod angen creu a dyfeisio sefydliadau a chyfryngau a fyddai yn eu galluogi i ddiwallu anghenion ysbrydol a diwylliannol eu cyd-wladwyr. Yr haenau canol hyn oedd noddwyr newydd Cymru a'u sêl a'u hymroddiad hwy oedd wrth wraidd y diwygiadau crefyddol a'r dadeni diwylliannol a brofwyd yn y ddeunawfed ganrif. Cyfnod o foderneiddio yn hanes Cymru oedd y ddeunawfed ganrif: cafwyd cynnydd demograffig, gwelliannau amaethyddol, chwyldro diwydiannol a datblygiadau masnachol, a rhan o'r un broses o foderneiddio oedd twf y wasg Gymreig, sefydlu cyfundrefn o ysgolion cylchynol, creu cymdeithasau gwladgarol, crynhoi seiadau Methodistaidd a chodi tai cyrddau a chapeli Anghydffurfiol.

Ni ellir gorbwysleisio dylanwad y wasg: hi, yn ôl Lewis Morris, oedd 'Canwyll y Byd' a gwelodd cyhoeddwyr llyfrau Cymraeg ffyniant na chafwyd mo'i debyg erioed o'r blaen. Cyhoeddwyd swm sylweddol iawn o lyfrau Cymraeg yn ystod y ganrif ar ôl 1695 yn Amwythig, Trerhedyn, Caerfyrddin, Trefeca, Trefriw a mannau eraill, a diolch i'r cynllun tanysgrifio deuai beiblau a

phregethau, catecismau a marwnadau, llyfrau defosiynol a blodeu-
gerddi, almanaciau a baledi yn genllif o'r gweisg bob blwyddyn.
'Elusen i'r enaid yw gosod llyfr da yn llaw dyn', meddai Stephen
Hughes, a'r un genadwri oedd gan Ieuan Fardd yn ei linell boblog-
aidd: 'A lleufer dyn yw llyfr da'. Creodd Griffith Jones drefn
addysg rad, hwylus a rhyfeddol o effeithlon er mwyn achub
eneidiau ac ennyn cariad at y gair printiedig a'r arfer o ddarllen. Er
iddynt brofi trais tafod a thrais dwrn yn ystod eu blynyddoedd
cynnar, llwyddodd y Methodistiaid i sefydlu rhwydwaith o seiadau
yng nghefn gwlad Cymru lle rhoddid pwyslais ar wybodaeth
Gristnogol, tystiolaeth profiad a dwyster teimlad. Drwy addoli'n
ddirgel mewn ysguboriau ac ogofeydd llwyddodd yr Anghydffurf-
wyr, hwythau, i oroesi dyddiau'r erlid ac wedi ennill yr hawl i
adeiladu eu capeli eu hunain cafodd llawer ohonynt eu bywiocáu
gan sêl a brwdaniaeth y ffydd efengylaidd. Nid oedd y Cymry alltud
yn segur ychwaith. Yr oedd dinas Llundain—cyrchfan atyniadol
dros ben i lu o Gymry disglair—yn ddylanwad pwysig ar yr
ymgyrch i adfer balchder y genedl. Drwy gyfrwng gweithgarwch
cymdeithasau diwylliannol a gwladgarol megis Y Cymmrodorion
(ynghyd â Chylch y Morrisiaid) a'r Gwyneddigion, llwyddwyd i
ddwyn i sylw'r byd hen lenyddiaeth gain, i ddyfnhau'r ymwybod â
hanes, i hybu dysg Gymraeg, ac i adfywio'r eisteddfod.

Bu raid i hyrwyddwyr yr ymgyrch i achub eneidiau'r Cymry ac
i amddiffyn y Gymraeg a'i diwylliant frwydro yn erbyn cryn
ragfarn, dirmyg a gelyniaeth nid yn unig o du 'plant Alis' (fel y
gelwid y Saeson) ond hefyd eu cyd-wladwyr. Cyndyn iawn oedd y
Cymry i gydweithio'n ddedwydd. Nid siarad yn ei gyfer yr oedd
Iolo Morganwg pan ddywedodd: 'North and South Wales have no
more intercourse with each other than they have with the man in the
moon'. Caseid y Methodistiaid â chas perffaith gan wŷr megis
Lewis Morris, Ieuan Fardd a William Jones, ac yr oedd y Method-
istiaid, hwythau, yn ffieiddio praffter deall a Jacobiniaeth radical
Undodiaid ardal 'Y Smotyn Du'. Yr oedd cynnyrch beirdd gwlad,
baledwyr, almanacwyr ac anterliwtwyr—y 'gibberish à la mode' a
oedd mor boblogaidd ymhlith y werin gyffredin ffraeth—yn gocyn
hitio mynych i lenorion elitaidd. Ond er gwaethaf y diffyg unoliaeth
a'r ymdderu nid oes unrhyw amheuaeth nad oedd sêl ysbrydol ac
ymwybyddiaeth ddiwylliannol wedi cryfhau yn sylweddol ymhlith
y Cymry erbyn diwedd y ddeunawfed ganrif ac nid gormod fyddai
honni fod y ffyniant hwn yn arwydd o ewyllys y genedl i fyw. Drwy

gydol y cyfnod dan sylw mynegai gwladgarwyr eu cariad angerddol at 'wlad a chenedl y Brutaniaid' ac er nad oeddent yn ymgyrchu o blaid arwahander gwleidyddol (ni fathwyd y gair *nationalism* tan ddiwedd y 1790au) oni bai am lafur, aberth a gweledigaeth y cwmwl tystion hyn ni fuasai gan wleidyddion y bedwaredd ganrif ar bymtheg foncyff cadarn i impio eu radicaliaeth a'u cenedlaeth-oldeb arno.

Dyletswydd bleserus iawn yw cydnabod fy nyled i wahanol sefyd-liadau ac unigolion. Rwy'n ddiolchgar dros ben i olygyddion *Ceredigion, Cof Cenedl, Trafodion Cymdeithas Hanes Bedyddwyr Cymru, Trafodion Cymdeithas Hanes Sir Gaernarfon, Y Cofiadur, Taliesin,* ac *Ysgrifau Beirniadol,* ac i swyddogion Gwasg Gomer, Prifysgol Cymru a'r Gymdeithas Feddygol am ganiatâd i ailgyhoeddi'r ysgrifau hyn. Manteisiais ar y cyfle i ailwampio, adolygu, diweddaru a chymhennu'r ysgrifau lle y bernais fod angen gwneud hynny. Ers llawer blwyddyn bellach bûm yn dreth ar amynedd staff Llyfrgell Genedlaethol Cymru a Llyfrgell Hugh Owen, Coleg Prifysgol Cymru, Aberystwyth, ond, drwy drugaredd, maent wedi parhau i ymateb i bob cais o'm heiddo â chwrteisi anghyffredin—ac rwy'n wir ddiolchgar am hynny. Rwy'n ddyledus iawn i Dewi Morris Jones, pennaeth Adran Olygyddol y Cyngor Llyfrau Cymraeg, am ei gyfarwyddyd ac i Nansi Griffiths am fy nghynorth-wyo drwy ddarllen y proflenni â gofal a manylder mawr. Profiad pleserus bob amser yw cydweithio â'm cyfeillion yng Ngwasg Gomer a braf yw cael dweud diolch yn gyhoeddus i Dyfed Elis-Gruffydd am ei gyngor doeth a'i oddefgarwch rhadlon ac i'r cysodwyr a'r argraffwyr am eu gwaith graenus a glân. Cefais lawer o gymwynasau gan gyd-weithwyr sy'n rhannu'r un 'academig dôst' â mi yn Adran Hanes Cymru, Coleg Prifysgol Cymru, Aberystwyth, a mawr yw fy niolch i fyfyrwyr mewnol ac allanol am nifer helaeth o drafodaethau bywiog ac adeiladol dros y blynydd-oedd. Diolchaf yn gynnes iawn i'm rhieni a'm gwraig a'm plant am ymddiddori yn fy ngwaith, am anogaeth gyson, ac am ddygymod yn rhwydd â'r ffaith fod haneswyr yn gallu bod yn greaduriaid od iawn weithiau. Cyflwynir y gyfrol i'r Athro D. J. Bowen, ysgolhaig a chyfaill a'm dysgodd mai cywirdeb iaith yw'r unfed gorchymyn ar ddeg. Manteisiais yn ddirfawr arno wrth baratoi'r deunydd hwn a byddai'n dda gennyf petai'r gyfrol hon yn ad-daliad teilwng iddo.

Calan Mai, 1990   Geraint H. Jenkins

Apostol Sir Gaerfyrddin: Stephen Hughes c.1622-1688*

Dri chan mlynedd yn ôl i fis Mehefin eleni yr oedd dau berson tra gwahanol i'w gilydd yn gaeth i'w gwelyau, y naill yn feichiog a'r llall ar fin marw, y naill yn Llundain a'r llall yn Abertawe. Y Frenhines Mary Beatrice, gwraig y brenin Iago II, oedd y gyntaf, Eidales ryfeddol o hardd ond bregus iawn ei hiechyd. Er mis Rhagfyr 1687 yr oedd yn hysbys fod y Frenhines yn feichiog ac ar 10 Mehefin 1688 esgorodd ar etifedd gwryw, sef James Francis Edward, Tywysog Cymru. Gan i'r plentyn gael ei eni fis o flaen ei amser a chan nad oedd gymaint ag un tyst dibynadwy wrth erchwyn gwely'r Frenhines adeg y geni, honnai Protestaniaid blaenllaw mai ffuantwr oedd y baban a'i fod wedi cael ei smyglo i mewn i'r gwely brenhinol mewn padell twymo gwely. Stephen Hughes—'Apostol Sir Gaerfyrddin' a gŵr ag iddo le anrhydeddus ymhlith tadau Anghydffurfiaeth Cymru—oedd yr ail berson gorweiddiog. Rywbryd yn ystod gwanwyn 1688 clafychodd Stephen Hughes dan y straen o deithio mynych i Lundain i arolygu'r gwaith o gyhoeddi llyfrau Cymraeg ar gyfer y werin-bobl ddarllengar. Dychwelodd i Gymru i wynebu ei fisoedd olaf yn ei gartref yn Abertawe. Lluniodd ei ewyllys olaf, ac yntau'n 'weake & sickly in body', ar 18 Ebrill.[1] Ar ei wely angau ei ofid pennaf oedd y byddai'n drysu ac yn siarad yn ddifrïol am y grefydd Gristnogol. Gweddïai'n fynych, 'Arglwydd, cofia ni yn awr ein hangau, ac na ad i ni ein hunain i'th ddianrhydeddu yn ein munudau olaf'.[2] Nid oedd raid iddo boeni; bu farw yn dawel, yn ei iawn bwyll ac yn driw i'w egwyddorion, yn 65 mlwydd oed, ar 16 Mehefin a'i gladdu ymhen deuddydd ym mynwent Eglwys y Santes Fair, Abertawe.[3] Mae'n rhaid fod y newyddion am enedigaeth Tywysog Cymru wedi bod yn ofid mawr iddo oherwydd yr oedd yn casáu Pabyddiaeth â chas cyflawn, ond anodd peidio â chredu ei fod yn gwybod bod dyddiau 'ffiaidd eulynaddoliaeth'[4] wedi eu cyfrif ym Mhrydain a bod gwaredigaeth gerllaw. Ar 30 Mehefin, sef y diwrnod pan ryddhawyd y Saith Esgob, anfonwyd llythyr at Gwilym, Tywysog Oren, yn ei gymell i ymyrryd er mwyn diogelu breintiau sifil a chrefyddol Lloegr. Honnwyd yn y llythyr hwnnw

*Traddodwyd y ddarlith hon gerbron aelodau Cymdeithas Hanes yr Annibynwyr yn Eglwys Annibynnol Rhos-meirch, Ynys Môn, ar 8 Mehefin 1988.

Y Plentyn 'Padell Twymo Gwely'

Llun: Ymddiriedolwyr Yr Amgueddfa Brydeinig

nad oedd prin un mewn mil yn credu mai plentyn y Frenhines Mary Beatrice oedd yr etifedd newydd-anedig. Mawr oedd y dathlu pan laniodd Gwilym yn Torbay ar 5 Tachwedd a chynyddodd y gorfoledd pan fu raid i Iago II ffoi ar frys ar 23 Rhagfyr. A phan basiwyd Deddf Goddefiad ar 24 Mai 1689 cafwyd prawf diymwad nad yn ofer y llafuriasai Stephen Hughes.

Carwn ddweud gair i ddechrau am yrfa Stephen Hughes ac yna geisio dadansoddi arwyddocâd ei lafur fel pregethwr a gweinidog, fel golygydd a chyhoeddwr, ac fel cymwynaswr i'r iaith Gymraeg. Fe'i ganed, mae'n debyg, ym 1622 yn nhref lewyrchus Caerfyrddin, sef y dref fwyaf yn Ne Cymru y pryd hwnnw. O fewn ei chaerau enillai masnachwyr, siopwyr, barcwyr, seiri a chryddion fywoliaeth ddigon cyfforddus.[5] Sidanydd oedd John Hughes, tad Stephen, a gŵr digon amlwg a chysurus ei fyd i'w ethol yn faer y dref ym 1650. Cydymdeimlai John Hughes yn ddwfn â Phiwritaniaeth ac ef fu'n bennaf cyfrifol am anfon deiseb ar ran trigolion tref Caerfyrddin at y Senedd ym 1648 yn erfyn am weinidog i bregethu'r Gair.[6] Hanai ei wraig, Elizabeth, o deulu ariannog. Merch i farcer o'r enw David Bevan oedd Elizabeth Hughes, ac os oes coel ar gart achau Alcwyn Evans ganwyd iddi hi a'i gŵr bedwar o blant, sef tri mab (John, Stephen a Samuel) ac un ferch (Rebecca).[7] Yn unol â'r traddodiad Piwritanaidd rhoddwyd enwau beiblaidd i bob un o'r plant.

Pur anghyflawn yw ein gwybodaeth am fywyd cynnar Stephen Hughes. Fel y dywedodd Dyfnallt, 'mae'r niwl yn drwm ar ei hanes cynnar'.[8] Hyd y gwyddom ni chadwai ddyddiadur a rhaid ceisio dod i'w adnabod drwy ddarllen ei lyfrau, ac yn arbennig ei rag-ymadroddion i'w lyfrau. Mae'n debyg mai yn Ysgol y Frenhines Elisabeth yng Nghaerfyrddin y cafodd ei addysg ffurfiol, yn union fel y gwnaeth gwroniaid eraill megis Moses Williams, Griffith Jones, Thomas Charles a Peter Williams mewn cyfnod diweddarach. Ond ni wyddom ddim o'i hanes yn y cyfnod pan fu, yn ôl ei dystiolaeth ef ei hun, 'Rhyfel tost trwy'r Deyrnas'.[9] Tebyg iddo edmygu safiad dewr y Pengrwn Rowland Laugharne yn erbyn nerth byddin frenhinol y Cyrnol Charles Gerard yn y de-orllewin, a chael siom ddirfawr wedi hynny pan benderfynodd Laugharne, ynghyd â'i gyfeillion John Poyer a Rice Powell, fradychu achos y Senedd yn ystod yr Ail Ryfel Cartref ym 1648.[10] Yn sgil dienyddio'r brenin Siarl I ym 1649 gwelwyd cyfnod cyffrous iawn yn hanes twf Piwritaniaeth yng Nghymru. Ar 22 Chwefror 1650 pasiwyd Deddf er Taenu a Phregethu'r Efengyl yn Well yng Nghymru, ac yn ystod y tair blynedd y bu'r ddeddf mewn grym bu Stephen Hughes yn gweinidogaethu ym mhlwyf Merthyr yn sir Gaerfyrddin. Dros Gymru gyfan chwynnwyd allan o'r eglwysi bob offeiriad annheilwng a defnyddiwyd cyllid yr Eglwys i gynnal gweinidogion sefydlog a theithiol a oedd yn abl i bregethu'r Gair. Hwn oedd cyfle mawr gwŷr o dras ganolig megis Stephen Hughes, dynion talentog na fu ar gyfyl prifysgol ond a oedd yn dyheu am y rhyddid a'r amodau a fyddai'n eu galluogi i daenu'r Efengyl. 'A ddirmygwn ni y cyfryw', meddai Walter Cradock, 'a dweud nad ydynt ond pregethwyr pentwba, ac na buont erioed mewn prif-ysgol?'[11] Er mwyn rhoi cyfle i Biwritaniaid brwd fel Stephen Hughes bwriwyd deunaw o 'gŵn mudion' o'u bywiolaethau yn sir Gaerfyrddin.[12] Ond cafwyd mai prin oedd nifer y medelwyr dawnus ac ymroddedig yn siroedd y de-orllewin a bu raid cyflogi pregethwyr teithiol, rai ohonynt megis Nathaniel Ible, Daniel Higgs a Joseph Townesend, yn Saeson di-Gymraeg. O ganlyniad, tan gynllun y Profwyr o 1654 ymlaen, aethpwyd ati i geisio llenwi rhai o'r bylchau drwy gydio plwyf wrth blwyf a'u gosod dan ofal gweinidog sefydlog. Ym mis Awst 1654 cyflwynwyd Stephen Hughes i fywoliaeth Meidrim a'i sefydlu yn weinidog yno ar 26 Hydref 1655.[13] Tra oedd yno gweithredai fel un o'r Profwyr dros sir Gaerfyrddin, gan gymeradwyo gweinidogion ifainc addawol fel William Jones, Cilmaenllwyd, a David Jones, Llandysilio. Fel y mwyafrif llethol o'r gweinidogion a benodwyd gan y Profwyr, gŵr teyrngar iawn i Oliver Cromwell, yr Arglwydd-amddiffynnydd, oedd Stephen Hughes ac nid oedd ganddo ddim cydymdeimlad â sectau radical megis Plaid y Bumed Frenhiniaeth, y Brygawthwyr a'r Crynwyr a oedd yn parhau i ymdrechu i droi'r byd wyneb-i-waered.[14]

Ym 1660, sut bynnag, aeth llywodraeth y saint a'r gweriniaethwyr â'i phen iddi. Er mawr orfoledd i fwyafrif pobl Cymru, adferwyd yr hen drefn. 'Y rhod a drodd drwy rasol fodd i ryngu bodd y byd', oedd cân lawen Huw Morys.[15] Hirlwm blin a wynebai'r Anghydffurfwyr ond penderfynodd y mwyaf dewr yn eu plith i lynu'n dynn wrth eu proffes. Fel y dengys ymchwil gloyw R. Tudur Jones a B. G. Owens,[16] diswyddwyd 73% o weinidogion Anghydffurfwyr Cymru cyn pasio Deddf Unffurfiaeth 1662. Aeth y mwyafrif allan ym 1660, yn eu plith naw o sir Gaerfyrddin. Diswyddwyd Stephen Hughes yng ngwanwyn 1661 a'i olynu gan John Rice ar 11 Ebrill.[17] Aeth enw John Rice yn angof ond 'Stephen Hughes *Meidrim*' a ddywedir hyd heddiw, ac mae hynny'n gystal prawf â dim o'i ddylanwad pellgyrhaeddol ar dwf Anghydffurfiaeth yn ardaloedd gwledig sir Gaerfyrddin yn ystod blynyddoedd cynhyrfus y Werinlywodraeth. Wedi iddo golli ei fywoliaeth, ymgartrefodd Stephen Hughes yn nhŷ ei dad yn nhref Caerfyrddin. Yn ôl Calamy, fe'i caethiwyd am gyfnod byr mewn cell afiach yng ngharchar Caerfyrddin ond cafodd ei ryddhau 'trwy Ragluniaeth ffafriol ac annisgwyliadwy'.[18] Y tebyg yw fod rhyw ŵr bonheddig wedi cyfryngu ar ei ran. Rywbryd wedi 1665 priododd Catherine, gwraig dduwiol a chefnog o Abertawe, a bu hi yn gymorth hael ac yn ymgeledd addas iddo weddill ei fywyd.[19] Efallai fod pennill y Ficer Prichard wedi dod i'w feddwl lawer gwaith wrth rifo rhinweddau ei wraig:

Piler Aur mewn Morteis Arian,
Twr rhag Angeu i Ddyn egwan,

Coron hardd, a Rhan rhagorol
Gras ar ras yw Gwraig rinweddol. [20]

Wedi priodi, symudodd Stephen Hughes i fyw i Abertawe, tref bur lewyrchus a chanddi boblogaeth o tua 1,691 ym 1662. [21] Yno y ganwyd ei blant, Stephen a Jane. Ystyrid Abertawe yn ddinas noddfa gan Biwritaniaid De Cymru yn ystod blynyddoedd yr Adferiad, [22] ac yn ôl cyfrifiad crefydd Compton ym 1676 yr oedd mwy o Anghydffurfwyr yn byw o fewn ei muriau nag mewn unrhyw dref arall yng Nghymru. Yn wir, ceid mwy o Anghydffurfwyr yn nhref Abertawe, sef 292, nag yn holl esgobaeth Bangor. [23] Yn ystod blynyddoedd yr erlid bu Stephen Hughes yn chwarae mig â'r sawl a geisiai weithredu amodau'r Deddfau Cosb. Ym mis Rhagfyr 1667 fe'i gwysiwyd gan Lys yr Archddiacon am gynnal confentigl yn Llansteffan a'i ysgymuno. [24] Ysgymuniad oedd ei gosb hefyd ar 13 Mehefin 1670 am gadw ysgol heb drwydded esgob. [25] Ond daliai Stephen Hughes i fugeilio'i breiddiau gwasgarog yn Llansteffan, Y Pâl, Tre-lech, Pencader, Y Mynydd-bach, Pentre-tŷ-gwyn a Llanedi. Mor ddiweddar â mis Awst 1684 fe'i gwysiwyd, ynghyd â

Y Brenin Iago II

Llun: Oriel Darluniau Cenedlaethol, Llundain

104 o drigolion Abertawe, Llandeilo Tal-y-bont, Llangyfelach a phlwyfi eraill, am beidio â mynychu'r eglwys ac am ddefnyddio llu o ystrywiau anghyfreithlon er mwyn osgoi syrthio i ddwylo'r gyfraith.[26] At hyn oll, sicrhaodd rhwng 1672 a 1688 fod gan ei gyd-Gymry gnwd o lyfrau ysgrythurol a defosiynol i'w darllen.[27] Sylweddolodd fod dyfodol Anghydffurfiaeth yn dibynnu llawn cymaint ar y Gair printiedig ag ar y Gair llafar. 'The Press hath a louder voice than mine', meddai un o'i arwyr, Richard Baxter,[28] ac ni wnaeth neb fwy na Stephen Hughes i chwyddo cyfartaledd y Cymry llythrennog yn ystod oes yr Adferiad. Fel y dywedai ef ei hun droeon: 'Elusen i'r enaid yw gosod llyfr da yn llaw dyn'.[29] A phe cawsai iechyd a nawdd i ddwyn ei holl fwriadau i ben buasai wedi cynhyrchu llawer iawn mwy eto. Ar hyd ei oes, cysegrodd Stephen Hughes ei ddoniau a'i ynni i wasanaethu ei gyd-Gymry.

*   *   *

Y mae Stephen Hughes yn ŵr sy'n haeddu ei anrhydeddu eleni ar gyfrif ei ddoniau fel pregethwr a bugail. Traddodai ei bregethau yn null y saint Piwritanaidd, sef yn ysgrythurol ac yn athrawiaethol. Rhannai ac is-rannai ei bregethau, gan osgoi defnyddio unrhyw ymadroddion clogyrnog neu ddelweddau astrus. Eglurder oedd ei nod bob amser a defnyddiai iaith werinol—ac weithiau ddigon sathredig—er mwyn ennill clust a chalon ei wrandawyr. Gwnâi ddefnydd o gymariaethau a fyddai'n rhan o brofiad beunyddiol ffermwyr a llafurwyr sir Gaerfyrddin:

> Y mae ef yn edrych ar gadwedigaeth pechaduriaid megis ffrwyth ei holl chwys a'i trafel, a'i boen, a'i Angeu: Ac y mae'n hoffach ganddo ef weled y nefoedd yn llawn o'r cyfryw, ar ol ei holl boen, nag y mae genym ni i weled ein ydlannoedd a'n yscuboriau yn llawn o'r yd a'r llafyr goreu, ar ol ein holl boen a chost yn ei gylch ef. Ie, y mae e yn hiraethu yn fwy am ein jechydwriaeth ni, yn ol y poen y gymmarth e yn ei gylch e, nag y mae y gweithiwr tlawd am ei dir, ar ol chwysu a blino i ennill e.[30]

Bu rhaid iddo deithio'n rheolaidd er mwyn taenu'r Efengyl a thrwy wneud hynny dyfnhawyd ei adnabyddiaeth o fywyd ac anghenion arbennig ardaloedd gwledig de-orllewin Cymru. Y mae'n amlwg fod cwlwm arbennig iawn rhyngddo ef a'r werin-bobl. Dotient ar ei lais swynol a'i allu i drosglwyddo'r neges Gristnogol mewn ffordd atyniadol a byw. Llosgai ynddo awydd

angerddol i achub eneidiau ac arferai ddweud yn aml mai'r pechod
pennaf oedd gwrthod dod at Grist a chredu ynddo. Credai â'i holl
galon fod un enaid yn werthfawrocach na'r byd i gyd, a dywedai
droeon yn ei bregethau a'i ragymadroddion i'w lyfrau mai dim ond
drwy edifeirwch a ffydd yng Nghrist y deuai pechadur yn blentyn
i Dduw.[31] Anogai ei wrandawyr i geisio cwmnïaeth Crist wrth
lafurio yn y meysydd, wrth fyfyrio ar yr aelwyd, ac wrth addoli yn
y llannau. Byddai'n wylo'n aml yn y pulpud a'i wrandawyr
hwythau dan deimlad wrth wrando ar ei genadwri wlithog. Nid un
o'r 'Sentars Sychion' oedd Stephen Hughes.

Er bod iddo enw fel gŵr addfwyn a llariaidd, gallai bregethu'n
wirioneddol ysgytiol ar bynciau megis sicrwydd angau, barn a
chosbedigaeth dragwyddol. Gallai sôn am feithder tragwyddoldeb
mewn ffordd hynod drawiadol, gan dynnu sylw arbennig at boenau
arteithiol 'y Llyn sy'n llosgi â thân a Brwmstan':[32]

> Peth echrydus yw i ddyn gael ei daflu bendramwnwgl i Bwll tro, neu
> orwedd blwyddyn mewn carchar tywyll, neu cael dala ei law mewn
> Tan un chwarter awr, neu fod ei gorff ef yn cael ei fwyta gan bryfed.
> Ond och! nid yw hyn gymaint â phigad pin iw gyffelybu i Boenau
> uffern; canys nid yw y poenau mwyaf yn y byd hwn yn parhau ond
> tros ychydig o amser, ond y mae poenau uffern yn parhau yn
> dragwyddol.[33]

Dro arall soniai am wres dychrynllyd y tân anniffoddadwy yn 'y
Pwll diwaelod': 'ni cheir yno gymaint a gronyn o ddwfr ar flaen bys
un i oeri'r tafod yn y fflam'.[34] Tynnai ddarluniau erchyll o uffern
er mwyn ceisio hybu'r frwydr barhaol yn erbyn anwybodaeth,
dihidrwydd ac anfoesoldeb. Taranai yn erbyn pechaduriaid mawr
a mân fel ei gilydd a brithir ei ragymadroddion ag ymosodiadau
ceryddgar yn erbyn bydolrwydd, balchder, tyngu a rhegi, halogi'r
Saboth, malais, cenfigen, meddwdod, maswedd, puteindra,
godineb, hap-chwarae ac ymladd ceiliogod.[35] Yr oedd yn effro
iawn i anghyfiawnderau'r oes ac yn fwy na pharod i fflangellu'r
Lefiathaniaid mawrion a oedd yn 'cadw Gwirionaid (megis dynion
sympl anghydnabyddus), a Gwragedd gweddwon a'r amddifad
oddi wrth eu heiddo trwy ffalsedd a nerth arian, a chyngor drwg
cyfreithwyr digydwybod, a thricks cyfraith yn erbyn goleuni
cydwybod.'[36] Gwyddai am lafurwyr tlawd na châi gyflog gyflawn
am eu llafur, am rai a gollasai eu tai a'u tir oherwydd rhaib eu
meistri, ac am eraill eto a oedd yn gorfod derbyn ŷd o ansawdd sâl,

yn hytrach nag arian parod, am eu llafur wythnosol.[37] Yn yr un
modd, gwrthdystiai yn erbyn offeiriaid annuwiol, barus a diog.
Lloffai Stephen Hughes yn gyson yng ngwaith yr hen Ficer am
ysbrydoliaeth wrth daranu yn erbyn pechodau ac anghyfiawnderau'r
oes, ac yn y copïau o *Canwyll y Cymry* a olygwyd ganddo arferai
gynnwys symbol ar ffurf llaw yn tynnu sylw at rai o benillion mwyaf
bygythiol ac arswydus yr awdur. Diau hefyd ei fod, wrth bregethu,
yn tynnu ar hoff ddiarhebion a gawsai yng Ngeiriadur Dr. John
Davies, Mallwyd, diarhebion megis 'A Gair Duw yn uchaf', 'Da
yw Duw, a hir yw byth', ac 'Ar ddiwedd y mae barnu'.[38] Gosodai
ei wyneb yn llym yn erbyn pechod a golygai hynny ei fod ef, yn unol
â thraddodiad yr Annibynwyr, yn dewis a dethol bob aelod o'i
eglwys yn fanwl iawn. Ac wedi dewis ei ddefaid byddai'n gofalu'n
dadol dros ei braidd ac yn eu corlannu yn eglwysi disgybledig ac
ymroddgar. Yr oedd yn drefnydd effeithlon dros ben. Teithiai ar
gefn ei farch dros waun a rhos er mwyn cadw fflam y ffydd yn olau.
Nid heb achos yr adwaenid ef fel 'Apostol Sir Gâr'.

Ceir nifer o hanesion sy'n tystio i allu Stephen Hughes i swyno
cynulleidfaoedd ac i ennill serch unigolion. Dichon fod rai ohonynt
wedi eu blodeuo o'u hailadrodd droeon, ond nid anghymwys
fyddai cyfeirio at rai enghreifftiau nodedig. Un stori enwog yw'r
hanes am Stephen Hughes yn pregethu yng Ngwern-chwith,
Llanedi, ar ddydd gŵyl. Tra oedd yn pregethu sylwodd ar ŵr
dieithr yn eistedd yn y gynulleidfa. Ofnai mai ustus heddwch
ydoedd a'i fod am ei gipio i'r ddalfa. Ar ddiwedd yr oedfa daeth y
gŵr dieithr ymlaen a chydio yn llaw Stephen Hughes. 'Gobeithio,
syr, nad ydych wedi dyfod yma i'm dal a'm dwyn yn garcharor?'
meddai Hughes. 'Nac ydwyf, fy annwyl syr', atebodd y gŵr, a
dagrau ar ei ruddiau, 'ond chwi a'm daliasoch i.'[39] David Penry
o blas Llanedi oedd y gŵr bonheddig ac o hynny ymlaen bwriodd
ei goelbren â'r Anghydffurfwyr a dod, maes o law, yn weinidog yn
Llanedi. Dro arall, yn ôl tystiolaeth Thomas Rees,[40] yr oedd
Stephen Hughes yn marchogaeth ar y ffordd i ogof Cwmhwplin ar
Sul y Pasg pan welodd griw o bobl yn dawnsio mewn cae ger Pant-
y-blawd ym mhlwyf Llanegwad. Wedi gwylio'r miri am ychydig,
bloeddiodd Stephen Hughes ar eu harweinydd, 'Os dewch gyda mi
dros y mynydd, fe gewch well ddifyrrwch nag a gewch yma'.
Cytunodd nifer o'r dawnswyr i'w hebrwng a llwyddodd Hughes
i'w hennill i'r achos. Nid amhriodol yma, ychwaith fyddai cyfeirio
at lythyrau ffug a luniwyd gan Dewi Emlyn, brodor o Genarth,

llythyrau a dadogwyd ar ferch o'r enw Anna Beynon. Er bod mwy o ddychymyg nag o wirionedd yng nghynnwys y llythyrau diddorol hyn, dichon fod rywfaint o sail hanesyddol iddynt pe na bai ond am y ffaith fod yr awdur wedi defnyddio toreth o dystiolaeth lafar a gawsai gan ei fam. Dyma ddarn sy'n sôn am brofiad tad Anna Beynon:

> Yr oeddwn i yn arfer myned i Ogof Cwmhwplin i wrando Stephen Hughes ym 1670, pan oeddwn yn 12 oed; a phan oeddwn yn 16 oed yn gwrando arno yn pregethu oddi wrth y gciriau, 'Cyfraith yr Arglwydd sydd berffaith, yn troi yr enaid', fe aeth y saeth i'm calon, ac mi deimlais gyfraith yr Arglwydd yn troi fy enaid innau. Ie, ie, yn ogof Cwmhwplin y cefais i fy nerbyn . . . Yr wyf yn cofio llawer o bregethau Hughes. Yr oedd mêl Efengyl ar ei dafod ef bob amser.[41]

Hawdd credu bod llais swynol a chenadwri felys Stephen Hughes wedi cael cryn ddylanwad ar feddwl a chalon cenhedlaeth gyfan o Anghydffurfwyr a bod y sôn amdano wedi ei drosglwyddo ar dafodleferydd ymhell ar ôl ei farwolaeth ym 1688.

Nid amherthnasol fyddai esbonio paham, a hithau'n 'Oes yr Erlid Mawr', na chafodd Stephen Hughes ei garcharu am gyfnodau maith a'i rwystro rhag efengyleiddio'i breiddiau gwasgaredig mor ddyfal. Onid cyfnod oedd hwn pan labyddiwyd gweinidogion yr Anghydffurfwyr, pan grogwyd a diberfeddwyd offeiriaid y Pabyddion, a phan orfodwyd Crynwyr gorthrymedig i chwilio am randir mwyn ym Mhensylvania bell? Rhaid cofio mai nod y deddfau erlitgar a elwid yn Côd Clarendon oedd dinistrio Anghydffurfiaeth yn llwyr drwy ddirwyo, carcharu ac alltudio. Nid oedd gan Anghydffurfwyr yr hawl i addoli yn ôl eu cydwybod ac yr oedd digon o eglwyswyr a boneddigion a oedd yn fwy nag awyddus i gosbi hen Biwritaniaid am yr hyn a gyflawnwyd yn ystod 'yr amseroedd blin'. Ond canfu hyd yn oed yr eglwyswr mwyaf milain mai gwaith anodd oedd cosbi a chamdrin gŵr mor addfwyn a difalais â Stephen Hughes.[42] Câi'r awdurdodau flas ar wastrodi protestwyr digymrodedd fel Vavasor Powell a Jenkin Jones, ond nid mor hawdd oedd troi tu min ar gymwynaswr poblogaidd a dirodres fel Stephen Hughes. Nid oedd arno ddim awydd i gynnal a chorddi hen ddadleuon diwinyddol a gwleidyddol. Credai fod 'ymbleidio ac ymddadlu' yn 'rwystr yn hytrach na chymmorth i adeiladaeth ysprydol'.[43] Ac yntau'n Galfin cymedrol, nid da ganddo ystranciau'r Crynwyr a phoenai'n fawr am barhad y traddodiad Piwritanaidd a 'siglwyd yn dost . . . yn yr amseroedd diweddaf yma, gan Ranters, Quakers, ar cyfriw'.[44] Byddai'n dyfynnu'r adnod hon (Diarhebion XV.1): 'Ateb arafaidd a ddetry lid: ond gair garw a gyffry ddigofaint.'[45] Dewisai ei eiriau'n ofalus bob amser. Pan deimlai reidrwydd arno i geryddu offeiriad anfoesol, ychwanegai 'heb ddim malis rwi'n ei ddweid e'.[46] Loes calon iddo oedd gweld awduron yn 'taflu dom yn ddiachos yn wyneb rhai dynion da'.[47]

Ffaith bwysig arall i'w chofio wrth geisio esbonio paham y cafodd Stephen Hughes fwy o lonydd nag Anghydffurfwyr eraill yw ei fod yn gymeradwy yng ngolwg nifer o eglwyswyr blaenllaw a dylanwadol. Camgymeriad fyddai credu bod y gwahanfur rhwng Eglwyswyr ac Anghydffurfwyr yn gadarn a diysgog yn ystod y cyfnod rhwng 1660 a 1689. Mewn oes o erledigaeth a chryn ansicrwydd ynglŷn â'r dyfodol, yr oedd yn naturiol i lawer o Bresbyteriaid ac Annibynwyr i gymuno'n achlysurol yn yr eglwys sefydledig.[48] Dim ond y sectau 'eithafol' fel y Bedyddwyr a'r Crynwyr a fyddai'n peidio â mynychu'r eglwys, a hynny ar egwyddor. Pregethai Stephen Hughes yn rheolaidd yn yr eglwysi ar wahoddiad boneddigion ac offeiriaid, ac meddai ef ei hun:

> Rwyf yn traethu ei hathrawiaeth
> Er na liciaf mo'i disgyblaeth.[49]

Yn wir, y mae lle i gredu bod Stephen Hughes yn cytuno â barn Richard Baxter mai pechod oedd ymneilltuo'n llwyr oddi wrth yr Eglwys. Ai gormod fyddai dweud am 'Apostol Sir Gâr', fel y dywedwyd am Baxter, 'he loved the Church infinitely more than did thousands of easy-going Conformists'?[50] Beth bynnag, nid oedd arfer Hughes o gymuno'n achlysurol wrth fodd calon pob Anghydffurfiwr ac mae'n rhaid fod ei hyblygrwydd wedi peri i nifer o wŷr mwy digyfaddawd i droi eu cefnau arno. Edrydd Joshua Thomas hanesyn amdano yn pregethu ger Llandysul rywbryd, mae'n debyg, cyn 1668. Pan oedd ar fin dechrau pregethu clywyd cloch yr eglwys yn canu. 'Mi af i'r eglwys', meddai Stephen Hughes wrth ei gynulleidfa, 'ac yna mi a ddeuaf i bregethu i chi.' Ond pallodd amynedd rhai o'i ddilynwyr a dwrdiwyd Hughes yn hallt gan Thomas David Rees, gŵr bonheddig a Bedyddiwr o Lannarth yng Ngheredigion. Gwrthododd Hughes syrthio ar ei fai ac o ganlyniad ciliodd Rees i wersyll y Bedyddwyr yn Rhydwilym.[51] Ond er mwyn cyflawni ei fwriad i achub eneidiau ac i greu cymdeithas lythrennog a duwiol credai Stephen Hughes fod ganddo gyfrifoldeb arbennig i hyrwyddo yr hyn a elwid gan Jeremy Owen yn 'ysbryd gwir Gatholig, rhyddid Cristnogol, a chyd-ddygiad'.[52] Ar hyd ei oes mynnodd gydweithio ag eglwyswyr megis William Thomas, deon Caerwrangon ac, yn ddiweddarach, esgob Tyddewi (1677-83), Hugh Edwards o Langadog, William Lloyd o Sain Pedrog a David Thomas o Fargam.[53] Câi nawdd hefyd oddi wrth deulu Williams Rhydodyn a theulu Dawkins, Cilfrwch, Llanilltud. At hynny, yr oedd enw da a pharchus ei deulu yng nghyffiniau Caerfyrddin ac yn nhref Abertawe yn ei ddiogelu i ryw raddau rhag ei erlidwyr.

Y mae'n eglur hefyd mai peth ysbeidiol oedd yr erlid; amrywiai ei natur o sir i sir ac o flwyddyn i flwyddyn. Mae'n wir y gallai'r gyfraith frathu'n ddigon milain pan fyddai angen—ac fe welwyd hynny yn sgil Gwrthdystiad Venner, y Cynllwyn Pabaidd a Chynllwyn Tŷ Rye—ond ni phrofodd Anghydffurfwyr Cymru ddim byd tebyg i'r ymlid didrugaredd a ddaeth i ran Huguenotiaid Ffrainc yn y 1680au. Nid pawb mewn awdurdod oedd yn awyddus i geisio difodi crefydd yr Anghydffurfwyr ac i beri loes i hoff gymdogion. Rhaid cofio hefyd mai cyrff diddannedd oedd y llysoedd eglwysig, mai ciwed bur ddiog oedd ustusiaid heddwch Cymru, a bod mwy nag un aderyn brith ymhlith cwnstabliaid cefn gwlad.[54] Gwaith trybeilig o anodd oedd sicrhau bod troseddwyr yn ymddangos gerbron llysoedd eglwysig i ateb y cyhuddiadau yn eu herbyn.[55] Defnyddiai Anghydffurfwyr cyfrwys bob ystryw posibl i nychu cynlluniau gofalus yr awdurdodau. Bu ogof Cwmhwplin yn noddfa ddelfrydol i Stephen Hughes a'i braidd oherwydd gallent weld gwŷr y gyfraith yn dod o gryn bellter ar waelod y cwm, a medrent ddianc yn chwimwth dros y ffin i sir Geredigion. Fel y dangosodd yr Athro Glanmor Williams, nid ar hap a damwain y lleolwyd eglwysi cryfion megis Llanigon yn sir Frycheiniog a Llangyfelach yng ngorllewin Morgannwg ar y ffin rhwng esgobaethau a siroedd.[56] Un o'r rhesymau paham y symudodd Stephen Hughes i fyw i Abertawe oedd y ffaith mai bwrdeistref gyfrannol oedd Abertawe ac nad oedd hawl gan awdurdodau'r dref i erlyn gweinidogion dan amodau'r Ddeddf Bum Milltir. Yn Abertawe yr oedd cyfran sylweddol o ustusiaid heddwch y dref, nifer ohonynt yn fasnachwyr, yn grefftwyr ac yn gyn-filwyr, yn cydymdeimlo'n fawr

ag Anghydffurfiaeth ac yn fodlon caniatáu i weinidogion megis
Stephen Hughes, Daniel Higgs, Marmaduke Matthews, Lewis
Thomas a William Thomas i daenu'r Efengyl yn gwbl agored.
'Preach these fellows do everywhere',[57] meddai William Lucy,
esgob Tyddewi, ac, yn wir, yr oedd gan weinidogion yr Anghyd-
ffurfwyr fwy na digon o egni, asgwrn-cefn a rhuddin ysbrydol.
Mynnai Stephen Hughes bob amser fod 'difrifol ddiwydrwydd yn
angenrheidiol i'ch Iechydwriaeth',[58] ac o gofio iddo lafurio dan
gysgod erledigaeth am genhedlaeth gyfan ni allwn beidio ag
edmygu ei wroldeb a'i ddyfalbarhad.

Ail gymwynas fawr Stephen Hughes oedd iddo weld yn gliriach
na neb yn ei oes ei hun mai un o brif anghenion y Cymry oedd
cyflenwad o lyfrau ysgrythurol a defosiynol a fyddai'n gymorth
iddynt ddysgu a deall prif hanfodion y grefydd Gristnogol. Ei nod,
fel y dywedodd Charles Edwards, oedd gwneud 'ysgrifen Gymraeg
o ewyllys Duw yn eglur ar lechau fel y rhedo yr hwn ai darlleno; a
chyn rhatted ac y llawenycho yr hwn ai pryno'.[59] Drwy gyfrwng
nawdd yr Ymddiriedolaeth Gymreig llwyddodd i gyhoeddi cnwd o
lyfrau da ar gyfer y dychweledigion ynghyd â'r rhai a oedd yn
awyddus i ddysgu darllen ac i feistroli prif elfennau'r grefydd
Anghydffurfiol. Anogai awduron yn aml i beidio â 'llefaru neu
'scrifennu yn y cymmylau'[60] ac mae'n arwyddocaol mai llyfrau
poblogaidd Richard Allestree, Lewis Bayly, Richard Baxter, John
Bunyan ac Arthur Dent oedd ei ffefrynnau. Diolch i nawdd yr
Ymddiriedolaeth Gymreig, gwaith arloesol Stephen Hughes, a
dygnwch Thomas Jones yr Almanaciwr, cyhoeddwyd 86 o lyfrau
Cymraeg rhwng 1670 a 1689.[61] Dysgodd Stephen Hughes yn bur
gynnar yn ystod ei yrfa fel gweinidog fod gallu dyn i ddarllen llyfr
yn ychwanegu'n aruthrol at ddylanwad a gwerth pregeth a glywid
ar lafar. Gallai'r sawl a feddai lyfr ei gadw wrth ei ymyl, ei ddarllen
drosodd a throsodd, a myfyrio uwch ei gynnwys. Ac er mwyn
sicrhau bod y Cymry yn cael dogn rheolaidd o lyfrau buddiol
gwariodd Stephen Hughes draean o'i gynilion ef a'i wraig ar
argraffu *Tryssor i'r Cymru* (1677) a *Cyfarwydd-deb i'r Anghyfarwydd*
(1677).[62] Llwyddodd i berswadio pobl anllythrennog, lawer
ohonynt yn ddeugain neu yn hanner cant oed, i ddysgu darllen
Cymraeg ac anogai benteuluoedd yn gyson i hyfforddi eu plant a'u
gwasanaethyddion.[63]

A ninnau eleni yn dathlu gorchest y ficer William Morgan yn

cyfieithu ac yn cyhoeddi'r Beibl Cymraeg cyntaf ym 1588, mae'n briodol inni hefyd gofio am ymdrechion Stephen Hughes i ddiwallu'r angen am ddidwyll laeth y Gair. Dechreuodd gynllunio ar gyfer cyhoeddi argraffiad sylweddol o'r Beibl Cymraeg tra oedd yn Llundain ym 1670. Y pryd hwnnw dim ond oddeutu hanner cant o gopïau o Feibl 'Cromwell', a gyhoeddwyd ym 1654, a oedd yn weddill, a chostiai'r rheini chwe swllt yr un.[64] Tamaid i aros pryd oedd cyhoeddi Testament Newydd Cymraeg ym 1672 ac aeth y gwaith mawr o baratoi Beibl cyflawn yn ei flaen. Nod Stephen Hughes yn y lle cyntaf oedd codi £1,500 er mwyn ei alluogi i argraffu 6,000 o gopïau. O gael digon o arian wrth gefn gallai fynd ati i sicrhau papur o ansawdd da, print bras ar gyfer yr henoed, a darllenwyr proflenni profiadol i ofalu am yr argraffiad.[65] Gwyddai Hughes mai cnafon twyllodrus ac oriog oedd cyhoeddwyr ac argraffwyr Llundain ac na fyddai modd yn y byd iddo ddwyn perswâd arnynt i fuddsoddi mil neu bymtheg cant o bunnau yn y fenter er mwyn porthi anghenion gwerin-bobl Cymru. Haws, meddai, fyddai eu cymell i dynnu eu llygaid o'u pennau![66] Sylweddolai hefyd y byddai raid iddo gadw llygad barcud ar gysodwyr di-Gymraeg yr argrafftai. Pan gyhoeddwyd Testament Newydd Cymraeg 1647, er enghraifft, cafwyd bod geiriau cyfan neu gymaint â hanner adnod wedi eu hepgor mewn sawl pennod. Pan ymgymerodd Stephen Hughes â'r gwaith o arolygu cyhoeddi Testament Newydd Cymraeg 1672 dywedyd wrtho y byddai'n rhaid hepgor collnod yma a thraw oherwydd prinder teip addas. A phan gyhoeddodd *Tryssor i'r Cymru* ym 1677 ymddiheurodd mewn sachliain a lludw oherwydd bod cysodwyr gwallus wedi cynnwys enghreifftiau di-rif o *s* yn lle *f*, *f* yn lle *s*, *c* yn lle *e*, *e* yn lle *c*, *u* yn lle *n*, ac *n* yn lle *u*.[67] Pa ryfedd i Thomas Jones yr Almanaciwr gystwyo argraffwyr y brifddinas?

> Nid oes myn f'einioes yn fyw—argraffydd,
> Od adwyn nad ydyw
> Drwy ddiogi a meddwi meddaw
> Yn cogio'r byd, goegun baw.[68]

Ond gyrrid Stephen Hughes yn ei flaen gan y galw ingol am Feiblau Cymraeg a chan ei awydd eirias i ennill calon pob pechadur. Teimlai fod ganddo ddyletswydd fel gwas Duw i estyn 'didwyll laeth y Gair allan o ddwy fron y Testament hen a'r newydd'.[69] Ni allai fforddio llaesu dwylo ychwaith oherwydd yr oedd yn argyhoeddedig fod Pabyddiaeth ar gynnydd yng Nghymru. Fe'i cyffrowyd i'r byw gan gyhoeddiad annisgwyl ym 1670, sef llyfr y Pabydd John Hughes, *Allwydd neu Agoriad Paradwys i'r Cymru*, cyfrol fach drwchus a oedd yn honni cyflwyno'r 'wir ffydd Christianogol' i'r Cymry.[70] Ofnai Hughes mai cysgadrwydd offeiriaid eglwysig a oedd yn caniatáu i Babyddion 'hau eu hefrau' yng Nghymru, a gwasgai yn daer arnynt i bregethu'r Gair ac i gefnogi ei ymdrechion i daenu'r Ysgrythur yn Gymraeg 'er mwyn Gwanhau Teyrnas y Diawl ac Anghrist'.[71] Yn ei dyb ef, anwybodaeth oedd mamaeth Pabyddiaeth a'r ffordd orau o nychu cynlluniau Iesuwyr ac offeiriaid Pabyddol oedd drwy osod Beiblau Cymraeg yn nwylo gwerin-bobl Cymru. Y mae ofn Pabyddiaeth yn drwm ar dudalennau gweithiau Stephen Hughes a dyfynnai'n aml allan o waith y Ficer Prichard er mwyn cryfhau ei ymosodiadau ar 'ffordd gythraulig y Papistiaid':

> Dannedd gwaedlyd y Pabyddion,
> Sydd yn gollwng gwaed Cristnogion,
> Sydd yn dangos nad gwir ddefaid
> Christ yw'r rhain, ond rheipus fleiddiaid.[72]

Llwyddodd Stephen Hughes i oresgyn bron pob anhawster wrth geisio dwyn goleuni'r Efengyl i'w wlad. Gofalodd Charles Edwards, yr ysgolhaig gloyw, am y gwaith llafurus o ddarllen proflenni a chywiro gwallau, cyflawnodd Thomas Gouge, y dyngarwr hael, wyrthiau wrth gasglu tanysgrifiadau ledled Cymru, a chafwyd nawddogaeth ariannol oddi wrth nifer o ewyllyswyr da a oedd yn gysylltiedig â'r Ymddiriedolaeth Gymreig. Casglwyd tua £2,000 a chaniatawyd i Stephen Hughes argraffu 8000 o gopïau o'r Beibl Cymraeg.[73] Fe'u hargraffwyd ar bapur da, yr oedd y print yn eglur—'canys ni ddichon rhai pobl oedrannus', esboniodd Hughes, 'er arferid spectals, ddarllen y Beiblau o brint mân'[74]—ac yr oedd pedwar swllt y copi yn bris rhad iawn. Yr oedd yr argraffiad cyflawn yn cynnwys y Beibl, y Llyfr Gweddi Gyffredin, yr Apocrypha a Salmau Cân Edmwnd Prys, ond yr oedd modd i Anghydffurfwyr brynu copïau heb y Llyfr Gweddi a'r Apocrypha. Dosbarthwyd mil o gopïau yn rhad ac am ddim ymhlith y tlodion.

Rhan o'r un ymgyrch i daenu'r Gair oedd ymdrechion Stephen Hughes i gyhoeddi pum argraffiad o waith enwog Rees Prichard, *Canwyll y Cymry,* rhwng 1658 a 1681.[75] Aeth ati'n ddyfal i gasglu llawysgrifau'r hen Ficer ynghyd, gan newid trefn y cerddi a'u gwneud yn 'brydferthach o lawer'.[76] Ef oedd y cyntaf i sylweddoli mai bwriad y Ficer Prichard oedd galw ei gasgliad o gerddi yn *Canwyll y Cymry:*

> Gelwais hon yn Ganwyll Cymro,
> Am im chwennych brudd oleuo,
> Pawb o'r Cymru diddysc, deillion,
> I wasnaethu Duw yn union.[77]

Er nad oedd Stephen Hughes yn cytuno â phob athrawiaeth a geid yng ngwaith ficer Llanymddyfri (byddai weithiau yn nodi wrth ymyl y ddalen, 'Nid wi'n credu mo hynny'),[78] gwyddai fod ganddo'r gallu prin i apelio at 'ddealldwriaeth y cyffredyn' a'i fod, er y cyhoeddiad cyntaf ym 1658, wedi denu miloedd o Gymry i ddysgu darllen y Beibl. Y Ficer Prichard oedd Pêr Ganiedydd oes y Stiwartiaid ac erbyn y ddeunawfed ganrif nid oedd prin deulu o Anghydffurfwyr heb gopi o *Canwyll y Cymry.* Fel hyn y tystiodd David Morgan:

Hen Dŷ'r Ficer Prichard yn Llanymddyfri
Llun: Llyfrgell Genedlaethol Cymru

Cofus genym er yn blentyn am frawddegau eglur a tharawiadol
Llyfr y Ficer; ac y mae meddwl am dano yn dwyn hen gareg aelwyd
tŷ ein tad gyda bywiogrwydd neilltuol i'n cof, pryd y darllenid ef
gyda phleser dirfawr i'r teulu lluosog oedd yno, pan eisteddid o
amgylch y tân ar hirnos gauaf, a phawb yn gwrando yn astud, gan
ddwyn yn mlaen ryw fân orchwylion, ond y darllenwr yn unig.[79]

Stephen Hughes fu'n gyfrifol am achub cyfansoddiadau cofiadwy
y Ficer Prichard ac mae'n anodd gorbwysleisio dylanwad *Canwyll*
y Cymru ar dwf gwybodaeth ysgrythurol a moesol yng Nghymru.
Rees Prichard a oleuodd y gannwyll, ond Stephen Hughes a'i
gosododd mewn canhwyllbren.

Mae'n deg cydnabod eleni hefyd gymwynas fawr arall a
gyflawnwyd gan Stephen Hughes yn y maes cyhoeddi, sef ei
gyfieithiad, gyda chymorth tri gŵr arall,[80] o lyfr enwog John
Bunyan, *The Pilgrim's Progress* (1678). Ym 1688 y cyhoeddwyd *Taith*
y Pererin am y tro cyntaf, ac ar 31 Awst o'r un flwyddyn y bu farw
John Bunyan, ac yntau'n 59 mlwydd oed. Ar yr olwg gyntaf
ymddengys fod John Bunyan yn ŵr tra gwahanol i Stephen
Hughes. Gŵr a gododd megis o ddim ydoedd. Hanai o deulu tlawd,
di-sôn-amdano ac ni chafodd unrhyw arweiniad nac anogaeth
oddi wrth ei dad anllythrennog. Pan oedd yn llencyn dibrofiad
ymrestrodd dan faner y Senedd ym mrwydr boeth y Rhyfeloedd
Cartref a daeth yn drwm dan ddylanwad syniadau radical. Profodd
dröedigaeth ysgytiol, safodd yn ddewr dros ddaliadau'r Anghyd-
ffurfwyr, a threuliodd yn agos i chwarter ei oes yn y ddalfa. Ond
drwy ddarllen hanes bywyd Bunyan yn fwy manwl fe welir hefyd
fod cryn debygrwydd rhyngddo ef a Stephen Hughes, sef ei
obsesiwn ynglŷn â iechydwriaeth ei bobl, ei egwyddorion moesol
diwyro, ei awydd i bregethu ac ysgrifennu, ei gasineb at y Crynwyr
a'r Brygawthwyr, ei gred mewn gwrachod ac ysbrydion, a'i
ddibyniaeth ar gefnogaeth gysurlon ei wraig. Y mae'n bosib fod
Stephen Hughes wedi clywed Bunyan yn pregethu yn Llundain.
Dywedir bod cynifer â thair mil o bobl yn arfer ymgynnull ar y
Sul yn Southwark i wrando ar Bunyan yn pregethu yn ystod ei
ymweliadau mynych â'r brifddinas. Un ohonynt, a gŵr a oedd
â gwaed Cymreig ynddo, oedd Dr. John Owen, y diwinydd
Piwritanaidd enwog. Pan geisiodd y brenin Siarl II edliw hynny
iddo atebodd y Cymro y byddai'n fodlon ymadael â'i holl ddysg pe
câi feddu ar dalent y tincer annysgedig.[81]

Er bod can mil o gopïau o *The Pilgrim's Progress* wedi eu gwerthu

John Bunyan
Llun: Ymddiriedolwyr Yr Amgueddfa Brydeinig, Llundain

Dewr-galon a'i gyfeillion yn herio'r Bwystfil yn *Taith Y Pererin*
Llun: Llyfrgell Hugh Owen, Coleg Prifysgol Cymru, Aberystwyth

erbyn 1688 a'r gwaith wedi ei droi i'r Ffrangeg, Isalmaeneg a Gaeleg erbyn hynny, petrus iawn oedd Stephen Hughes ynglŷn â chyhoeddi llyfr Cymraeg a luniwyd ar ffurf breuddwyd ac ymddiddan. Mae'n rhaid ei fod wedi holi ei gyfeillion yn Llundain droeon a oedd y gwaith yn ddigon difrifol i'w gyhoeddi? Poenai'n fawr hefyd ynglŷn â gallu'r Cymry i'w ddehongli'n gywir, ac ar ôl penderfynu mynd i'r wasg siarsiodd ei ddarllenwyr i gymryd gofal mawr:

> Gwir yw, fod yn y Llyfr yma Blisgyn a Chnewllyn; ac am hynny, rhaid ei ddarllen e yn fynych trosto; fel y gellir torri y Plisgyn (sef, deall y Damhegion, y sy'n rhedeg trwyddo) ac felly canfod y Cnewllyn (y matter cynhwysedig yn y cyfflybiaethau) iw fwytta (trwy Fyfyrio arno) megis ymborth melus a iachusol. [82]

Nid oedd raid iddo ofidio; cofleidiwyd campwaith Bunyan gan Anghydffurfwyr Cymru a rhoddwyd lle anrhydeddus iddo ar eu silffoedd. I raddau, wrth gwrs, yr oedd dameg Bunyan am y pererin carpiog, a baich o bechod ar ei gefn, yn ymlafnio i gyrraedd y ddinas nefol yn cyfateb i'w profiadau hwythau mewn oes erlitgar. Sugnent gysur o'r ffaith fod Cristion wedi herio'r ellyll arswydus, Apolyon, a'r Cawr Anobaith yn llwyddiannus, a'i fod wedi cefnu ar werthoedd cymeriadau rhagrithiol megis Cenfigennus, Coel-grefyddol, Gwag-hyderus a Mr. Llygad-Arian. Yn wir, gellir priodoli poblogrwydd *Taith y Pererin* yn rhannol i'r ffaith ei fod yn tynnu sawl blewyn o drwyn gwŷr bonheddig. Mewn oes pan oedd landlordiaid barus yn cydio maes wrth faes hcb falio ffeuen am hawliau'r difreintiedig, hawdd credu bod gwerin-bobl Cymru wedi cynhesu at waith a oedd yn dinoethi pechodau Mr. Cofleidio'r Byd, Mr. Crintach ac Efan Llygad-y-bwyd. Yn ôl Christopher Hill, cydymdeimlad Bunyan â'r tlawd a'i ddirmyg at gyfoethogion sydd wrth wraidd poblogrwydd *Taith y Pererin* ymhlith Anghydffurfwyr Lloegr, trefedigaethwyr America, Huguenotiaid Ffrainc a gwerin-bobl Cymru, yn ystod y ddwy ganrif ddilynol. [83] At hynny, wrth gwrs, rhaid cofio am ddylanwad llenyddol Bunyan ar waith rhyddieithwyr fel Ellis Wynne, William Williams Pantycelyn a Christmas Evans. Cyhoeddwyd o leiaf 41 argraffiad o'r rhan gyntaf o *Taith y Pererin* rhwng 1688 a 1934, [84] a chymaint oedd dylanwad y llyfr ar dyfiant ysbrydol addolwyr a darllenwyr yng Nghymru fel y daeth Bunyan yn arwr pennaf yn eu plith. Yn ôl tystiolaeth David Rees, Capel Als, golygydd *Y Diwygiwr* ac Annibynnwr selog a huawdl, cenid ei glodydd ar bob llaw: 'Fe siaredir gyda chymaint o

ffraethineb a diddordeb am John Bunyan a phe buasai wedi byw yn
yr ardal nesaf ac yn newydd farw yr wythnos ddiwethaf. Coffeir ei
enw ym mhob congl o Gymru.'[85] Erbyn heddiw ceir *The Pilgrim's
Progress* mewn dros ddau gant o ieithoedd gwahanol, ond i Stephen
Hughes y mae'r diolch am roi cpig John Bunyan mewn gwisg
Gymreig am y tro cyntaf.

Er mai achub eneidiau a phuro bucheddau ei gydwladwyr oedd
prif nod Stephen Hughes, ni fyddai unrhyw astudiaeth ohono yn
gyflawn heb ystyried ei agwedd tuag at yr iaith Gymraeg a thra-
ddodiadau diwylliannol y genedl. Ym 1925 traddodwyd darlith
nodedig a dylanwadol iawn gerbron Cymdeithas Hanes Annibynwyr
Cymru gan yr Athro G. J. Williams. Ei destun oedd 'Stephen
Hughes a'i Gyfnod' ac yng nghwrs y ddarlith dywedwyd 'na
welodd Stephen Hughes erioed werth y Gymraeg'.[86] Yr oedd yr
Athro G. J. Williams yn ymchwilydd manwl ac yn feirniad craff,
ond mae'n anodd iawn cytuno â'i farn na ddylid pwysleisio
gwasanaeth Stephen Hughes i'r Gymraeg. Fe'i magwyd mewn
cyfnod pan esgeulusid y Gymraeg gan y rhan fwyaf o deuluoedd
bonheddig Cymru a phan nad oedd gan y genedl unrhyw sefydliadau
cenedlaethol a allai fod yn gyfrwng i ddiogelu'r iaith a'r diwylliant
a oedd ynghlwm wrthi. 'Seisnigedd yw bonedd byd' oedd cŵyn
Edward Morris, y bardd a'r porthmon o'r Perthillwydion.[87] Ni
allai boneddigion di-Gymraeg werthfawrogi hen werthoedd syber
y genedl. At hynny, nid oedd fawr o gariad at y Gymraeg mewn
cylchoedd eglwysig ac addysgol. Tybiai nifer o aelodau'r
cymdeithasau dyngarol yn Llundain mai iaith iselradd a
dirmygedig oedd y Gymraeg ac mai camgymeriad oedd cyhoeddi
llyfrau Cymraeg. Pan sefydlwyd darpariaeth addysgol yng
Nghymru dan amodau'r Ddeddf er Taenu a Phregethu'r Efengyl
yn Well yng Nghymru (1650-3), drwy gyfrwng y Saesneg y dysgid
plant i ddarllen, ysgrifennu a rhifo. Ac yn ystod oes yr Adferiad nod
gwŷr elusengar yn Llundain oedd sefydlu ysgolion yng Nghymru
lle byddai plant yn cael eu haddysg drwy gyfrwng yr iaith Saesneg.
Yn ystod y 1660au cadwai Stephen Hughes ysgolion i ddysgu
plant i ddarllen Cymraeg, a phan ddechreuodd gyfeillachu â
dyngarwyr yn Llundain oddeutu 1670 gwnaeth ei orau glas i'w
perswadio i barchu'r Gymraeg ac i sylweddoli mai dim ond drwy
gyfrwng mamiaith plant Cymru y gellid sefydlu trefn addysg
effeithiol. Mewn rhagymadrodd grymus a luniwyd ar ffurf llythyr

agored at 'weinidogion cyfrifol' yng Nghymru ym mis Mawrth 1671, condemniodd yr eglwyswyr a'r dyngarwyr hynny a gredai nad da oedd argraffu llyfrau Cymraeg a darparu addysg Gymraeg:

> Ac pyt fae dros lawer oes dri chant ar ddeg o Saeson dyscedig, cydwybodol, ar unwaith yn cadw ysgolion, yn nhair Shir a'r ddeg Cymru, i ddyscu saesneg i'n cydwladwyr: er hynny ni byddei bossibl, i gyffredin bobl ein Gwlad golli iaith eu mammau y pum can mlynedd ac a ganlynant, os parhaiff y Byd cyhyd a hynny . . . A pha fodd erbyn hyn y collir y iaith gymraeg? Ac eto dymma'r fath beth y mae rhai yn ei phansio; ac ar hynny yn barnu nad da printio math yn y byd o lyfrau cymraeg i gynnal y iaith i fynu; ond ei fod yn weddus i'r bobl golli ei iaith, a dysgu saesneg. Digon da. Ond cofied y cyfryw, mai Haws dywedyd mynydd na myned trosto. [88]

Dychwelodd at y pwnc llosg hwn eto ym 1677, gan fynnu mai breuddwyd gwrach oedd disgwyl i blant Cymru droi'n Saeson dros nos. Ni allai beidio â chwerthin am ben y rheini a ddaliai i gredu mai'r gorau peth i Gymru fyddai colli'r Gymraeg. 'Ond o Arglwydd', meddai, 'pa fodd y dichon hynny fod? oni bae gwneuthur o honot ti ryfeddodau.' [89] Erbyn hynny y mae'n amlwg fod polisi yr Ymddiriedolaeth Gymreig o fabwysiadu'r iaith Saesneg fel prif gyfrwng dysgu yn ei hysgolion yng Nghymru yn profi'n llestair i weithgarwch Stephen Hughes a'i gyd-lafurwyr. Nid oedd yn syndod nac yn siom iddo weld y cynllun yn mynd â'i ben iddo yn sgil marwolaeth ei gyfaill Thomas Gouge ym 1681.

Gwyddai Stephen Hughes mai'r ffordd fwyaf synhwyrol ac effeithiol o ennill eneidiau a hybu llythrennedd yng Nghymru oedd drwy ddefnyddio mamiaith trwch y boblogaeth. Ni ellir deall na gwerthfawrogi ei gymwynas heb sylweddoli ei fod yn gwybod pa iaith oedd iaith bennaf Cymru a bod ganddo gariad dwfn ati. Melltithiai'r clerigwyr hynny a fyddai'n arfer pregethu yn Saesneg 'rhag ofn yscatfydd pylu ei saesoneg, neu er mwyn rhyngu bodd i'r Boneddigion'. Soniai'n chwerw iawn am wŷr eglwysig absennol a oedd yn byw yn fras ar ddegymau'r Eglwys ac yn cyflogi curadon tlawd i wasanaethu yn eu lle, 'y rhai ni fedrant yscatfydd cymmaint a darllen yn iawn, llai o lawer pregethu i'r plwyfolion'. [90] Cymraeg oedd iaith feunyddiol Stephen Hughes ac yr oedd yn ddolen a oedd, ynghyd â phroffes Gristnogol gref, yn clymu ef a'i bobl ynghyd. Wrth gyfieithu a golygu llyfrau ymlafniai i sicrhau bod y cynnwys yn ddealladwy i werin-bobl ledled Cymru. Mewn nifer helaeth o'i lyfrau ceid geiriau cyfatebol wrth ymyl y ddalen er mwyn gofalu bod y cynnwys yn ddealladwy i ddarllenwyr ym mhob rhan o'r wlad. Ofnai Hughes fod ei Gymraeg 'wael saesnigaidd' yn bur ddiffygiol o'i chymharu â'r 'gymraeg dda sydd ganddynt yng Wynedd',[91] a byddai yn aml yn cynnwys llechres o eiriau i gyfateb i 'eiriau dieithr' Gogleddwyr dan y pennawd 'Agoriad ar ryw Eiriau ... nad ydyw rhai pobl yn eu deall, yn rhyw fannau o Ddeheu-dir Cymru, wedi eu hegluro trwy eiriau mwy cyffredin a sathredig'. Ac yntau mor ansicr o'i gymwysterau llenyddol a heb dywyllu prifysgol erioed, yr oedd yn naturiol i Stephen Hughes bwyso'n drwm ar farn ei gyfaill disglair, Charles Edwards, wrth baratoi rhestrau o eiriau cyfystyr ac mae'n hawdd credu bod awdur *Y Ffydd Ddi-ffuant* wedi argyhoeddi Hughes fod yr iaith Gymraeg yn un o'r trysorau gwerthfawrocaf a feddai'r Cymry. Ymhlith y geiriau cyfystyr a geir yng ngweithiau Stephen Hughes, yn enwedig yn ei argraffiadau o gerddi'r Ficer Prichard, ceir yr enghreifftiau diddorol canlynol: *carccus* (gofalus), *coblyn* (ellyll), *craits* (preseb), *dainti* (finfelus), *difeirio* (edifarhau), *dyn bussy* (rhodresgar), *excepto* (neilltuo), *loetran* (llercian), *repetio* (ailadrodd), *rhebel* (gwrthryfelwr) a *scwrgio* (fflangellu).[92]

O gofio iddo dreulio oriau meithion yng nghwmni Charles Edwards mae'n rhaid fod Stephen Hughes wedi dod yn ymwybodol o hynafiaith ac urddas ei famiaith. Edwards a'i dysgodd mai'r iaith Hebraeg oedd 'mam y Gymraeg'.[93] Bu'n gymorth iddo werthfawrogi cyfieithiadau Morris Kyffin a Rowland Vaughan, ac i ddysgu mwy am gyfraniad disglair Dr. John Davies, 'vnig Plato ardderchawg o'n hiaith ni'.[94] Daeth Hughes i sylweddoli mai Dr. John Davies oedd 'y cymreigiwr goreu yng-Hymru' a lloffai'n gyson yn ei eiriadur. Ym 1677 addawodd i'w ddarllenwyr y byddai'n ailargraffu *Llyfr y Resolusion* (1632) a *Llwybr Hyffordd yn cyfarwyddo yr anghyfarwydd i'r Nefoedd* (1630) nid yn unig am fod eu cynnwys mor fendithiol ond hefyd 'er mwyn y iaith tra-rhagorol sydd ynddynt'.[95] Nid gŵr na welodd erioed werth y Gymraeg a ysgrifennodd y geiriau hyn. Yn wir, yr oedd ganddo afael ar iaith y Deheubarth, arddull rwydd a diorchest, a'r gallu i farddoni. Tybiai Emrys ap Iwan fod ei gyfieithiad o *The Pilgrim's Progress* yn fwy darllenadwy na'r un arall, ac mae beirniaid eraill hefyd wedi cydnabod bod mwy o gamp ar ei ryddiaith nag a feddyliwyd.[96] Cyfansoddodd 87 o benillion, yn null yr hen Ficer, i'w cynnwys yn ei argraffiad o *Canwyll y Cymru* ym 1672, a chyfieithodd benillion

Bunyan yn *Taith y Pererin* yn rhyfeddol o ystwyth. Ac erbyn diwedd ei oes yr oedd wedi dysgu cryn dipyn ynglŷn â rhythm a theithi'r iaith. Yn ei ragymadrodd i *Taith y Pererin* dywedodd:

> Ni chedwais i Eiriau, ond ystyr a meddwl yr Awdwr (mewn amryw fannau) yn y cyfieithiad: Canys fal y gŵyr y Dysceddig yn ddigon da; nid oes un Llyfr a gyfieithir, o un iaith ir llall, Air yng Air, a dâl ei ddarllain; oblegit bod Phrases (ymadroddion) a Geiriau yn bryd-ferth mewn un iaith, y rhai nid ydynt felly mewn iaith arall.[97]

Yr athroniaeth hon a'i galluogodd i ddarparu cnwd o lyfrau defnyddiol ac adeiladol ar gyfer 'y cyffredin Gymry'. A thrwy wneud hynny cyfrannodd yn helaeth iawn i'r ymgyrch i droi gwerin-bobl Cymru yn geidwaid yr iaith Gymraeg. Cam dybryd ag ef fyddai peidio â chynnwys ei enw ymhlith cymwynaswyr y Gymraeg oherwydd ni wnaeth neb fwy nag ef yn ystod 'Oes yr Erlid Mawr' i estyn einioes yr iaith Gymraeg.

*   *   *

I grynhoi. Gosododd Stephen Hughes seiliau cadarn i dwf Anghyd-ffurfiaeth yn nhrefi Caerfyrddin ac Abertawe yn ogystal â chefn gwlad de-orllewin Cymru. Llwyddodd i wneud hynny yn rhannol oherwydd swyn ei bersonoliaeth. O ran ei anianawd, gŵr addfwyn, pwyllog ac eangfrydig ydoedd, ac yr oedd gan bron pawb eirda iddo. Hyd yn oed mor ddiweddar â'r 1730au sonnid â pharch aruthrol amdano yn Llyfr Eglwys Pant-teg.[98] Yn wahanol i rai o radicaliaid penboeth y blynyddoedd chwyldroadol, troediai'n ochelgar iawn, gan geisio perswadio ei gyd-ddiwygwyr i gyd-dynnu a chydweithio er lles pobl Cymru. Rhoes ei fryd ar feithrin cym-deithas lythrennog a duwiol yng Nghymru a bu'n ddiwyd anghyff-redin fel gweinidog a bugail. Teithiai bellter ffordd yn rheolaidd i gwmnïa â'i ddisgyblion ac i ddiwallu eu anghenion ysbrydol. Byddai disgwyl eiddgar am ei bregethau efengylaidd yng nghefn gwlad sir Gaerfyrddin a sir Geredigion, a gwerthfawrogid ei barod-rwydd i daenu'r Gair a'i ddawn i wneud yr astrus yn eglur. Rhoddai o'i orau bob amser a da y disgrifiwyd ef gan Charles Owen fel 'a Gentleman of a true Apostolical Spirit, great Moderation, and pious Zeal to do Good to Souls.'[99] Ei ysbrydoliaeth ef oedd yn gyfrifol am osod nifer o weinidogion ifainc a brwdfrydig fel William Evans, James Owen, David Penry, Daniel Phillips a Rees

In the name of God Amen I Stephen Hughes
of the Towne of Swanzey being weake
& sickly in body, but of good memory (prayse
be to god) doe make my last will in
maner following; That is to say first &
principally I comend my soul to Almighty
God, (expecting salvation through the mor
of Jesus Christ) Item I give & bequeath unto
my onely daughter Jane the summe of one
hundred pounds of current English money
to be payd her when she shall accomplish the
yeares of Twenty three, & in the meane time
to be maintained by my Executrie here
after named, I likewise will my Executrie
to give & allot unto my sd daughter what pro-
tion she shall judge fit of my houshold
stuffe, togather wth 20 such bookes as shall be
by me layd aside for that purpose. Item I give
& bequeath unto my son Stephen the summe of
Ten pounds of current English money, to be payd
him by my Executrie when he shall attayne
the yeares of Twenty & one, as also all the
rest & residue of my bookes, togather wth such
a proportion of my houshold stuffe, as my Ex-
ecutrie shall judge fit; Item I doe hereby no
minate & apointe Catherin my wellbelovd
wiffe sole Executrie of this my will,
finally I desire my belovd friends John Daniel,
& Robert Whitepart, to oversee the due per-
formance of this my will; In Testimony whereof
I have hereunto set my hand & seale the 18th day
of Aprill in the yeare of our Lord 1688.

witness David Jones Rees Hughes
Sign: Thomas   Jenys David   Stephen Hughes

Ewyllys Stephen Hughes

Llun: Llyfrgell Genedlaethol Cymru

Prydderch ar ben y ffordd. Er gwaethaf ei brysurdeb fel pregethwr, mynnai Stephen Hughes neilltuo amser i astudio, cyfieithu a golygu llyfrau. Carai lyfrau yn angerddol; cyfaddefodd ryw dro na fuasai'n ymadael â'i gopi o *Catecism Mr Perkins* (1672) pe cynigid iddo lyfrau gwerth £200 amdano.[100] Pan luniwyd infentori o'i feddiannau adeg ei farwolaeth cafwyd bod ganddo lyfrau gwerth £15, sef hanner gwerth yr holl eiddo yn ei dŷ.[101] Pa ryfedd, felly, iddo ymlafnio i gymell yr anllythrennog i ddysgu darllen a'r llythrennog i brynu llyfrau da? Dygodd nifer sylweddol o lyfrau buddiol drwy'r wasg a'u dosbarthu ymhlith bobl dduwiol. Drwy wneud hynny cynyddodd y cyfartaledd o bobl lythrennog, yn enwedig ymhlith ffermwyr a chrefftwyr, a diogelodd yr iaith Gymraeg mewn cyfnod pur argyfyngus yn hanes Cymru. Ar achlysur trichanmlwyddiant marwolaeth Stephen Hughes, y mae'n fraint cael talu teyrnged i un o'r eneidiau dethol hynny a 'ddechreuodd agoryd llygaid y Cymry'.[102]

NODIADAU

1 Llyfrgell Genedlaethol Cymru, Cofysgrifau'r Eglwys yng Nghymru, Ewyllys Stephen Hughes, Abertawe, profwyd 16 Gorffennaf 1688.

2 Edmund Calamy, *An Account of the Ministers . . . who were Ejected or Silenced after the Restoration in 1660* (2 gyfrol, Llundain, 1713), II, t.720.

3 Ll.G.C., Cofrestr Plwyf Eglwys y Santes Fair, Abertawe, 1631-1706.

4 Stephen Hughes gol., *Gwaith Mr. Rees Prichard,* IV (1672), sig. A5r.

5 J. E. Lloyd gol., *History of Carmarthenshire* (2 gyfrol, Caerdydd, 1939), II, t. 287.

6 Ibid., t.136.

7 Ll.G.C. Lls.12357E, f.1441.

8 J. Dyfnallt Owen, *Stephen Hughes, 'Apostol Sir Gaerfyrddin'* (Lerpwl, d.d.), t.2.

9 *Gwaith Mr. Rees Prichard,* IV (1672), t.391.

10 Geraint H. Jenkins, *The Foundations of Modern Wales: Wales 1642-1780* (Rhydychen a Chaerdydd, 1987), tt.12-22.

11 J. Spinther James, *Hanes y Bedyddwyr yng Nghymru* (4 cyfrol, Caerfyrddin, 1896-1907), II, t.271.

12 E. Lewis Evans, *Capel Isaac* (Llandysul, 1950), t.27.

13 Palas Lambeth Lls. 996, f.312.

14 Ceir llofnod Stephen Hughes ar waelod deiseb Walter Cradock, *The Humble Representation and Address to His Highness of Several Churches and Christians in South Wales and Monmouthshire* (Llundain, 1656). Cyhuddwyd Hughes gan Francis Gawler o daro Crynwr o'r enw Evan John. F. Gawler, *A Record of Some Persecutions* (Llundain, 1659), t.23.

15 Geraint H. Jenkins, *Hanes Cymru yn y Cyfnod Modern Cynnar 1530-1760* (adargraffiad clawr meddal, Caerdydd, 1988), t.183.

16 R. Tudur Jones a B. G. Owens, 'Anghydffurfwyr Cymru, 1660-1662', *Y Cofiadur, 32* (1962), tt.3-93.

17 J. Dyfnallt Owen, 'Camre Cyntaf Anghydffurfiaeth ac Annibyniaeth yn Sir Gaerfyrddin. Yr Hanner Can Mlynedd Cyntaf, 1660-1710', *Y Cofiadur,* 13 (1936), t.6.

18 Calamy, op.cit., tt. 718-20; David Peter, *Hanes Crefydd yng Nghymru* (Caerfyrddin, 1816), t.562.

19 Calamy, op. cit., t.718.

20 *Gwaith Mr. Rees Prichard,* IV (1672), t.178.

21 W. S. K. Thomas, 'The History of Swansea from the accession of the Tudors to the Restoration Settlement' (traethawd Ph.D. Prifysgol Cymru, 1958), t.111.

22 I. M. Williams gol., *Abertawe a'r Cylch* (Llandybïe, 1982), tt. 99-110; E. Stanley John, 'Braslun o ddechreuadau Ymneilltuaeth yn Abertawe', *Y Cofiadur,* 48 (1983), tt.3-27.

23 Anne Whiteman gol., *The Compton Census of 1676: A Critical Edition* (Llundain, 1986), tt.cxxiii, 457, 467.

24 Ll.G.C., Cofysgrifau'r Eglwys yng Nghymru, SD/CCCm/2.

25 Ll.G.C., Cofysgrifau'r Eglwys yng Nghymru, SD/CCB/6; Llyfrgell Bodleian, Lls. Tanner 146, f.138.

26 Ll.G.C. Lls. Penrice a Margam 2978; Glanmor Williams, 'The Dissenters in Glamorgan, 1660-c.1760', *Glamorgan County History,* cyf. IV (Caerdydd, 1974), t.476.

27 R. Tudur Jones, *Hanes Annibynwyr Cymru* (Abertawe, 1966), tt. 100-103; Geraint H. Jenkins, *Literature, Religion and Society in Wales 1660-1730* (Caerdydd, 1978), t.36.

28 N. H. Keeble, *The Literary Culture of Nonconformity in Later Seventeenth-Century England* (Gwasg Prifysgol Caerlŷr, 1987), t.83.

29 Stephen Hughes gol., *Canwyll y Cymru: sef, Gwaith Mr. Rees Prichard* (Llundain, 1681), sig. A3r.

30 *Gwaith Mr. Rees Prichard,* III (1672), sig. A4r-v.

31 Gweler, er enghraifft, *Cyfarwydd-deb i'r Anghyfarwydd* (Llundain, 1677) a *Tryssor i'r Cymru* (Llundain, 1677).

32 *Tryssor i'r Cymru* (1677), sig. A3r.

33 Ibid.

34 *Gwaith Mr. Rees Prichard,* III (1672), sig. A3v.

35 Ibid., sig. A2v-A3r; *Cyfarwydd-deb i'r Anghyfarwydd,* sig. H1v.

36 *Gwaith Mr. Rees Prichard,* III (1672), sig. A3r.

37 Stephen Hughes, *Adroddiad Cywir, O'r pethau pennaf, ar a wnaeth, ac a ddwedodd Yspryd Aflan, yn Mascon yn Burgundy* (Llundain, 1681), t.12.

38 *Gwaith Mr. Rees Prichard,* IV (1672), tt.500-509.

39 Thomas Rees a John Thomas, *Hanes Eglwysi Annibynol Cymru* (4 cyfrol, Lerpwl, 1871-5), III, t.500.

40 Thomas Rees, *History of Protestant Nonconformity in Wales* (ail argraffiad, Llundain, 1883), t.224.

41 D. Elwyn Davies gol., *Llythyrau Anna Beynon* (Llandysul, 1976), t.87. Coffa da am Ddewi Emlyn hefyd eleni; bu farw 2 Awst 1888.

42 'Stephen Hughes a'i Amserau', *Yr Adolygydd,* I (1850-1), tt.413-34.

43 *Gwaith Mr. Rees Prichard,* IV (1672), t.274.

44 *Rhan o Waith Mr. Rees Prichard* (Llundain, 1659), sig. A5v-A6r.

45 Stephen Hughes gol., *Mr. Perkins His Catechism* (Llundain, 1672), t.55.

46 *Canwyll y Cymru* (1681), tt.453-4.

47 *Gwaith Mr. Rees Prichard,* III (1672), sig. A4v.

48 M. Clapinson gol., *Bishop Fell and Nonconformity: Visitation Documents from the Oxford Diocese, 1682-83* (cyf. 52, Oxfordshire Record Society, 1980), t.xviii.

49 *Yr Adolygydd,* I (1850-1), t.418.

50 F. J. Powicke, *The Reverend Richard Baxter under the Cross (1662-1691)* (Llundain, 1927), t.7.

51 Joshua Thomas, *Hanes y Bedyddwyr Ymhlith y Cymry* (Caerfyrddin, 1778), t.331.

52 Jeremy Owen, *Golwg ar y Beiau,* 1732, gol. R. T. Jenkins (Caerdydd, 1950), t.26.

53 Cafodd gymorth gan y rhain wrth argraffu Beibl Cymraeg 1678. *Gwaith Mr. Rees Prichard,* IV (1672), sig. A2r-a6r.

54 Gweler Thomas Richards, *Wales under the Penal Code 1662-1687* (Llundain, 1925), passim; R. Tudur Jones, *Hanes Annibynwyr Cymru,* pennod 4; G. H. Jenkins, *Hanes Cymru yn y Cyfnod Modern Cynnar,* tt.270-8.

55 W. T. Morgan, 'The Prosecution of Nonconformists in the Consistory Courts of St. Davids, 1661-88', *Journal Historical Soc. of Church in Wales,* 16 (1962), tt.28-54.

56 Glanmor Williams, *Grym Tafodau Tân* (Llandysul, 1984), tt.212-3.

57 Lls. Tanner 146, f.113.

58 *Tryssor i'r Cymru,* t.225.

59 Charles Edwards, *Y Ffydd Ddi-ffvant* (Rhydychen, 1677), t.207.

60 *Gwaith Mr. Rees Prichard,* IV (1672), sig. a8v.

61 G. H. Jenkins, *Literature, Religion and Society,* t.35; idem., *Thomas Jones yr Almanaciwr* (Caerdydd, 1980), pennod 2.

62 *Tryssor i'r Cymru,* sig. A2r.

63 Calamy, op. cit., tt.718-20.

64 *Gwaith Mr. Rees Prichard,* IV (1672), sig. A3r.

65 *Gwaith Mr. Rees Prichard,* III (1672), sig. a4r.

66 *Gwaith Mr. Rees Prichard,* IV (1672), sig. a3v.

67 *Tryssor i'r Cymru,* sig. M6r.

68 Thomas Jones, *Y Gymraeg yn ei Disgleirdeb* (Llundain, 1688), sig. X8r.

69 *Mr. Perkins His Catechism,* t.40.

70 John Hughes, *Allwydd neu Agoriad Paradwys i'r Cymrv* (1670), rhagymadrodd.

71 *Gwaith Mr. Rees Prichard,* IV (1672), sig. A5r, a2v.

72 *Mr. Perkins His Catechism,* sig. A6v.

73 *Canwyll y Cymru* (1681), sig. A3r; Thomas Llewelyn, *An Historical Account of the British or Welsh Versions and Editions of the Bible* (Llundain, 1768), t. 42.

74 *Gwaith Mr. Rees Prichard,* IV (1672), sig. A3r.

75 Eiluned Rees, 'A Bibliographical Note on Early Editions of Canwyll y Cymry', *Journal Welsh Bibliog. Soc.,* X, rhif 2 (1968), tt.36-41.

76 *Gwaith Mr. Rees Prichard,* IV (1672), sig. *3v.

77 Ibid., 'At y Darllenwr'.

78 *Canwyll y Cymru* (1681), t.249.

79 David Morgan, *Hanes Ymneillduaeth* (Dolgellau, 1855), t.384.

80 Dywed Hughes: 'Y mae'r Cyfieithiad o waith pedwar o honom, sef Gwr bonheddig o Wynedd (yn yr hanner olaf o'r Llyfr) Gwr o Benkadair, Yscolhaig ieuangc a ddaeth gyda mi i'r Ddinas hon, ac o'm gwaith fy hunan (y rhan fwyaf o honaw)'. *Taith neu Siwrnai y Pererin* (Llundain, 1688), sig. A2r: Charles Edwards oedd y gŵr bonheddig o Wynedd ac mac'n bosib mai Iaco ab Dewi oedd y gŵr o Bencader. Ond dywed Garfield H. Hughes (*Iaco ab Dewi 1648-1722* (Caerdydd, 1953), t.117) ei bod yn anodd gweld ôl Iaco ab Dewi ar y cyfieithu.

81 Roger Sharrock gol., *The Pilgrim's Progress* (ail arg., Rhydychen, 1960), t.339.

82 *Taith neu Siwrnai y Pererin,* sig. A2r.

83 Christopher Hill, *A Turbulent, Seditious, and Factious People, John Bunyan and his Church 1628-1688* (Rhydychen, 1988), t.377.

84 Mairwen Lewis, 'Astudiaeth gymharol o'r cyfieithiadau Cymraeg o rai o weithiau John Bunyan, eu lle a'u dylanwad yn llên Cymru' (traethawd M.A. Prifysgol Cymru, 1957), t.98.

85 Ibid., t.414.

86 G. J. Williams, 'Stephen Hughes a'i Gyfnod', *Y Cofiadur,* 4 (1926), tt.23-4. Am farn wahanol, gweler Thomas Shankland, 'Stephen Hughes', *Y Beirniad,* II (1912), tt.175-85.

87 Gwenllian Jones, 'Bywyd a Gwaith Edward Morris, Perthi Llwydion' (traethawd M.A. Prifysgol Cymru, 1941), t.57.

88 *Gwaith Mr. Rees Prichard,* IV (1672), sig. A3v.

89 *Tryssor i'r Cymru,* sig. A6r-v.

90 *Cyfarwydd-deb i'r Anghyfarwydd,* sig. H4v.

91 *Gwaith Mr. Rees Prichard,* IV (1672), sig. a6r.

92 Cafwyd yr enghreifftiau hyn yn y llyfrau a olygwyd gan Stephen Hughes rhwng 1658 a 1688.

93 *Y Ffydd Ddi-ffvant,* t.394.

94 Rowland Vaughan, *Yr Ymarfer o Dduwioldeb* (3ydd arg., Llundain, 1675), sig. A8v.

95 *Tryssor i'r Cymru,* sig. A5v.

96 *Detholiad o Lythyrau Emrys ap Iwan* (ail arg. Llandysul, 1964), tt.46-8, 77; G. H. Hughes, op. cit., tt.117-22.

97 *Taith neu Siwrnai y Pererin,* sig. A2r-v.

98 J. Dyfnallt Owen, 'Dechreuadau Panteg a Christmas Samuel', *Y Dysgedydd* (1935), tt.360-5; E. D. Jones, 'Copi o Lyfr Eglwys Pant-teg, Abergwili', *Y Cofiadur,* 23 (1953), tt.18-70.

99 Charles Owen, *Some Account of the Life and Writings of . . Mr. James Owen* (Llundain, 1709), tt.8-9.

100 *Mr. Perkins His Catechism,* sig. A6v.

101 Ewyllys Stephen Hughes, 1688.

102 Joshua Thomas, op. cit., t.47.

Rhyfel yr Oen: Y Mudiad Heddwch yng Nghymru, 1653-1816

Cyfnod eithriadol gyffrous yn Lloegr a Chymru oedd y blynydd-oedd rhwng 1640 a 1660. Daeth llu o sectau radical a beiddgar i'r amlwg, bob un ohonynt yn mynnu'r hawl i lefaru ac addoli'n rhydd ac yn argyhoeddedig fod y gwir oleuni yn eu meddiant. Yr oedd dinas Llundain yn ferw drwyddi yn ystod y blynyddoedd hyn: yn ôl Morgan Llwyd, clywid 'bob math o adar' yn trydar yno. Nod y Gwastatwyr oedd ehangu'r etholfraint a dyrchafu bri Tŷ'r Cyffredin. Cred ffyddiog y milflwyddwyr oedd bod dinistr yr Anghrist gerllaw ac y deuai'r Brenin Iesu drachefn i deyrnasu gyda'i saint. Pleidio achos y werin-bobl ddistadl a wnâi'r Comiwn-ydd, Gerrard Winstanley, arweinydd y Cloddwyr, ac wfftiai'r Brygawthwyr at foesau 'parchus' y Piwritan drwy honni nad oedd y fath bethau â nefoedd ac uffern yn bod. Ond mewn cyd-destun Cymreig y blaid ryfeddaf i flodeuo yn ystod y blynyddoedd cythryblus hyn oedd y Crynwyr.

Yn rhyfedd iawn, ganed mudiad y Crynwyr yng ngogledd Lloegr—ardal a oedd yn enwog am ei cheidwadaeth a'i Phabydd-iaeth. Neuadd Swarthmoor, ger Ulverston, oedd pencadlys y Crynwyr ac oddi yno yr âi cenhadon i bob cwr o Brydain i 'bregethu Dydd yr Arglwydd'. Eu harweinydd pennaf oedd George Fox. Gŵr unigryw oedd Fox ac ef, o bosib, oedd Anghydffurfiwr mwyaf carismatig yr oes. Un o ddigwyddiadau mwyaf dirdynnol yr ail ganrif ar bymtheg oedd y foment honno pan gydiodd Oliver Cromwell, yr Arglwydd-amddiffynnydd, ym mraich Fox a dweud (â deigryn ar ei rudd), 'Tyrd eto i'm tŷ'. Un garw a dihiwmor oedd Fox ar lawer ystyr: gwisgai ei wallt yn bryfoclyd o hir ac yr oedd ganddo lais fel taran. Honnai fod ganddo'r gallu i broffwydo'r dyfodol, i weld gwelediaethau ac i iacháu cleifion. Hoeliai sylw ei wrandawyr â'i lygaid treiddgar: 'paid â'm trywanu â'th lygaid', gwaeddent, 'cadw dy lygaid oddi arnaf'. Ond, yn ôl ei ddisgyblion, braint oedd cael ei adnabod oherwydd meddai'r ddawn i fynegi ei brofiadau ysbrydol yn rymus a'r parodrwydd i wynebu dirmyg a dioddefaint dros ei argyhoeddiadau. Nid arbedodd ddim ar ei egni a'i amser i hyrwyddo syniadau 'Plant y Goleuni'.

Ym mis Gorffennaf 1653 anfonodd Morgan Llwyd ddau o'i ddis-gyblion yn Wrecsam i Swarthmoor i holi ynghylch y Crynwyr. Un

Ffenestr Goffa Morgan Llwyd

Llun: Llyfrgell Genedlaethol Cymru

o'r ddau gennad oedd John ap John, iwmon o Riwabon. Fe'i cyfareddwyd gan genadwri Fox, darganfu rin y goleuni mewnol ac o hynny ymlaen ni bu neb yn fwy selog nag ef dros achos ac egwyddorion y Crynwyr yn Nghymru. Gwyddai ef fod Cymru yn faes cenhadu delfrydol am fod cynifer o'i phobl, fel y dywedodd ei hen athro Morgan Llwyd, 'yn byw yng ngogr oferedd ac ym mustl chwerwedd'. Ond nid gwaith hawdd fyddai ceisio bwrw gwreidd-iau mewn gwlad mor geidwadol ac annatblygedig â Chymru. Pobl od a pheryglus oedd y Crynwyr, yn nhyb y rhan fwyaf o'r Cymry. Credai'r Crynwyr mai Crist yw'r gwir oleuni sy'n goleuo'r byd. Seilient eu dysgeidiaeth ar dystiolaeth Ioan Fedyddiwr yn Efengyl Ioan I, 7-9. Dim ond drwy ddarganfod y goleuni hwnnw yn ei enaid y gallai dyn ddod i adnabod Duw. Y goleuni mewnol, yn anad dim, a roddai wir arwyddocâd a gwerth i fywyd pobl. 'Mae'r dŵr bywiol yma i'w gael yn rhad i'r tlodion annysgedig, crefftwyr a llafurwyr, bugeiliaid a physgotwyr', meddai Ellis Pugh, 'ond iddynt droi eu meddyliau i'r tu mewn iddynt eu hunain.' O ganlyniad, honnent mai pethau cwbl ddi-fudd oedd pob sacrament. Drwy fyfyrio a gweddïo'n ddistaw, addolent yn syml ac yn ddirodres.

Ond am eu bod hefyd yn herio rhai o hoff arferion, rheolau a chonfensiynau'r oes fe'u hystyrid yn bobl wir beryglus. Y Crynwyr, mewn gwirionedd, oedd Bolsiefigiaid eu hoes. Gwrthod-ent dalu'r degwm ar unrhyw gyfrif. Cyfeirient at yr eglwys wladol fel 'merch y Babylon Fawr' a barnent mai peth gwrthun oedd gorfod talu degwm i 'was cyflog' a oedd yn cynnal eglwys lwgr. Pan ddeuai degymwyr heibio i gasglu'r ddegfed ran o'u cynnyrch gwrthodent ildio'r un hatling. Ysgymunwyd Owen Lewis, Tyddynygarreg, am wrthod talu dwy geiniog fel degwm ar ei gaws. Wrth orwedd yng ngharchar drewllyd Llanandras yn wythdegau'r ail ganrif ar bymtheg, ymhyfrydai Peter Price yn y ffaith na thalasai'r degwm er deugain mlynedd. Pobl unplyg a geirwir oedd y Crynwyr a gwrthodent dyngu unrhyw lw. 'Na thwng ddim', meddent, oedd dysgeidiaeth Crist. Yn yr un modd, ni ellid dwyn perswâd arnynt i blygu glin, diosg eu hetiau na chodi o'u heistedd i ddangos parch i'r sawl a oedd yn llywodraethu drostynt. Syfrdanwyd ustusiaid Y Trallwng pan welsant Richard Davies o'r Cloddiau Cochion yn sefyll o'u blaen heb noethi ei ben. Tân ar groen pobl o dras, hefyd, oedd arfer y Crynwyr o alw 'ti' a 'tithe' ar bawb yn ddiwahân. Dirmygai'r Crynwr addysg brifysgol, ynghyd â phob athrawiaeth ysgolheigaidd ddyrys, a mynnai fod

gan bob gŵr a gwraig a oedd wedi darganfod y goleuni mewnol yr
hawl i bregethu'r Gair ac i gymryd rhan mewn trafodaethau
eglwysig. Yn ei awydd i ddileu pob rhwysg, gwrthdystiai yn erbyn
ffasiynau crand, afradlonrwydd a gwastraff. Gwisgai'n syml ac yn
syber bob amser. Ffieiddiai bob hen ddefod baganaidd megis enwi
dyddiau'r wythnos neu'r mis. Mynnai alw dydd Sul yn 'ddydd
cyntaf' a'r Llun yn 'ail ddydd'.

Y mae'n bwysig cofio nad pobl addfwyn a hawdd eu trin oedd
Crynwyr pumdegau'r ail ganrif ar bymtheg. Yn wir, fe'u cyfrifid
yn wŷr a gwragedd beiddgar a chythryblus dros ben. Wrth wylio
Crynwyr yn crynu, yn llesmeirio ac yn udo yn gyhoeddus tybiai
awdurdodau lleol fod yr Ysbryd drwg ar waith. Anogwyd ustusiaid
Abertawe gan offeiriaid lleol i chwipio John ap John hyd oni
ddelai'r Diafol allan ohono. Rhodiai rhai Crynwyr yr heolydd yn
noethlymun, a thorrent ar draws gwasanaethau eglwysig, gan
herio offeiriaid i brofi eu bod yn gymwys i wasanaethu. Yn ystod
hydref 1656 brasgamodd Francis Gawler, hetiwr a Chrynwr o
Gaerdydd, i mewn i eglwys Sant Andreas a dechrau bwrw gwawd
ar ben y pregethwr, Joshua Miller. 'Cer adre' i bwytho dy het',
gwaeddodd Miller, a chafodd bryd o dafod nad anghofiodd byth
gan y Crynwr haerllug.

Nid yw'n rhyfedd felly fod boneddigion ac offeiriaid o'r farn fod
y giwed anfoesgar a herfeiddiol hon yn bygwth undod a sefydlog-
rwydd y gymdeithas. Rhoddai gwŷr tiriog bwys mawr ar dras
freiniol, statws cymdeithasol, cyfraith a threfn, a'u hofn hwy oedd
y byddai'r Crynwyr yn llwyddo i droi'r byd wyneb-i-waered. Gellir
mesur eu casineb at y Crynwyr drwy nodi'r driniaeth a gawsai
James Nayler, brodor o swydd Efrog ac un o arweinwyr pennaf y
mudiad. Ym mis Hydref 1656 gorymdeithiodd Nayler, ar gefn
asyn, i mewn i ddinas Bryste, gan honni mai ef oedd y Meseia. Fe'i
hebryngwyd gan nifer o ferched ifainc, yn eu plith Dorcas Erbery
o Gaerdydd, gwraig a honnai fod Nayler wedi ei hatgyfodi o blith
y meirw. Canai'r merched 'Sanctaidd, Sanctaidd, Sanctaidd,
Arglwydd Dduw Israel.' Syfrdanwyd yr awdurdodau gan ryfyg
Nayler ac, ar orchymyn Tŷ'r Cyffredin, fe'i cosbwyd yn y dull
mwyaf erchyll. Ar 18 Rhagfyr fe'i gosodwyd mewn rhigod am
ddwy awr ac yna fflangellwyd ei gefn noeth â chwip ac arni saith
cordyn cnotiog. Naw niwrnod yn ddiweddarach tyllwyd ei dafod a
seriwyd ei dalcen â haearn poeth. Ymgais fwriadol oedd hon gan y
llywodraeth i daro mudiad y Crynwyr yn ei dalcen. Llwyddwyd i

ddistewi Nayler. Bu'r driniaeth a gawsai mor greulon fel nad adferodd ei iechyd yn llwyr. Yn wir, bu farw dair blynedd yn ddiweddarach.

Nid yr Eglwyswyr oedd yr unig rai i droi tu min ar y Crynwyr. Yr oedd yr Annibynwyr a'r Bedyddwyr, hwythau, yn eu casáu â chas cyflawn. 'Haint yr amseroedd' oeddynt, yn ôl John Miles, ac wrth weld rhwygiadau difrifol yn digwydd yn rhengoedd ei ddilynwyr yng nghanolbarth Cymru cyffrowyd Vavasor Powell i ddicter enbyd. Cafodd sawl Crynwr beiddgar brofi 'ffyrnigrwydd a balchder gwrthryfelgar Powell yn erbyn ffordd newydd a bywiol Arglwydd y Lluoedd'. Yr oedd hyd yn oed calonnau'r addfwynaf o blith y Piwritaniaid wedi caledu yn erbyn y Crynwyr. Pallodd amynedd Walter Cradock yn wyneb pryfocio sbeitlyd Francis Gawler. 'Dos yn fy ôl i Satan', bloeddiodd Cradock wrtho, 'yr wyf wedi gwrando arnat hyd yma; ond bellach rwy'n ymwrthod â thi. Rwyt wedi fy mhoeni ddydd a nos. Nid wyf yn siarad â thi, Gawler, ond â'r diafol sydd ynot.' Tynnwyd trwyn John ap John gan Morris Bidwell, pinsiwyd a chleisiwyd braich Alice Birkett gan Marmaduke Matthews, a thrawyd Evan John yn ei wyneb gan neb llai na Stephen Hughes, y Piwritan addfwyn o Feidrim.

Yr unig Biwritan o Gymro a welodd yn dda i gynhesu at y Crynwyr oedd Morgan Llwyd. Yn wahanol i'w gyfeillion ni theimlai ef fod unrhyw reidrwydd moesol arno i geisio difa'r Crynwyr. Yn wir, yr oedd cryn debygrwydd rhwng ei athrawiaethau ef ac eiddo'r Crynwyr. 'Gwir y maent hwy yn ei ddywedyd', dywedodd wrth ei fam, 'ond nid yr holl wir.' Clywir nodau cân y Crynwyr yn aml yn *Llyfr y Tri Aderyn* (1653) a brithir holl weithiau Llwyd rhwng 1653 a 1657 â delweddau'n ymwneud â'r bywyd mewnol—y llais, y gwreiddyn, y gannwyll, yr ystafell ddirgel. Wrth chwilio am lonyddwch a heddwch mewnol yr oedd yn naturiol i Llwyd wyro at ddaliadau disgyblion George Fox. 'Dos i mewn i'r stafell ddirgel', meddai, 'yr hon yw goleuni Duw ynot ti.' At hynny, cefnogai Llwyd yn frwd hawl yr unigolyn i farnu drosto'i hun ar fater o gydwybod. Ond eithriad prin oedd Llwyd a bu'r elyniaeth tuag at y Crynwyr, yn enwedig yn ystod 1659 a misoedd cynnar 1660, yn elfen bwysig yng nghri boneddigion ac eglwyswyr am gael ailorseddu'r Stiwartiaid. Yr oedd dydd y saint cythryblus yn prysur ddirwyn i ben a phan laniodd Siarl II yn Dover ar 25 Mai 1660 canwyd clychau eglwysi Cymru yn ddi-baid.

WORK

FOR A

COOPER.

BEING

AN ANSWER

To a LIBEL, Written by

THOMAS WYNNE

The COOPER, the ALE-MAN, the QUACK,

AND THE

SPEAKING-QUAKER.

WITH

A brief Account how that Diſſembling People differ at this day from what at firſt they were.

By one who abundantly pities their Ignorance and Folly. Will Jones

ECCLUS 22. 11.

Weep for the Dead, for he hath loſt the Light : and weep for the Fool, for he wants underſtanding : make little weeping for the Dead, for he's at reſt ; but the life of the Fool is worſe than death.

LONDON:

Printed by *J. C.* for *S. C.* at the Prince of *Wales's* Arms, neer the Royal Exchange.
MDC LXXIX.

Wyneb-ddalen *Work for a Cooper* (1679)
Llun: Llyfrgell Genedlaethol Cymru

Fel y gwelsom, nid pobl dirion oedd y Crynwyr cynnar. Nid heddychwyr mohonynt ychwaith. Drwy gydol pumdegau'r ail ganrif ar bymtheg buont yn arddel rhyfel fel offeryn gwleidyddiaeth. Yr oedd nifer o'u harweinwyr yn Lloegr—Dewsbury, Hubberthorne, Nayler a Whitehead—yn gyn-filwyr, a dalient i gredu bod amcanion gwleidyddol a milwrol yr Hen Achos Da yn werth ymladd drostynt. Brithid cyfarfodydd y Crynwyr â swyddogion yn y fyddin, morwyr a gweriniaethwyr, a châi llawer ohonynt flas ar frolio'u campau a'u haberth ar faes y gad. Un o Grynwyr amlycaf sir Feirionnydd oedd Robert Owen, Dolserau, cyn-lywodraethwr castell Biwmares ym 1659. Yn ei hunangofiant sonia Richard Davies am ei drafodaethau rheolaidd â chyn-swyddogion o'r fyddin ynghyd ag ustusiaid a oedd yn frwd o blaid y Weriniaeth. Nid siarad yn ei gyfer a wnaeth y bardd Huw Morys wrth honni bod y Piwritan a fu ddoe yn Annibynnwr wedi troi'n Fedyddiwr heddiw; erbyn trannoeth bydd yn filwr a thrennydd yn 'Gwacer oer egr ei rudd'. Ym 1660 dywedodd Arise (neu Rhys) Evans, teiliwr a phroffwyd rhyfedd a fu'n darogan gwae ar strydoedd Llundain yn ystod y blynyddoedd chwyldroadol, na fu'n arfer gan y Crynwyr erioed i ymochel rhag tywallt gwaed: 'dywed y Crynwyr yn wir na fyddant yn gwrthryfela na rhyfela, er bod y Fyddin y llynedd a thrwy gydol y rhyfel yn llawn ohonynt'. Hyd yn oed ar yr adeg pan oedd eu gobaith o sefydlu gweriniaeth Gristnogol yn diflannu dan eu dwylo yr oedd nifer helaeth o hen filwyr profiadol yng nghyfarfodydd y Crynwyr a oedd yn gyndyn iawn i ddiosg eu harfau. Yn hyn o beth tynnent yn groes i ddaliadau George Fox. Yr oedd Fox eisoes yn argyhoeddedig fod Ysbryd Crist yn arwain dynion ymaith oddi wrth drais a rhyfel. Yn ystod hydref 1650 dywedodd na ellir cyfiawnhau defnyddio cleddyf i ddifa gelyn ac ym mis Mawrth 1655 hysbysodd Oliver Cromwell mai 'ysbrydol, nid cnawdol, yw fy arfau i, ac nid yw fy nheyrnas i yn perthyn i'r byd hwn'.

Gan wybod beth oedd daliadau eu harweinydd, cloffai rhai o Grynwyr mwyaf milwriaethus Cymru rhwng dau feddwl. Ym mis Ionawr 1660 ysgrifennodd Francis Gawler at Fox ar ran nifer o Gyfeillion yng Nghaerdydd a oedd wedi derbyn gwahoddiad i barhau i wasanaethu yn y fyddin. A ddylent dderbyn y gwahoddiad, gofynnai? Yr oedd ateb Fox yn gwbl gadarn: 'y mae ein harfau ni yn ysbrydol, nid yn gnawdol'. Ei waith ef bellach, felly, oedd ceisio dwyn perswâd ar ei ddilynwyr fod modd concro'r byd heb orfod defnyddio 'braich o gnawd'. Er y gwyddai Fox mai un o ragoriaethau'r brenin Siarl II oedd ei agwedd oddefgar at Grynwyr, gwyddai hefyd fod tirfeddianwyr ac offeiriaid yn ysu am y cyfle i dalu'r pwyth yn ôl. Ym 1660-1 nod y gwŷr tiriog yng Nghymru oedd adfer uniongrededd eglwysig drwy ddileu Anghydffurfiaeth yn llwyr. O ganlyniad, lluchiwyd cannoedd o Grynwyr i gelloedd tywyll, budr ac afiach. Dwysaodd cyfwng y Crynwyr yn sgil gwrthryfel Thomas Venner ar 6 Ionawr 1661. Aelod o blaid y Bumed Frenhiniaeth oedd Venner. Yng nghwmni rhyw dri dwsin o'i gyfeillion rhoes gynnig ar gipio dinas Llundain drwy rym. Ond yr oedd profiadau chwerw 'yr amseroedd blin' yn dal yn fyw iawn yng nghof yr awdurdodau a sathrwyd cynllwyn Venner yn ddiymdroi. Bwgan mawr yr oes oedd perygl gwrthyfel arall ac felly anogwyd ustusiaid lleol i luchio pob gwrthryfelwr tebygol neu amheus yr olwg i'r carchar ac i chwilio tai am arfau. Erbyn diwedd mis Chwefror yr oedd o leiaf 4,688 o Grynwyr yn Lloegr a Chymru wedi eu cipio i'r ddalfa.

Yn wyneb y fath argyfwng daeth cyfeillion George Fox i sylweddoli bod perygl i'r mudiad fynd â'i ben iddo pe dalient i lynu wrth ddulliau milwrol. Am resymau pragmatig ac ymarferol, felly, penderfynodd y Crynwyr fabwysiadu heddychiaeth fel egwyddor sylfaenol a'i hymgorffori yn eu cyffes ffydd. Ar 21 Ionawr 1661 cyflwynodd Fox a Hubberthorne ddatganiad i'r brenin Siarl II yn cyhoeddi mai efengyl tangnefedd oedd dysgeidiaeth Crist a bod y Crynwyr yn ymwadu'n swyddogol â rhyfel, arfau cnawdol a phob trais. Pobl ddiniwed, ufudd a theyrngar oedd y Crynwyr, meddent, a'r unig ryfel y byddent hwy yn ei ymladd fyddai Rhyfel yr Oen. Y mae'r flwyddyn 1661, felly, yn ddyddiad tyngedfennol yn hanes twf y mudiad heddwch yng Nghymru. Dan faner Tywysog Tangnefedd y byddai'r Cyfeillion yn gorymdeithio o'r dyddiad hwnnw ymlaen. Wrth edrych yn ôl, gallwn weld mai penderfyniad doeth fu arddel heddychiaeth oherwydd o blith yr holl sectau radical a frigodd i'r wyneb yn ystod pumdegau'r ail ganrif ar bymtheg—y Chwilwyr, y Brygawthwyr, y Muggletoniaid a'r Sosiniaid—dim ond y Crynwyr a brofodd flynyddoedd o lewyrch wedi'r Adferiad.

Dyddiau dreng i bob heddychwr ac i bob gwrthwynebwr cydwybodol oedd yr ail ganrif ar bymtheg. Oes o ryfel, trais, creulondeb a budreddi ydoedd. Bu'r profiad o ymladd yn y rhyfel cartref yn hunllef i lawer o werin-bobl Cymru. Sonia'r bardd Huw Morys am y gwladwr dibrofiad a di-glem yn gorymdeithio'n benisel, gyda'i bicfforch a'i gaib a'i fatwg, i faes y gad ac yn marw 'fel cig mollt pwdr'. Tystia'r deisebau a'r tystysgrifau a ddeuai gerbron ustusiaid heddwch i'r poen a'r ing a ddioddefwyd gan filwyr. Ymhlith y rhai a glwyfwyd yn enbyd yr oedd William Gruffydd o Lanllechid (hynafgwr 87 mlwydd oed erbyn 1660) a archollwyd yng ngwasanaeth Elisabeth I, Iago I a Siarl I, ac a gollodd ddau fab ar faes y gad. Ar ddiwedd y frwydr dyngedfennol yn Naseby ar 14 Mehefin 1645 ymosododd milwyr Cromwell ar wragedd milwyr Cymru a chan dybio mai puteiniaid Gwyddelig oeddynt rhwygasant eu trwynau â chyllyll hirion. 'Pa nifer helaeth o weddwon a phlant amddifad a wnaed?', holai'r meddyg a'r Crynwr Thomas Wynne o Gaerwys, 'Pa ddychryn a pha sgrechiadau agored a dirgel a fu ymhlith perthnasau wrth weld eu cyfeillion agosaf ac anwylaf yn cael eu dwyn ymaith a'u darostwng i'r dirmyg a'r gwaradwydd mwyaf?'

Yr oedd bywyd cefn gwlad hefyd yn aml yn dreisgar ac yn gynhennus. O bryd i'w gilydd rhwygid bröydd cyfain gan ffraeon ynghylch ffiniau eiddo neu'r hawl i anifeiliaid bori. Byddai gwerinwyr, yn enwedig yn eu meddwdod, yn fwy na pharod i ddefnyddio cyllell neu ddryll i bryfocio eraill neu i ddial ar hen elynion. Brithir cofnodion Llysoedd y Sesiwn Fawr a'r Sesiwn Chwarter ag achosion yn ymwneud ag ymosodiadau neu ymrafaelion gwaedlyd. Ac, wrth gwrs, yr oedd deddfau'r wlad yn aml yn arswydus o greulon. Lluosogodd nifer y troseddau a hawliai'r gosb eithaf o 50 ym 1689 i dros 200 erbyn diwedd y ddeunawfed ganrif. Yr oedd y darn hwn allan o 'Ddeg Gorchymyn y Dyn Tlawd' gan Lewis Morris yn agos iawn i'w le:

> Dwg yn lladrad bob rhyw beth,
> Dod y byd i gyd dan dreth;
> Di gei'r grocbren yn ddi-feth.

Dengys y driniaeth a roddwyd i'r brenin-leiddiaid ym 1660 y wedd farbaraidd a oedd yn parhau'n rhan annatod o gyfraith Lloegr. Ar 17 Hydref llusgwyd y Cyrnol John Jones, Maesygarnedd, cyfaill Morgan Llwyd ac un o'r ddau Gymro a arwyddodd y sêl-warant o blaid dienyddio Siarl I ym 1649, o'i gell i Charing Cross. Fe'i tynnwyd drwy ganol tyrfa gref o bobl a oedd yn cofio'n dda am yr eiliad drydanol honno pan godwyd pen gwaedlyd Siarl I i'r awyr gan y dienyddiwr ym mis Ionawr 1649. Bloeddient yn awr am waed y Cymro. Crogwyd John Jones nes ei fod bron yn farw. Yna rhwygwyd ei galon a'i berfedd allan gan y dienyddiwr. Daliwyd ei ymysgaroedd o flaen ei lygaid cyn eu taflu i'r tân. Torrwyd ymaith ei ben a'i ddal i fyny o flaen y dorf anniwall. Ac yna, yn sŵn bonllef o gymeradwyaeth, torrwyd ei gorff yn bedair rhan.

At hynny, rhaid cofio mai oes oedd hon pan oedd grym, gorfod-aeth, *force majeure,* erledigaeth a rhyfel yn rhan annatod o arfogaeth y wladwriaeth a'r eglwys. Fel arfer, nid ar hap a damwain y digwyddai rhyfel y pryd hwnnw. Fe'i hystyrid yn arf sefydliadol anrhydeddus. Dull hylaw a chyfiawn ydoedd o dorri dadl rhwng cenhedloedd. Dadl y rhai mewn grym oedd bod arnynt reidrwydd i amddiffyn y gyfundrefn wleidyddol a chrefyddol—deued a ddelo— rhag i'r gelyn Pabyddol achub y cyfle i daenu meysydd Prydain â gwaed Protestaniaid diniwed. Yn wyneb y fath fygythiad, meddid, ffolineb o'r mwyaf fyddai i unrhyw wlad lle'r oedd y Grefydd Ddiwygiedig yn ffynnu ddewis curo'i chleddyfau yn sychau a'i gwaywffyn yn bladuriau. Grym arfau oedd sail diogelwch pob gwlad oleuedig a chall. Nid yw'n rhyfedd yn y byd fod gweision y wladwriaeth yn ystyried pob heddychwr yn wrthryfelwr, yn fradwr ac yn ynfytyn.

Yr oedd gofyn i bob heddychwr, felly, fod yn eithriadol ddewr yn ystod blynyddoedd 'yr Erlid Mawr' rhwng 1660 a 1689. Ac eithrio'r Pabyddion, ni ddioddefodd yr un garfan ymhlith yr Anghydffurfwyr yn fwy na'r Crynwyr yn ystod y cyfnod tywyll hwn. Tociwyd yn llym ar eu hawliau sifil ac fe'u gwaharddwyd rhag addoli yn ôl eu cydwybod. Ar adegau o argyfwng gwleidyddol—yn enwedig rhwng 1660 a 1662, 1664-7, 1670-2, a 1680-6—fe'u herlidiwyd o bost i bentan. Nod yr awdurdodau gwladol ac eglwysig oedd diwreiddio Anghydffurfiaeth ac er nad oedd pob ustus a chwnstabl yn fodlon gweithredu'r deddfau cosb yn ddidrugaredd, byw dan gysgod erledigaeth a gorthrwm a wnâi'r Crynwyr. Dioddefasant yn arw ar ddwylo atafaelwyr. Cawsant eu chwipio, eu curo, eu llabyddio a'u carcharu. Ond er eu trin mor gïaidd, ni cheisiai'r Crynwyr eu hamddiffyn eu hunain. Yn wir, tosturient wrth eu herlidwyr a chredent mai drwy aberth a dioddefaint y gellid cymell eraill i ddilyn llwybrau tangnefeddus. Ni cheisient osgoi'r gosb a ddeuai yn sgil torri'r gyfraith. Caniataent i swyddogion atafaelu eu heiddo heb gadw stŵr na grwgnach dim. Aent i'r carcharau yn llawen er mwyn dwyn tystiolaeth o'u ffydd. Braint ac anrhydedd oedd cael dioddef yn enw Crist. Fel y tystiodd William Penn: 'Dim Croes, Dim Coron'.

Edmygid Owen Lewis, Tyddynygarreg, oherwydd ei barodrwydd i ddioddef 'chwerwon garcharau' dros 'y grefydd glau'. Gan fod dioddefaint yn rhan annatod o Ryfel yr Oen yr oedd y Crynwyr fel petaent yn mynnu tynnu erlid am eu pennau. Tystient i'w cred yn gyhoeddus yn yr awyr agored, a phan fyddai cwnstabliaid yn llusgo'u harweinwyr i'r ddalfa byddai gweddill y praidd yn parhau i ymgynnull yn rheolaidd nes y byddent oll mewn caethiwed neu nes y byddai'r awdurdodau'n rhoi'r ffidil yn y to. Buan y canfu ustusiaid heddwch Cymru na wnâi'r driniaeth arw a roddid i'r Crynwyr ond dyfnhau eu hargyhoeddiad a dyblu eu sêl.

Yr oedd yn ofynnol i bob Crynwr ar ôl 1661 wrthod gwisgo arfau neu ufuddhau i wŷs y gwŷr rhyfel. Ni fyddai'n cefnogi unrhyw baratoadau milwrol ac ni cheid cyfraniad ganddo at brynu drymiau, baneri neu wisgoedd milwrol. Ymwrthodai yn llwyr â hawl y wladwriaeth i'w orfodi i ladd ei gyd-ddyn. Gwrthodai wasanaethu yn rhengoedd y Gwirfoddolwyr lleol nac enwebu eilydd na thalu dirwy. O ganlyniad, deuai cwnstabliaid a beilïaid yn rheolaidd i atafaelu ei eiddo, ei warheg a'i offer amaethyddol. Yn amlach na pheidio byddai gwerth yr hyn a atafaelid gan y swyddogion hyn yn fwy o lawer na maint y ddirwy ei hun. A chosbid troseddwyr a drigai yn siroedd yr arfordir—lle'r oedd ofn goresgyniad gan luoedd y Pab yn beth byw iawn—yn anarferol o drwm, yn enwedig adeg rhyfel neu argyfwng gwleidyddol. Dygid ymaith lestri, rhawiau, crochenwaith, bariau haearn, gwartheg, moch, dofednod, dodrefn, dillad a llyfrau. Gwrthododd John Bowen o Lwchwr dalu chwe swllt i gyfrannu at gynnal Gwirfoddolwyr sir Gaerfyrddin. O ganlyniad, ar wahanol adegau rhwng 1665 a 1671, dygwyd buwch oddi arno, fe'i dirwywyd ddeg swllt ac yna fe'i carcharwyd am un mis ar bymtheg. Ym 1662 atafaelwyd ych gwerth 50 swllt, sef eiddo Lewis David o blwyf Llanddewi yn sir Benfro, ac fel cosb am beidio â thalu ceiniog a oedd yn ddyledus i'r meistr mwstwr ym 1680 cipiwyd ymaith Feibl Lewis James (a oedd yn werth 3s. 4d.) gan uwch-gwnstabl yr un plwyf.

Y mae hunangofiant bywiog a gonest Richard Davies o'r Cloddiau Cochion yn goffa bythol i yrfa heddychwr wrth ei broffes. Efengyl tangnefedd fu cenadwri Davies am dros hanner can mlynedd. Ymffrostiai yn y ffaith na welwyd ef erioed yn gwisgo lifrai milwrol nac yn ymladd nac yn dathlu buddugoliaethau milwrol. Gŵr golygus oedd Davies a meddai ar allu eithriadol i ennyn parch ac edmygedd. Bu'n dadlau ac yn ymresymu'n ddysgedig iawn â William Lloyd, esgob Llanelwy, a mentrodd ddweud wrth hwnnw y câi ef fwy o dangnefedd yn y ddalfa nag a gâi'r esgob yn ei balas. Tra oedd Davies yn cynnal gwasanaeth yng Nghastellnewydd Emlyn, sir Gaerfyrddin, ceisiodd 'gŵr o feddwl drwg' ei fygwth drwy anelu gwn ato drwy ffenestr a thaeru y byddai'n ei saethu'n farw oni ddistewai. Yr oedd y gwn yn gorwedd rhwng dwy wraig a oedd yn eistedd ger y ffenestr. Heb oedi dim gosododd un o'r gwragedd ei chorff yn erbyn safn y gwn, gan weiddi 'Mi fyddaf i farw fy hun gyntaf'. Ni wyddai'r erlidiwr pa beth i'w wneud a chiliodd mewn cywilydd o'r golwg. Drwy gynnal ei gilydd a rhannu profiadau llwyddai'r Crynwyr i feithrin brawd- oliaeth gynnes a thangnefeddus. Fel y tystiodd Francis Gawler: 'Felly yr ydym yn dioddef cael ein carcharu a sarnu ein heiddo yn heddychlon, gan ei chyfrif yn ddedwyddwch mawr ein bod yn deilwng i ddioddef dros gyfiawnder, ac wrth wneud hynny fe gawn heddwch a llawenydd na all yr un dyn ei ddwyn oddi arnom'.

Swynwyd llawer o Grynwyr Cymru hefyd gan heddychiaeth William Penn. Gŵr tra gwahanol i Fox oedd Penn. Yr oedd yn fab i lyngesydd, yn ŵr cyfoethog ac yn raddedig o Brifysgol Rhydychen. Troes yn Grynwr ym 1667 ac ymhen ychydig wedi hynny gofynnodd i Fox a ddylai roi'r gorau i wisgo'i gleddyf. 'Gwisg ef cyhyd ag y medri', oedd ateb Fox. Pan gyfarfu'r ddau y tro nesaf nid oedd Penn yn gwisgo'i gleddyf. 'Derbyniais dy gyngor', dywedodd Penn wrth Fox, 'fe'i gwisgais cyhyd ag y gallwn.' O hynny ymlaen, tra oedd Fox yn tystio yn erbyn rhyfel ar sail tystiolaeth y Testament Newydd âi Penn â'r ddadl ymhellach drwy dynnu sylw at y cyni a'r dioddefaint a'r gwastraff a ddeuai yn sgil rhyfel. Pan wnaed yn hysbys gynlluniau Penn ynglŷn â sefydlu Caersalem Newydd yn nhalaith Pennsylvania cyfareddwyd nifer helaeth o Grynwyr blaengar Cymru gan y fath anturiaeth gyffrous. Prynwyd 30,000 o erwau o dir ffrwythlon Pennsylvania a rhwng 1682 a 1700 ymfudodd tua 2000 o Gymry i America. Denwyd rhai ohonynt gan y cyfle i feddiannu a thrin mwy o dir. Hudwyd eraill gan y ddelfryd o sefydlu trefedigaeth annibynnol Gymreig. Ond y cymhelliad pennaf oedd yr awydd i addoli'n rhydd ac i hyrwyddo achos goddefgarwch a heddychiaeth yn yr Utopia newydd. Nid oedd gan lawer o Grynwyr Cymru ddigon o nerth mwyach i wynebu rhagor o erledigaeth ac nid oedd modd iddynt wybod yn ystod blynyddoedd cynnar wythdegau'r ail ganrif ar bymtheg fod dyddiau esmwythach ar fin gwawrio ym Mhrydain. Credent fod

William Penn

Llun: Llyfrgell Genedlaethol Cymru

Duw wedi agor drws trugaredd iddynt ac y byddai'r heddychiaeth a weithredid yn Arbrawf Sanctaidd William Penn yn esiampl i'r byd i gyd.

Cyfareddwyd Thomas Wynne, barbwr feddyg o Gaerwys, sir y Fflint, yn fwy na neb gan gynlluniau ysblennydd Penn. Hwyliodd Wynne, yng nghwmni ei arwr, i Wlad yr Addewid ym mis Awst 1682. Bu'r ddau yn gyfeillion mynwesol yn Philadelphia a thrwy fod ar ddeheulaw Penn daeth Wynne i sylweddoli ym mha ffyrdd y gallai heddychiaeth fod yn rym creadigol ym mywyd a llywodraeth y dalaith. 'Nid ymladd ond dioddefaint' oedd neges Penn i bobloedd Pennsylvania a llwyddodd i berswadio'r ymfudwyr i drin Indiaid Delaware—y Lenni Lenâpé—yn dirion ac yn deg. Cafodd Wynne y fraint o gydysmygu pib tangnefedd â Penn a phenaethiaid

y Lenni Lenâpé ym mis Mehefin 1683 a phrofiad gwefreiddiol fu
clywed y brodyr croendywyll hyn yn addo byw mewn cariad â'r
'Brawd Onas' (fel y galwent Penn) a'i blant 'tra erys yr haul a'r
lleuad'. Ysbrydolwyd Wynne i lunio traethawd yn argymell rhin y
dystiolaeth heddwch i'w gyd-Gymry. Erfyniodd ar ei gyd-wladwyr
i ymroi i'r dasg o adeiladu cymdeithas ddi-drais lle y byddai pawb
yn ymddwyn yn dirion at eu gelynion, yn barod i ddioddef
anghyfiawnder yn ddirwgnach, ac yn dymuno brwydro ag arfau
ysbrydol yn unig. Loes calon iddo ef oedd gweld pobl Cymru,
ganrif a hanner wedi dyfodiad Protestaniaeth, yn parhau i fyw
mewn ofn rhag ei gilydd, yn gwisgo arfau i'w hamddiffyn eu
hunain ac yn ymddiried mewn 'braich o gnawd'. Nid llygad am
lygad a dant am ddant oedd neges Crist, meddai, ond anogaeth
daer iddynt garu eu gelynion a throi eu cleddyfau'n bladuriau a'u
gwaywffyn yn sychau.

Er na lesteiriwyd Cymdeithas y Crynwyr yn llwyr gan 'yr Erlid
Mawr' a'r ymfudo i Bennsylvania collwyd rhai cannoedd o wŷr a
gwragedd diwylliedig a dewr—pobl 'o welediad ac o ynni', chwedl
R. T. Jenkins. Bu'r colledion hyn yn ergyd drom i'r mudiad
heddwch yng Nghymru. Pe na buasai'r Crynwyr wedi heidio dros
y moroedd efallai y buasai tai cyrddau megis Tyddynygarreg,
Dolserau a Dolobran yn dal i ffynnu heddiw fel temlau heddwch.
Beth bynnag am hynny, daeth yn amlwg yn ystod y blynyddoedd
ar ôl Deddf Goddefiad 1689 fod llawer o egni a brwdfrydedd y
Crynwyr wedi diflannu. Collwyd yr hen arweinwyr glew: bu farw
George Fox ym 1691, Thomas Wynne ym 1692, John ap John ym
1697 a Richard Davies ym 1708, ac nid oedd arweinwyr cyffelyb
wrth law i ddilyn ôl eu traed. Erbyn tua 1715 dim ond dau ddwsin
o dai cyrddau a oedd yn weddill yng Nghymru. Cyfnod o ddihoeni
a gwanychu fu'r ddeunawfed ganrif yn hanes y Crynwyr. Yn null
yr Iddewon, ffurfiasant gymunedau neilltuedig lle y gallent lynu
wrth eu hoff arferion—eu dull unigryw o lefaru, eu gwisgoedd
syml, eu defodau priodasol a'u disgyblaeth lem—heb boeni
mwyach am geisio concro'r byd. Bellach, ni welid mohonynt yn
rhodio'n noethlymun, yn curo'u bronnau neu'n herio offeiriaid.
Caent bob chwarae teg gan y llywodraeth, ustusiaid heddwch ac
offeiriaid (ac eithrio Toriaid digyfaddawd fel Ellis Wynne a
Theophilus Evans) i addoli yn eu dull eu hunain. Gellid ffforddio'u
hanwybyddu, onid eu caru fel brodyr.

Wedi i'r Crynwyr gilio o'r llwyfan gwleidyddol gwanychwyd y

Tŷ Cwrdd Dolobran

Llun: Llyfrgell Genedlaethol Cymru

mudiad heddwch yn ddifrifol. O dro i dro byddai'r Crynwyr yn datgan eu 'tystiolaeth hynafol ac anrhydeddus yn erbyn dwyn arfau' gerbron y byd, ond bach iawn oedd eu dylanwad ar eraill. Chwythid utgyrn rhyfel yn groch iawn yn Lloegr ar ôl 1689. Yr oedd maint byddinoedd Prydain ar gynnydd a neilltuid adnoddau materol a dynol enfawr at ddibenion rhyfel. Gan fod llywodraeth Prydain yn argyhoeddedig fod Pabyddiaeth yn berygl einioes i'r deyrnas rhoddwyd pob gewyn ar waith rhwng 1689 a 1697 i geisio llorio brenin Ffrainc, Lewis XIV. Dilynwyd yr ymgyrch hon gan y Rhyfel am Olyniaeth Sbaen (1702-13/14). Mewn ymgais i dorri crib brenhinoedd Sbaen bu rhyfela eto ym 1718-20, 1727-9 a 1739-48. Ymladdwyd y Rhyfel Saith Mlynedd rhwng 1756 a 1763, ceisiwyd dysgu gwers i drefedigaethwyr America rhwng 1775 a 1784, ac ar ddiwedd y ganrif bu rhyfel maith a chostfawr yn erbyn Ffrainc (1793-1815). Er i'r ymgyrchoedd hyn drethu nerth milwrol ac economaidd Prydain i'r eithaf rhoddent gyfle i'r Sais ymlawenhau wrth glywed am orchestion y fyddin a'r llynges ar gyfandir Ewrop. Oes y Siôn Tarw ymffrostgar oedd y ddeunawfed ganrif a bu tywallt gwaed Pabyddion a 'gormeswyr' estron yn fodd i borthi balchder gwladgarol ymhlith Prydeinwyr.

Sychedai'r Cymry, hwythau, am waed estroniaid. Yr oedd yr ymdeimlad o genedligrwydd Cymreig wedi gwanhau i'r fath raddau fel yr ystyriai y rhan fwyaf o foneddigion a phobl dosbarthcanol Cymru eu hunain yn Saeson. Atseiniai cyfarfodydd y Cymmrodorion a'r Gwyneddigion i sŵn caneuon megis 'Duw Gadwo'r Brenin', 'Rule Britannia' a 'The Roast Beef of Old England'. Daliai'r Cymry ar bob cyfle i ymorchestu yng ngwrhydri'r sawl a roddai ddyrnod i elynion Lloegr. Ymhyfrydai'r beirdd yn fwy na neb yn llwyddiant arwyr a byddinoedd Prydain ar draws y byd. Yng Nghymru yr oedd y perygl o du Pabyddiaeth yn gymaint dychryn ag yw Comiwnyddiaeth i drigolion America heddiw. Mewn eglwys, seiat ac ysgol dysgid oedolion a phlant i gasáu'r 'locustiaid Pabyddol' ac i weddïo'n feunyddiol dros yr Hanoferiaid a'r Sefydliad Protestannaidd. Fel hyn y canodd Edward Samuel, ficer Llangar, ar achlysur Rhyfel Clust Jenkins ym 1739:

> Duw cadw yn ddichlin, Siors ein brenin,
> Rhag gwyniau Burbon, wyneb Erbin,
> A'i fyddin oflin ef;
> A'i frenhiniaeth rhag bradwriaeth,
> Lle mae'n ddyledus hen ddeiliadaeth,
> I'w grair oruchafiaeth gref.
> A chadw'r eglwys ffriw-lwys ffraeth
> Rhag gau-grediniaeth dynion;
> A rhag Pabyddion blinion bla,
> A hil Genefa hyfion.

Yn ei gywydd marwnad i Siors II canwyd clodydd y brenin gan Hugh Hughes, 'y Bardd Coch' o Fôn, am amddiffyn y wlad rhag 'baeddod Ffrengig' a 'rhyfyg seintiau Rhufain'. Yn llawn sêl wrth-Babyddol, mynegodd Hughes ei obaith y byddai Cymru unwaith eto yn magu milwyr dewr tebyg i Hywel ap Gruffydd (Hywel y Fwyall), arwr Poitiers, a Dafydd Gam, arwr Agincourt, er mwyn galluogi Prydain i lorio pob estron haerllug:

> Mawr o adwyth, meirw ydynt
> Moler eu gwaith, milwyr gynt!

Yr oedd offeiriaid Eglwys Loegr gyda'r uchaf eu cloch yn moliannu campau rhyfelgar y fyddin Brydeinig. Honnai eu penaethiaid ei bod yn gwbl gyfreithlon i Gristnogion, ar orchymyn ustusiaid heddwch, ymrestru yn y fyddin, gwisgo arfau a thywallt gwaed ar faes y gad. Ar awr o argyfwng anogai arweinwyr Methodistaidd eu gwŷr ifainc i ymuno â'r lluoedd arfog. Er i Howel Harris a John Wesley gondemnio anghyfiawnder a thrais, nid heddychwyr mohonynt. Synient am fywyd fel brwydr barhaus yn erbyn Satan a'i luoedd a grym Eglwys Rufain. Pan oedd yr Ymhonnwr Ifanc, y Tywysog Charles Stuart, yn nesáu at lannau Prydain ym 1745 addefodd aelodau o'r Sasiwn Fethodistaidd a gynhaliwyd yn Abergorlech, sir Gaerfyrddin, eu parodrwydd i ryfela 'pe deuai'r alwad'. Yn eu tyb hwy, yr oedd rhyfel yn erbyn 'Pabyddion gwaedlyd' ac o blaid Duw, yr Efengyl a'r Brenin yn weithred sanctaidd a chyfiawn. Er ei fod yn betrus iawn ynglŷn â'i allu i chwifio cleddyf ac yn arswydo rhag cael ei glwyfo ar faes y gad, cynigiodd Howel Harris ei wasanaeth fel milwr ym 1759. Er mai milwr digon di-sut ydoedd, ymhyfrydai yn ei gomisiwn fel *ensign* ac yr oedd yn fodlon iawn i fod yn 'aberth i'r gwirionedd'. Llwyddodd Harris i ddwyn perswâd ar nifer o aelodau o'i deulu yn Nhrefeca i ymuno â'r Gwirfoddolwyr a'r fyddin, a bu rhai yn ymladd dan arweiniad Wolfe ym mrwydr Quebec.

Nid tan ddiwedd y ddeunawfed ganrif y cafwyd ymgyrchu brwd o blaid heddychiaeth unwaith yn rhagor. Erbyn hynny yr oedd elfennau cymdeithasol ac economaidd ar waith a oedd yn dechrau herio'r hen werthoedd ceidwadol ac ymostyngol ac yn bygwth llusgo Cymru i mewn i'r oes fodern. Yr oedd diwydiannau mawr yn brigo i'r wyneb; rhoddai'r dosbarth canol fwy o fri ar ddatblygiadau masnachol; dan ddylanwad yr Ymoleuo a'r pwyslais ar reswm gwyrai nifer o Anghydffurfwyr at radicaliaeth wleidyddol; ac yn sgil twf addysg a llythrennedd ffurfiwyd barn gyhoeddus ar rai o bynciau llosg y dydd. Ar flaen y gad yr oedd yr Undodiaid a'r Bedyddwyr, pobl huawdl a oedd yn effro i'r digwyddiadau mawr a oedd yn cynhyrfu Ewrop ac a fynnai frwydro dros ryddid crefyddol a gwladol. Yn sgil Datganiad Annibyniaeth 1776 daeth America unwaith eto yn Eden i Anghydffurfwyr Cymru a phan gododd gwerin Ffrainc mewn chwyldro ym 1789 tybient fod 'Haul Cyfiawnder' ar fin codi. Rhoddwyd croeso afieithus i'r ddau chwyldro gan rai o'r cewri mwyaf yn hanes y genedl—Richard Price, Morgan John Rhees, Tomos Glyn Cothi, Iolo Morganwg, Jac Glan-y-gors a William Jones. Yn ôl Morgan John Rhees, y Chwyldro Ffrengig oedd 'un o'r rhyfeddodau mwyaf yn hanes y byd'. Clodforwyd Ffrainc i'r cymylau gan Dafydd Dafis, Castellhywel:

Bellach Ffrainc ar fainc a fydd,—yn hynod
Frenhines y gwledydd;
Hed myrddiynau'u rhwymau'n rhydd,
O dan ei mwyn adenydd.

Yr oedd gan y radicaliaid hyn neges newydd i'w throsglwyddo i bobl Cymru, sef bod Duw wedi creu pob dyn yn rhydd ac yn gyfartal. Drwy gyfrwng pamffledi a chylchgronau taenid syniadau Jacobiniaid Ffrainc yn Gymraeg gan gylchoedd bychain o weriniaethwyr pybyr yn ardal Merthyr Tudful a bro Morgannwg. Yn Llundain hefyd yr oedd aelodau o Gymdeithas y Gwyneddigion bellach yn cyfrif Tom Paine, 'le Roi' Voltaire a Comte de Volney yn arwyr. Am y tro cyntaf ers dros ganrif a hanner clywid cwynion yng Nghymru ynglŷn â gormes tirfeddianwyr, twyll gwŷr y gyfraith, anghyfiawnder y degwm, annhegwch yr etholfraint a ffolineb rhyfel.

Câi achos heddwch le blaenllaw yn y cylchoedd radical hyn. Cynhyrfwyd llawer o Anghydffurfwyr i ddicter cyfiawn gan honiad Gwallter Mechain fod Duw wedi llunio rhyfel rhwng y cenhedloedd er mwyn 'puro'r byd o'i ormodedd trigolion' a chan farn Peter Bayley Williams, rheithor Llanberis a Llanrug, mai ffrwyth pechod oedd rhyfeloedd a bod yn rhaid wrthynt. Gwgent hefyd at yr arfer eglwysig o gynnal Dydd Ympryd neu Ddydd o Ddiolchgarwch i ddathlu rhyw orchest a gyflawnwyd yn y frwydr fawr yn erbyn Ffrainc o 1793 ymlaen. Pa Gristion, gofynnodd Jac Glan-y-gors, a fedrai benlinio i ofyn am gymorth 'Brenin Nef' i dorri gyddfau ei elynion?

Cyn i'r brwydro yn erbyn Ffrainc ddwysáu yr oedd nifer o radicaliaid yn argyhoeddedig y deuai rhyddid a heddwch yn sgil y Chwyldro Ffrengig. Er mwyn hybu achos heddwch y sefydlwyd Gorsedd Beirdd Ynys Prydain gan Iolo Morganwg. Ffrwyth ei wybodaeth ryfeddol a'i ddychymyg heintus ef oedd seremoni gyntaf yr Orsedd a gynhaliwyd ar Fryn y Briallu yn Llundain ym mis Mehefin 1792. Cipiodd Iolo bob cyfle cyhoeddus i ymosod ar frenhinoedd gorthrymus, offeiriaid erlitgar a chadfridogion nwydwyllt. 'Rhyfel a choncwest', meddai, 'fu nod ac uchelgais brenhinoedd drwy'r oesoedd; nid yw lladd 40 neu 50,000 o ddeiliaid yn cyfrif dim iddynt hwy.' Ond yn sgil rhyddfreinio'r werin yn Ffrainc credai'n ffyddiog fod dydd y gormeswr yn dirwyn i ben ac na fyddai sôn am ryfel mwyach:

Now glancing over the rolls of heaven,
I see, with transport see, the day,
When, from this world, oppression driven
With gnashing fangs flies far away,
Long-banished virtue now returns;
Benevolence, thy fervour burns;
Peace, dove-eyed Peace, with sunny smile,
High lifts her wand in Britain's Isle.

Iolo Morganwg

Llun: Llyfrgell Genedlaethol Cymru

CYLCH-GRAWN

CYNMRAEG;

NEU

DRYSORFA GWYBODAETH.

Rhifyn Cyntaf, Pris Chwe cheiniog.

Am CHWEFROR 1793.

Yn cynwys y pethau canlynol.

Y GWIR YN ERBYN Y BYD.

Na ymddiried i'th fyw, ond : Duuw a'i ddifgyblion.

TALIESYN.

TREFECCA:

Argraphwyd yn y Flwyddyn 1793.

Wyneb-ddalen *Y Cylch-grawn Cynmraeg* (1793)

Llun: Llyfrgell Genedlaethol Cymru

Coleddai Morgan John Rhees, yntau, obeithion tebyg. Llamodd ei galon pan glywodd am gwymp y Bastille ac am ymdrech wiw gwerin-bobl Ffrainc i hawlio'u rhyddid a'u breiniau. Ond ni chredai ef y deuai heddwch i'r byd tra byddai'r Pab yn parhau i eistedd ar ei orsedd yn Rhufain. Byddai'n rhaid dinistrio'r 'Anghrist' neu'r 'Bwystfil' hwn. Credai Morgan John Rhees fod 'cyfiawnder' a 'heddwch' yn annatod blethedig: 'plentyn cyfiawn-der ydyw heddwch', meddai, 'heb gyfiawnder ni cheir heddwch yn y byd nac yn yr eglwys, yn y gymdogaeth nac yn y gydwybod.' Ond ni allai ddygymod â pholisïau gormesol llywodraeth William Pitt a rhoes ei fryd (fel y Crynwyr gynt) ar sefydlu trefedigaeth yn America lle y gallai ei gyd-Gymry 'fwynhau eu genedigaeth-fraint naturiol heb ofn na gofid'. Gwelai ei hun fel Moses yn arwain ei bobl allan o Fabylon i dir yr addewid. Tra oedd yn America pleidiai Morgan John Rhees achos y caethwas a'r negro. Bu'n ysmygu pib tangnefedd (fel Thomas Wynne gynt) gyda phenaethiaid y Weandotiaid, y Shawoneesiaid a'r Pottowatomiaid, a galwodd ar bobl Cymru i droi'r cleddyf yn swch a'r waywffon yn bladur:

> Cofia Pharo. Tithau Gymru dlawd, ymysgwyd o'r llwch, bwrw dy ddiogi heibio, golch ymaith dy bechodau, galw ar enw'r Arglwydd, ymofyn am wybodaeth, ystyria dy ffyrdd, bydd ddiwyd i sylwi ar arwyddion yr amserau, rhag dy gael yn gwrthryfela yn erbyn Duw; gochel geisio cadw i fyny yr hyn y mae'r Arglwydd am ei dynnu i lawr. Gwell i ti ddioddef carcharau na chymryd arfau creulondeb yn dy law i ddifetha dy gyd-greaduriaid. Cofia, yr hwn a laddo â chleddyf, a leddir â chleddyf.

Ond drylliwyd breuddwyd y radicaliaid am Ffrainc newydd gan unbennaeth filwrol Napoleon. Wedi 1797—pan laniodd y Ffrancod yn Abergwaun—ofnid uchelgais y 'diawl ddyn' o Ffrainc yn ddirfawr a'r duedd oedd i fonedd a gwrêng uno yn y cwlwm gwladgarol yn erbyn yr hen elyn. Bu neb llai na Jac Glan-y-gors yn canmol gwrhydri Nelson a morwyr Prydain. Pan gyrhaeddodd y newyddion am fuddugoliaeth Trafalgar dref Caerfyrddin cynheu-wyd coelcerth, cynhaliwyd gorymdaith orfoleddus a chwaraewyd 'Duw Gadwo'r Brenin' a 'Rule Britannia' gan seindorf Gwirfoddolwyr y dref. Ymosododd Iolo Morganwg yn chwyrn ar weithredoedd rheibus Napoleon a chanodd glodydd Gwirfodd-olwyr Morgannwg. Y gwir yw, felly, nad oedd y radicaliaid hyn, er eu cas at ryfel a'u dymuniad am heddwch, yn heddychwyr llawn.

Er i Morgan John Rhees gyfaddef mai gweithred anghristnogol oedd rhyfel credai fod gan wlad yr hawl i'w hamddiffyn ei hun a bod gan Brotestaniaid ddyletswydd foesol i geisio difa grym y Pab.

Drwy gydol y rhyfel maith yn erbyn Ffrainc glynodd y Crynwyr wrth eu cred fod rhyfel yn anghyson â'r athrawiaeth Gristnogol ac nad oedd gan yr un Cristion yr hawl i fod yn filwr. Mynnent nad oedd yr un rhyfel, ni waeth pa mor dyngedfennol, i'w gyfiawnhau. Perchid eu safbwynt gan nifer o'u cyd-Anghydffurfwyr radical. Cyfeiriodd y Bedyddiwr William Richards atynt fel 'y blaid barchus ac ardderchog honno' a chyfaddefodd Morgan John Rhees fod eu safiad yn erbyn rhyfel yn fwy cyson ag egwyddorion Crist nag eiddo neb arall. Talodd deyrnged hael iddynt: 'wrth sylwi ar greulondeb rhyfeloedd, a chydymdeimlo â'r trueiniaid sy'n dioddef yr ydym yn barod i ddymuno "Fod yr holl fyd yn Gwaceriaid".' Ar 14 Mehefin 1816, flwyddyn ar ôl Cyfamod Heddwch Vienna, ffurfiwyd Cymdeithas Heddwch Llundain gan nifer o Grynwyr blaenllaw. Ymhlith y sylfaenwyr yr oedd Joseph Tregelles Price, meistr haearn o Gastell-nedd, ac Evan Rees, gŵr ifanc â gwaed Crynwyr sir Drefaldwyn yn ei wythiennau. Bu sefydlu'r Gymdeithas hon yn garreg filltir bwysig yn hanes y mudiad heddwch yng Nghymru oherwydd er mai Crynwyr oedd arweinwyr y Gymdeithas penderfynwyd agor y drysau led y pen i bob heddychwr o bob plaid. Nod y Gymdeithas, yn syml iawn, oedd diddymu rhyfel yn llwyr, ac ar sail llafur y Crynwyr goleuedig hyn yr adeiladwyd mudiad heddwch newydd yn y bedwaredd ganrif ar bymtheg gan Samuel Roberts a Henry Richard.

Almanaciau Thomas Jones 1680-1712

Nes na'r hanesydd at y gwir di-goll
Ydyw'r sywedydd, sydd yn gelwydd oll

Ar 1 Ionawr 1679, caniatawyd i Thomas Jones, drwy warant
frenhinol, drwydded i ysgrifennu, argraffu a chyhoeddi almanac
Cymraeg blynyddol.[1] Ef yn unig oedd i feddu'r hawl hon, ac
ymhen deufis rhoes Cwmni Llyfrwerthwyr Llundain sêl eu bendith
ar hynny, gan addo cynorthwyo'r Cymro i erlyn, cosbi a threchu'r
sawl a feiddiai ymyrryd â'i hawlfraint. Rhwng 1680 a 1712
cyhoeddodd Thomas Jones almanac Cymraeg bob blwyddyn a
rhaid dweud ar unwaith fod ei ymdrechion ef, o ran amrywiaeth a
ffresni, yn bwrw cynnyrch ei olynwyr yn yr un maes—pobl fel Evan
Davies, John Prys, Gwilym Howell, Cain Jones a John Harris—i'r
cysgod. Prif amcan yr ysgrif hon fydd amlinellu cynnwys almanac-
iau Thomas Jones, dangos arwyddocâd eu helfennau pwysicaf, ac
esbonio'u hapêl i'r Cymry darllengar.

Un o Gymry hynotaf oes y Stiwartiaid Diweddar oedd Thomas
Jones yr Almanaciwr. Fel awdur, almanaciwr, bardd, argraffwr,
newyddiadurwr, cyhoeddwr, a sêr-ddewinydd, cafodd ddylanwad
sylweddol ar feddylfryd ei ddarllenwyr. Bu'n arloeswr mewn sawl
macs, a sylwai ei gyfoeswyr ei fod byth a beunydd yn dyfeisio
cynlluniau diddorol a newydd. 'Di a dorraist y blisgyn', meddai ei
gyfaill o Landrillo, Ellis ab Ellis,[2] ac, yn wir, Thomas Jones oedd
y cyntaf i ennill bywoliaeth drwy gyhoeddi a gwerthu llyfrau
Cymraeg, i sefydlu gwasg yn Amwythig, i gyhoeddi almanaciau a
baledi printiedig yn y Gymraeg, ac i gyhoeddi newyddiadur
Cymraeg. Mab i deiliwr o Dre'r-ddôl, tref ddegwm ger Corwen,
oedd Thomas Jones. Fe'i ganed 1 Mai 1648, a threuliodd y deunaw
mlynedd cyntaf o'i oes yn y fro honno. Tua 1666, mudodd i
Lundain. Nid yn unig yr oedd Llundain yn ganolfan wleidyddol,
weinyddol, fasnachol, gyfreithiol a diwylliannol y deyrnas, ond
dyma hefyd y ddinas fwyaf yn Ewrop. Yma y ceid pob cyfle euraid
i wŷr o uchelgais, a denwyd llawer iawn o Gymry yno yn y gobaith
y caent rywbryd feddiannu cyfoeth y tu hwnt i'w dychymyg. I lanc
ifanc fel Thomas Jones, ymddangosai bywyd cyffrous a lliwgar y
brifddinas yn anhraethol felysach na bywyd cyfyng a diantur cefn
gwlad Cymru. Ac, ar ben hynny, yr oedd gwasgfeydd economaidd
cynyddol yn ei ysgogi ef a'i fath i hel eu pac a mentro'u lwc yn

Newydd oddiwrth y Seêr:
NEU
ALMANAC am y Flwyddyn 1684.
yr hon a elwir blwyddyn naid.

Yr hwn fy gyflawnach, a helaethach nag yr un ar a
wnaed o'i flaen ef. Ag ynddo a Tyſtiolaethwyd,
mae 'r Gymraeg iw 'r Jaith hynaf, ar Jaith oedd
gyntaf yn y Bŷd.

Hereunto is added; A direction to *Engliſh* Scholars,
ſhewing them by a plain and eaſie way, how to pro-
nounce and read *Welch* perfectly.

O *wneuthuri id* Tho. Jones, *Myfyriwr yn Sywedyddiæth.*
ſ y pumed argraphiad neu breintiad.

*Eu oed·
ran iw
36.*

Argraphedig yng-haerludd, ag ar werth gan yr
Awdwr yn *Black-Fryers, Llundain,* 1684.

Thomas Jones Yr Almanaciwr

Llun: Llyfrgell Genedlaethol Cymru

Llundain. Serch hynny, canfu mai busnes dibroffid oedd teilwra, ac erbyn 1680 yr oedd yn ennill ei fara drwy gyhoeddi llyfrau Saesneg, ac almanaciau a llyfrau Cymraeg. Er iddo ymaflyd yn frwdfrydig yn ei alwedigaeth newydd fel cyhoeddwr, nid oedd yn fodlon ar ei fyd yn Llundain. Teimlai fod cymdeithas Llundain yn bwdr a thrachwantus, a rhybuddiodd y trigolion ym 1685 fod 'y nefoedd' yn edrych arnynt ac yn eu 'bygwth ag wyneb digllon iawn'.[3] Lluosogai ei drafferthion personol beunydd. Canfu mai cnafon di-sut a thwyllodrus oedd argraffwyr a chysodwyr y brifddinas. Siomiant o'r mwyaf iddo oedd deall fod rhai o lyfrwerthwyr Cymru yn gwneud eu gorau glas i nychu ei gynlluniau. Clywai achwyn cyson fod siopwyr a phedleriaid yn codi crocbris am ei lyfrau, a bod prynwyr dig yn ei feio a'i gystwyo fel 'diffeithwr digydwybod'.[4] Mae'n rhaid ei fod yn dyheu am y cyfle i sefydlu gwasg yng Nghymru, ond yr oedd Deddf Drwyddedu 1662 yn gorchymyn mai yn Llundain, Rhydychen a Chaergrawnt yn unig y gellid cyhoeddi llyfrau printiedig. Wedi ymgyrch frwd gan y rhai a gredai mewn rhyddid barn, llwyddwyd i lacio amodau caethiwus y Ddeddf Drwyddedu ym 1695. Heb golli dim amser, ffarweliodd Thomas Jones â'r brifddinas, ac yn ystod y gaeaf ymsefydlodd fel argraffwr a llyfrwerthwr yn nhref boblog Amwythig, un o ganolfannau masnachol pwysicaf gororau Cymru. Yno, enillodd enw iddo'i hun ymhlith y bobl leol fel 'Thomas Jones ye Stargazer',[5] a daeth yn adnabyddus ledled Cymru fel prif gyhoeddwr llyfrau ac almanaciau Cymraeg.

Oes aur yr almanacwyr oedd cyfnod y Stiwartiaid. Cyhoeddwyd cymaint â 40 miliwn o almanaciau Saesneg gan dros 300 o awduron gwahanol yn ystod yr ail ganrif ar bymtheg.[6] Yr oedd galw arbennig am almanaciau Andrews, Booker, Coley, Dove, Gadbury, Lilly, Partridge, Pond, Rider, Saunders, Swallow, Trigge, Tycho a Vincent Wing. Ym 1685 gwerthwyd 30,000 o gopïau o almanac Cardanus Rider, a 20,000 yr un o almanaciau Andrews, Coley, Gadbury, Saunders a Trigge. Archebid peth o'r cynnyrch hwn gan Gymry addysgedig. Prynid almanaciau Goldsmith, Partridge a Tanner gan berchenogion Peniarth a'u stiwardiaid, ac arferent restru ynddynt bob math o fân gyfrifon yn ymwneud â'r stad.[7] Archebai Peter Ffoulkes, gŵr bonheddig o Henllan, Dinbych, gopïau o almanac Nicholas Culpeper a chadwai ynddynt gyfrifon am arian a fenthycid, am lafurwyr a gyflogid, ac am anifeiliaid a nwyddau a brynid.[8] Cardanus Rider oedd hoff

almanaciwr Thomas Foulkes, ysgwier Martyn, Treffynnon, Syr
Richard Wynn o Wedir, William Roberts, ysgwier Anghydffurfiol
Bodwenni, a Richard Davies, ficer Sant Ioan, Aberhonddu.[9]
Defnyddiai Edmund Jones, y gweinidog o Bont-y-pŵl, *Merlinus
Liberatus* a *Poor Robin* fel dyddiaduron,[10] a rhestrir *Poor Robin* hefyd
ymhlith casgliad Morys Olifer, gŵr bonheddig o blwyf Pennal,
Meirionnydd.[11] O 1703 ymlaen, treiddiai almanac poblogaidd
John Tipper, *Ladies Diary, or The Woman's Almanack,* i gartrefi
boneddigesau darllengar fel Mary Myddelton o'r Groesnewydd.[12]
Gan fod almanaciau Saesneg yn cael croeso ar aelwydydd Cymry
cyfforddus eu byd, ni welai Thomas Jones unrhyw reswm paham
na ellid cyhoeddi almanac Cymraeg ar gyfer ei gyd-wladwyr, yn
enwedig o gofio bod almanaciau arbennig yn cael eu cyhoeddi ar
gyfer dinasoedd fel Llundain a Bryste, a hyd yn oed drefi marchnad
bychain fel Aylesbury yn Wiltshire a Wadhurst yn Sussex.[13] Yr
oedd dwy ystyriaeth arall hefyd yn ei feddwl. Yn gyntaf, yr oedd yn
awyddus iawn i ddiwallu anghenion gwerinwyr cyffredin, a
chwiliai am lenyddiaeth ysgafn, amrywiol a diddorol ar eu cyfer.
Yn ail, gan ei fod yn ŵr busnes hyd fêr ei esgyrn, gwyddai y medrai
wneud elw pur sylweddol pe gellid gwerthu dwy neu dair mil o
almanaciau Cymraeg bob blwyddyn.

Llwyddodd Thomas Jones i gynnwys swm dirfawr o wybodaeth
amrywiol yn ei almanaciau. Yr oedd ffurf a phatrwm pob rhifyn yn
weddol sefydlog. Llyfryn o un plyg ar bymtheg, yn cynnwys 48 o
ddudalennau, ydoedd, ac er bod y cynnwys yn amrywio o rifyn i
rifyn ymddangosai rhai elfennau yn gyson bob blwyddyn. Ceisiodd
sicrhau fod ei almanac yn gyfrwng digon ystwyth i fynegi amryw
byd o bynciau poblogaidd, a dysgodd wrth fynd ymlaen nad oedd
dim fel newydd-deb i ddeffro chwilfrydedd ei ddarllenwyr. Hoeliai
sylw'r darllenydd o'r cychwyn drwy osod teitl fel *Newyddion oddiwrth
y Sêr* neu *Y Cyfreithlawn Almanac Cymraeg* ar wyneb-ddalen drawiadol
ac ymffrostgar. Wedyn deuai rhagymadrodd ffraeth i'w ryfeddu.
Arferai un o olynwyr Thomas Jones, sef John Prys, ddweud fod
llyfr heb ragymadrodd fel 'pwdin gwaed heb ddim siwet neu Fenyw
lân heb ddim cynhysgaeth'.[14] Ac yr oedd Thomas Jones ei hun yn
manteisio ar ei gyfle blynyddol nid yn unig i fynegi barn finiog ar
bynciau llosg y dydd, ond hefyd i daenu gerbron y darllenydd stôr
helaeth o hanesion am ei brofiadau ef ei hun, a'i freuddwydion, a'i
ddyheadau, ac, yn fwy na dim, ei holl siomedigaethau. Wedi'r
rhagymadrodd, deuai'r calendr, sef rhestr fanwl yn cynnwys

ALMA?

Am y Flwyddyn 16

Yr hon iw 'r gyntaf ar ôl

BISSEXTILE

N E u

FLWYDDYN-NAID.

Ac ynddo a cynhwyſwyd, dyddiau 'r mis, a
dyddiau 'r wythnos, a dyddiau Hynod a Gwylion :
A ſummudiad yr Arwyddion, a chodiad a mach-
ludiad yr Haul beunydd, ag amcan am yr Hîn, a
newidiad ag oedran y Lleuad, wedi cymhwyſo i
Feridian, ſef, i hanerdydd *Cymru* : A Chyfarchwyl-
iad am Yſmonaeth, a Phyſegwriaeth.

Ac atto hefyd y chwanegwyd, hyfforddiad i
ddyſcu darllen *Cymraeg*, ac i fwro Cyfrifon, ag
amryw bethau eraill ſydd gyfleus iw deall. A rhai
Caniadau newyddion.

O *Waith* Thomas Jones *Carwr dyſgeidiaeth,
a Studiwr yn Sywedyddiaeth.*

Yr ail Brintiad.

Printiedig yn *Llundain*, ac ar werth gan
yr Awdwr yn unig, yn *Black-Horſe* Alley yn
Fleet-ſtreet. 1681.

Almanac am y Flwyddyn 1681
Llun: Llyfrgell Genedlaethol Cymru

dyddiau'r mis, dyddiau'r wythnos, dyddiau hynod a dyddiau'r
gwyliau eglwysig. O hynny ymlaen traethai'r almanaciwr ar
symudiad yr arwyddion yn y corff, rheolau ymdrochi a rheolau
glendid corfforol, amser codiad a machludiad haul, ac oed y lleuad
yn feunyddiol a'i chyfnewidiadau. Yn nesaf, deuai un o'r testunau
pwysicaf, sef rhagolygon y tywydd a chyfarwyddiadau ar gyfer
hwsmonaeth a meddygaeth. Dilynid y rhain gan y brif adran
broffwydol—y Sywedyddawl Farnedigaeth, colofn yn cynnwys
pentwr o ddaroganau amrywiol. Traethid wedyn ar y diffygion
tebygol ar yr haul a'r lleuad. Yna, ceid nifer o elfennau
'amheuthun', chwedl Thomas Jones: cerddi, baledi, cywyddau ac
englynion; hyfforddiant i ddysgu darllen Cymraeg a sut i gyfrif;
rhestr o ffeiriau Cymru a'r gororau; dyddiau dechrau a diwedd y
tymhorau cyfraith; enwau esgobion Cymru; taflen yn dangos trai
a llanw'r môr ar hyd arfordir y wlad; pentwr o wybodaeth am
briffyrdd, trefi marchnad ac eglwysi Cymru; colofn y Gronoleg, sef
cyfres o ddyddiadau pwysig yn hanes Prydain o gyfnod Cread y
Byd hyd at flwyddyn cyhoeddi'r almanac; ac, i orffen, cyfres o
hysbysebion amrywiol.

Y mae'n bur debyg mai'r elfen broffwydol oedd prif ddiddordeb
darllenwyr yr almanaciau. Honnai Thomas Jones yn gyson ei fod
yn broffwyd ac yn ddaroganwr penigamp. Dywed iddo ei hyfforddi
ei hun yn weddol drwyadl yng ngwaith 'yr hen anrhydeddus
Philosophyddion',[15] yr oedd yn gyfarwydd â'r hen gerddi brud, a
dengys y ffaith iddo ddefnyddio proffwydoliaethau Goronwy Ddu
o Fôn a 'Phrognosticasiwn' enwog Siôn Tudur ei fod yn pori'n
ddyfal yn y casgliadau o broffwydoliaethau ar gerdd.[16] Ond pa
faint o feistrolaeth oedd ganddo ar gyfrinion astrus sêr-ddewiniaeth
sy'n amheus iawn. Anodd credu fod dim mwy na gweniaith yn
honiad Syr Rhys Cadwaladr nad oedd ei well yn unman am lunio
proffwydoliaethau cywir.[17] Wedi'r cwbl, teiliwr ac nid sêr-
ddewinydd ydoedd wrth ei grefft, a rhaid ei gyfrif ymhlith yr
'ignorant and illiterate Professors' a'r 'nibling Sciolists' a achosai
gymaint o boen i sêr-ddewiniaid proffesiynol fel Henry Coley ac
Elias Ashmole.[18] Eto i gyd, honnai Thomas Jones fod hawl gan
ddynion di-dras a didrwsiad i wisgo mantell proffwyd. Erfyniai am
gymorth yr Hollalluog:

> Thou liftest men from low Estate,
> And dost to honour great them call:

Without thy grace the wit of man
Would perish soon and fall . . .

If thou wilt me favour now
I will ascend the Skyes,
And there thy high and Goodly works
Consider with mine Eyes;
Teach me figures fair to frame
Of sundry sorts in sight,
That I may ascend the Heavens high,
And bring hidden things to light.[19]

Ond nid yn Nuw yn unig yr ymddiriedai Thomas Jones. Lloffai'n gyson am wybodaeth a chyfarwyddyd yn almanaciau poblogaidd Coley, Culpeper, a Partridge, a'i brif arwr, yn ddiau, oedd William Lilly, sywedydd ac almanaciwr enwocaf yr ail ganrif ar bymtheg.[20] Yr oedd galw mawr am almanaciau Lilly: gwerthodd 30,000 o gopïau o'i *Merlinus Angelicus* am ddwy geiniog yr un ym 1649, ac yr oedd ei werslyfr poblogaidd, *Christian Astrology* (1647), yn ganllaw anhepgor i bob darpar sêr-ddewinydd.[21] Tybiai Thomas Jones mai Lilly oedd 'y sywedydd goreu' a fagwyd erioed ym Mhrydain, ac o'i ddoethineb ef y sugnai ei ysbrydiaeth.[22]

'Coel mawr fyddai gan lawer ar yr Almanac', meddai Robert Jones, Rhos-lan, wrth fwrw golwg dros arferion Cymry cyffredin yr oes gyn-Fethodistaidd.[23] Un o'r rhesymau pwysicaf paham yr enillodd yr almanac ffafr y Cymry cyffredin oedd fod llawer o'u hoff arferion, eu traddodiadau a'u hofergoelion yn cael eu hadlewyrchu (a'u hategu ar brydiau) yn y cyhoeddiad hwn. Er gwaethaf ymdrechion dygn sawl cenhedlaeth o ddiwygwyr Protestannaidd, cyndyn iawn oedd y Cymry diaddysg ac anfreintiedig i ymryddhau o afael ofergoeliaeth. Yr oedd tlodi o fewn yr Eglwys, diffygion yn y ddarpariaeth addysgol, a cheidwadaeth ddall pobl wledig yn llyffetheirio'r ymgais i garthu'r surdoes paganaidd a Phabyddol o'r tir.[24] Wrth resynu fod llawer o'i blwyfolion yn parhau'n gaeth i rigolau ofergoelus, lleisiai John Griffith, rheithor Llanelian yn y 1680au, farn ei gyd-offeiriaid: 'o ran osowaeth mae rhan fwya yn ein plith mor ddifraw, difatter, a swrth ddwl yn ein matterion ysbrydol . . . ag na ymroddasant erioed i geisio gwybodaeth yn yr un beth angenrheidiol i ddyn, sef gwir grefydd a duwioldeb'.[25] Er bod Eglwyswyr ac Anghydffurfwyr fel ei gilydd yn taranu yn erbyn y 'drwg arferion' a'r 'piniwne ofer' a arddelid gan haenau isaf cymdeithas, yr oedd ofergoeliaeth, dewiniaeth a swyngyfaredd yn dal i hawlio lle amlwg yn eu bywydau. Ffynnai hen arferion megis ymswyno, galw ar y cythraul, gweddïo ar y saint a thros y meirw. Yr oedd yn arfer gan lawer o bobl wisgo neu gario swynion er mwyn cadw ysbrydion drwg draw. Rhoddent lawer o goel ar ymddangosiad brân neu sgrech pioden, ac yn ôl Robert Jones, 'braidd yr ehedai aderyn, ac y cai yr oen bach diniwaid ymddangos, neu'r falwoden ymlusgo, heb ffurfio rhyw ddychymyg am yr hyn a ddigwyddai iddynt y flwyddyn ganlynol'.[26] Cyrchent at feddrodau saint i roi 'cusan i ryw hen Asgwrn'[27] neu i brofi rhinweddau gwyrthiol ffynhonnau megis rhai Gwenfrewi, Beuno ac Elian. Tystient fod bwganod yn bodoli ym mhob rhith. Gwelent ddrychiolaethau a thylwyth teg mewn coed, llwyni a cheulennydd, a lluosog iawn yw'r hanesion am ysbrydion o bob math yn aflonyddu neu yn meddiannu gwŷr a gwragedd. Credent fod gwrachod yn medru rheibio bwyd a diod, erthylu gwartheg a drygu bywyd rhywiol parau priod. O gofio pa mor rymus oedd gafael yr elfen ofergoelus a goruwchnaturiol, hawdd deall awydd sêr-ddewinydd fel Thomas Jones i gynnwys hud a lledrith yn ei almanaciau.

Gwyddai Thomas Jones hefyd fod llawer iawn o'i gyd-wladwyr yn credu bod gan y planedau reolaeth ar dynged a gweithredoedd dynion. Credent fod dyn yn ddarostyngedig i ryw dynghedfen ac y byddai'r sawl a aned dan 'blaned flin' yn gorfod dioddef siomedigaethau a helbulon di-rif. Yn ôl y bardd John Prichard Prŷs, barnai llawer Cymro 'mai dydd ei anedigaeth a wnaeth ei fywoliaeth mor filain':

> Bwrw ei holl feiau o anian ei wyniau,
> ar waith y Blaenedau drwy ddeddfau diddysc;
> Ni ddaw'n ei gof wedi er maint fu iw gynghori,
> Ymwrthod a gweddi nag addysg.[28]

Honnodd un o ohebwyr Edward Lhuyd yn y 1690au fod y 'syniad bod drwg-dynged yn anochel yn bodoli ymhlith y bobl gyffredin',[29] a'r un stoiciaeth a fynegir yn y rhigwm poblogaidd hwn:

> Rhaid ir Haul y boreu godi,
> Rhaid i wellt y Ddaiar dyfy,
> Rhaid i ddwfr yr afon gerdded,
> A rhaid i bawb groesawu ei dynghed.[30]

Yn yr un modd, taranai'r offeiriaid yn erbyn 'y gwan Opiniwn sydd gan rhai, fod pob peth yn dyfod i ni yma trwy shiawns a ffortun.'[31] Eu cyngor hwy i'r sawl a fynnai ildio i ryw dynged anochel oedd ymostwng i drefn Rhagluniaeth, gan dderbyn mai Duw oedd yn trefnu popeth ac mai yn ei law Ef yr oedd yr amserau.

Dengys y gred gyffredin fod a wnelo'r planedau â thynged dyn nid yn unig fod y Grefydd Ddiwygiedig wedi methu dylanwadu'n helaeth ar deithi meddwl gwladwyr cyffredin ond hefyd nad oedd darganfyddiadau gwyddonwyr o ddyddiau Copernicus ymlaen wedi ymdreiddio i'w hymwybyddiaeth. Yn wir, yr oedd rhai ysgolheigion amlycaf y genedl, llenorion fel Rowland Vaughan,

Deuddeg Arwydd Y Sidydd

Llun: Llyfrgell Genedlaethol Cymru

Charles Edwards, ac Ellis Wynne, yn dal i lynu'n dynn wrth y ddamcaniaeth Btolemaidd mai'r ddaear oedd canolbwynt y bydysawd.[32] Cytunai Thomas Jones yn llwyr: 'mae'r ddaiar', meddai, 'yn sefyll ynghanol y ffurfafen fel y melyn ynghanol yr wy, a'r Haul a'r lleuad a'r Ser yn y ffurfafen yn troi yn wastadol oi chwmpas.'[33] Nid oedd dim i'w rwystro felly rhag cynnig esboniad yn ei golofn flynyddol o'r 'Sywedyddawl Farnedigaeth' ar ddylanwad y planedau ar hynt a helynt dynolryw. Y brif sail athronyddol i ddamcaniaethau unrhyw sêr-ddewinydd oedd y gred gyffredin fod saith blaned neu seren—yr Haul, y Lloer, Sadwrn, Iau, Mawrth, Gwener a Mercwri—yn symud eu gogwydd mewn perthynas â'r ddaear a'u safle eu hunain, tra oedd deuddeg arwydd y sidydd yn gweithredu fel cefnlun sefydlog iddynt. Yr oedd symudiadau pob un o'r cyrff nefol hyn yn dylanwadu yn eu tro ar batrwm y gymdeithas gyfan, gan benderfynu natur y tywydd, stad y cnydau, a phob math o ddigwyddiadau cymdeithasol, gwleidyddol a milwrol. Hawdd deall apêl yr athrawiaeth hon. Ei rhinwedd bennaf oedd ei bod yn cynnig ffordd o feddwl a oedd yn gynhwysfawr, yn ddealladwy, ac ar brydiau, beth bynnag, yn gysurlon. Gan nad oedd gwyddorau cymdeithasol, megis cymdeithaseg, anthropoleg gymdeithasol neu seicoleg gymdeithasol wedi dechrau egino eto, yr oedd yn beth naturiol i bobl anfreintiedig chwilio am esboniad ar eu helbulon yng ngholofnau'r almanac. Gallai'r sawl a lwyddai i feistroli cyfarwyddiadau Thomas Jones fynd ati i lunio horosgob bersonol. Gallai nodi tablau a ddangosai safle feunyddiol y planedau drwy gydol y flwyddyn er mwyn darogan eu gogwydd drwy arwyddion y sidydd, a phroffwydo'r cysylltiadau a'r gwrthwynebiadau a allai ddigwydd.

Nid oes unrhyw amheuaeth ychwaith nad oedd almanaciau Thomas Jones yn dangos beth yn hollol a oedd gan wŷr hysbys i'w gynnig i bobl gyffredin. Teithiai pobl drallodus o bell ac agos i ddyddyn y gŵr hysbys neu'r wrach wen i adrodd eu problemau ac i ymorol am gymorth. Honnai'r Ficer Prichard fod y Cymry yn heidio atynt 'fel y gwenyn at y gwinwydd', ac yn ôl Tudyr yn *Dav Gymro yn Taring* (1681), yr oedd pob dewin, planedydd, brudiwr a daroganwr 'mewn mawr barch a chymmeriad gyda'r gwyr goreu, boneddigion ac iaugwyr trwy'r holl wlad.'[34] Mewn oes pan na cheid milfeddygon, cynghorwyr ar briodasau na phapurau dyddiol a allai gynnig colofnau sywedyddol, a phan nad oedd meddygon trwyddedig a heddgeidwaid yn niferus, cyflawnai'r gŵr hysbys swyddogaeth bwysig iawn. Am swm penodol o arian, byddai'n iacháu dynion ac anifeiliaid, yn darganfod lladron ac adfer eiddo, yn dweud wrth ferched eu tynged briodasol, ac yn tawelu ysbrydion aflan yn ôl y galw. Meddai gŵr hysbys ar allu naturiol rhyfeddol, adwaenai ei fro a'i thrigolion fel cledr ei law, ac yr oedd yn ddigon cyfrwysgall i ennill ei damaid drwy fanteisio ar hygoeledd diniwed ei gymdogion. Fe'i hamgylchynai ei hun â swynion, penglogau, meddyginiaethau, llysiau a llyfrau 'dwfn-dysgedig' yn cynnwys llythrennau anhysbys a lluniau'r planedau. Pwy o blith ei gwsmer-iaid a fedrai wadu ei fod yn deall yr holl wybodaeth ddirgel a geid drwyddynt? Etifeddai rhai gwŷr hysbys hen lawlyfrau yn cynnwys technegau dewinol a ddangosai iddynt sut i ddehongli cyfrin-achau'r sêr a'r planedau, sut i adnabod cymeriad meibion a merched, a sut i fwrw coelbren. Ymhlith y mwyaf poblogaidd yr oedd y 'Llyfr Tynghedfen', gwaith a honnai ragfynegi cymeriad a dyfodol person ar sail yr arwydd y ganed ef dano. Dilynai eraill gyfarwyddyd Pythagorus drwy ddefnyddio'r Olwyn Desni, cylch a rennid yn wahanol adrannau, a phob adran yn cynnwys tynged arbennig.[35] Darllenai Evan Thomas, sêr-ddewinydd, llysieuydd a chrachfeddyg o Gwmhwylfod, Bala, lyfrau sywedyddion enwog fel Richard Ball, Henry Coley a William Eland, a defnyddiai olwyn desni i ddangos 'pwy a ddowed wir a phwy a ddowed gelwydd.'[36] Taflu dis ar yr olwyn desni oedd hoff ddull Thomas Nicklas, y 'chiefe fortoun teller' o Gonwy, o broffwydo'r dyfodol ar gyfer llanciau a morwynion chwilfrydig:

> Os llangc wr ifangc arafedd—fwriad
>   Neu forwyn serchogedd,
>   Ffortun pob un cyn eu bedd,
>   E' dywyd hyd y diwedd.[37]

Y mae'n amlwg fod y gwŷr hysbys hyn nid yn unig wedi meistroli crefft gyfrin y sêr-ddewinydd, ond hefyd yn tynnu'n gyson ar ddeunydd a gyhoeddid yn almanaciau Saesneg a Chymraeg y dydd. Mewn gwirionedd, yr oedd llawer iawn o gynnwys almanac-iau Thomas Jones yn dra thebyg i'r deunydd a oedd gan wŷr hysbys i ddwyn pob math o ddirgelion i'r goleuni. Hawdd credu y buasent yn frwd eu mawl i'r almanac printiedig am fod hwnnw'n ennyn chwilfrydedd gwladwyr cyffredin yn eu crefft arbennig hwy, ac yn porthi eu hawydd anniwall am wybod beth yn union a ddigwyddai yn y dyfodol.

Yr oedd apêl yr almanac hefyd yn gysylltiedig â'r gred fod arwyddocâd arbennig yn perthyn i wahanol gyfnewidiadau'r lloer. Y lleuad oedd brenhines y sêr, a chredid ei bod yn dylanwadu'n helaeth ar hynt a helynt dynolryw. Gwelid ei heffaith ar lanw a thrai'r môr, ar natur y tywydd ac ar dyfiant llysiau a choed. Yn fwy na dim, credid ei bod yn rheoli'r lleithder yng nghorff dyn a bod ei dylanwad ar yr ymennydd, sef y darn lleithaf o'r corff yn hollbwysig.[38] O'r gred hon y deilliai'r syniad fod rhai yn mynd yn *lloerig* pan fyddai'r lleuad yn llawn. Cydnabyddai Morgan Llwyd ddylanwad y lloer ar y byd:

Gwyr yr Hwsmon fod lloer newydd
Ar y tir ai gwaith mewn arwydd,
Ar yr awyr yn tymhestlu,
Ar y lloerig iw ynfydu.

Plant y Lleuad Digllon ydynt
Ag anwadal fel y corwynt
Ag anffyddlon ymrysongar,
Cenfigennus ac anhawddgar.[39]

Brithir llawer iawn o lawysgrifau a fu yn nwylo sêr-ddewiniaid y cyfnod â nodiadau helaeth ar natur ac osgo'r lleuad ar adeg geni plant. 'Llawer o ofergoelion', meddai Robert Jones, Rhos-lan, 'a arferid wrth weled y lloer newydd.'[40] Un o brif gymwynasau'r almanac, felly, oedd dangos i'r darllenydd sut i drefnu gweithgareddau arbennig yn ôl natur y lloer. Anogai Thomas Jones y Cymry i graffu'n fanwl ar agwedd a llewyrch y lloer cyn mynd ar daith neu hau cnydau, cyn torri eu gwallt neu dorri eu hewinedd, cyn tocio coed neu werthu stoc, a chyn lladd mochyn neu waedu ceffyl.

Yr oedd diffygion ar yr haul hefyd o gryn ddiddordeb i'r Cymry, a cheisiodd Thomas Jones ddiwallu eu chwilfrydedd drwy broffwydo diffygion tebygol a thraethu ar eu harwyddocâd. Camp anodd iawn oedd honno. Eisoes yr oedd rhai o almanacwyr mwyaf profiadol Lloegr wedi llosgi eu bysedd yn arw pan broffwydasant y ceid diwrnod mor dywyll â'r fagddu ar 29 Mawrth 1652.[41] Cyn y diwrnod penodedig enillodd crachfeddygon geiniog dda trwy werthu moddion yn honni gwrthweithio effeithiau'r diffyg. Tybiai William Lilly y byddai'r 'Dydd Llun Du' yn arwydd o gwymp Presbyteriaeth yn yr Alban, tra mynnai Nicholas Culpeper y byddai'n hybu dyfodiad y Bumed Frenhiniaeth a gwir ddemocratiaeth.[42] Ond, fel mae'n digwydd, yr oedd y ffurfafen yn glir ar y diwrnod penodedig a disgynnodd cenllif o gollfarn ar sywedyddion y wlad am fisoedd wedi hynny. Dysgodd Thomas Jones, yntau, ei wers ym 1687. Ym 1683 proffwydasai'n gwbl bendant y digwyddai diffyg ar yr haul 'dros enyd Tair awr a deng munud' ar ddydd Calan Mai 1687, ac y deuai 'fawr ddrygfyd ac adfyd' yn sgil hynny.[43] Yr oedd Calan Mai yn ddiwrnod pwysig yng nghalendr y Cymry oherwydd ei fod yn rhoi cyfle iddynt i ddiolch i Dduw am eu cynnal dros fisoedd llwm y gaeaf, i groesawu mwynderau digymar y gwanwyn ac i ymdaflu i bob math o rialtwch ac ysbleddach. Ond pan aeth sôn am broffwydoliaeth Thomas Jones fel tân gwyllt drwy'r wlad, trefnwyd i ohirio'r twmpath chwarae, y ffeiriau a'r marchnadoedd, a chyrchwyd anifeiliaid o'r meysydd i gysgod beudai. Sut bynnag, er mawr syndod i bawb, tywynnodd yr haul yn danbaid-ogoneddus drwy'r dydd, a rhegwyd Thomas Jones i'r entrychion filwaith am iddo ddychryn ei ddarllenwyr heb eisiau. Ond er bod wyneb yr almanaciwr yn goch, ni fynnai syrthio ar ei fai. Er bod y diffygion yn deillio o gwrs naturiaeth y planedau, meddai, yr oeddynt hefyd yn rhagrybuddion o farnedigaeth y Creawdwr ar bobl bechadurus. A'r tro hwn, yr oedd Duw wedi dewis tynnu'r gosb yn ôl. Os gwelodd Ef yn dda estyn einioes Heseceia bymtheng mlynedd drwy droi'r haul yn ôl, meddai, onid oedd cyn hawsed iddo 'droi heibio diffyg yr haul?'[44] Eto i gyd, hawdd gweld fod Thomas Jones wedi dysgu ei wers. O hynny ymlaen bu'n llawer mwy amwys wrth gynnig proffwydoliaeth ar y pwnc. Nodai na welid pob diffyg ym Mhrydain i gyd neu drwy Gymru gyfan. Ac nid yw'n rhyfedd iddo ychwanegu'r cymal 'os bydd yr awyr yn eglur' yn amlach o lawer na chynt.

Gan fod sylfeini economaidd Cymru yn hynod o fregus yn ystod oes y Stiwartiaid, yr oedd natur y tywydd yn fater tyngedfennol. Dylanwadai'r tywydd ar dyfiant porfa a chnydau, ar iechyd anifeiliaid ac ar y cyflenwad o laeth, cig, crwyn a gwlân. Cyn oes y peiriant ager, rheolid y drefn amaethyddol gan wynt a glaw, a gallai gormod neu ry ychydig o'r naill neu'r llall achosi trallod a dioddefaint aruthrol. Tystia llythyrau a dyddiaduron yr oes fod pobl cefn gwlad yn gwylio'r ffurfafen yn feunyddiol, yn nodi cyfeiriad y gwynt yn fanwl, yn sylwi ar ymddygiad ac arferion adar ac anifeiliaid, ac yn pwyso'n drwm ar hen goelion traddodiadol. Dengys y gerdd hon fod stôr gyfoethog o goelion yn ymwneud â'r tywydd yn cael eu trosglwyddo o'r naill genhedlaeth i'r llall:

Cyn dêl ystormydd mawrion dros y maes,
Mae llu o arwyddion dan yr wybr las;
Y crychydd croch sy'n hwylio ar ei hynt,
I ado'r cwm a chodi ei hun uwch gwynt;
Y fuwch a'i ffroen sy'n d'rogan i ni draw,
Wrth *snuffo'r* aer, fod gwlaw a lli gerllaw;
Mae'r wennol, sy'n dihyfennu'r llyn mor llaes,
A'r ffroga'n gwneud afleisiol lais diflas;
Yr ydfrain du, wrth godi a heidio ynghyd,
I chwilio'r allt a'r coed am le mwy clyd;
A'r morgrug mân, trwy ado'r twyn tir draw,
Sy'n dangos fod tymhestlau a lli' gerllaw;
Mae'r adar hwythau 'sdyddiau'n cadw stŵr,
Gan nofio'n fore ar donnau'r llynnau dŵr;
A brain pob tir sy'n crïo'n glir fod gwlaw
Yn agoshau, rai dyddiau cyn y daw.[45]

Nodid rhai o'r ffenomenau mwyaf cyffrous yn yr almanaciau. Ymhlith y 'rhyfeddodau' a gofnodwyd yn almanac Thomas Jones am 1698 yr oedd y fellten a dorrodd geiliog gwynt clochdy Newport, ger Amwythig, ar 23 Mai 1696, a'r storm o genllysg mawr (rhai ohonynt yn mesur wyth modfedd!) a ddinistriodd gnydau ac a laddodd ddefaid a gwyddau yn ystod mis Ebrill 1697.[46] Yn almanac John Jones am 1724, atgoffwyd darllenwyr am y gwynt mawr a gafwyd ar 3 Tachwedd 1703, am y llifogydd difrifol ar 17 Gorffennaf 1706, ac am yr enfys 'ai chefn isaf ai dau gorn i fynu' a welwyd ger Wrecsam ar 20 Mawrth 1715.[47]

Anodd gwybod i ba raddau yr oedd darllenwyr almanaciau Thomas Jones yn rhoi sylw arbennig i'r golofn a ddaroganai'r tywydd. Gan fod lles y gymdeithas gyfan yn ddibynnol ar y tywydd, gellir tybio eu bod yn manteisio ar bob cyfrwng posib, yn enwedig o gofio nad oedd ganddynt hinsoddwyr proffesiynol i'w cynghori. Hawdd credu mai bodio'r tudalennau'n ymwneud â'r tywydd a ddisgwylid adeg y cynhaeaf a wnaent amlaf. Oherwydd y cynhaeaf oedd digwyddiad pwysicaf y flwyddyn.[48] Dyma guriad calon economi'r wlad. Golygai cynhaeaf mall fod bwyd yn prinhau, prisiau'n codi a diweithdra a newyn yn cynyddu. A phe digwyddai dau gynhaeaf mall yn olynol, yr oedd yn demtasiwn fawr i bobl newynog fwyta peth o'u hadyd plannu a theneuo cnwd y flwyddyn ganlynol. Pa ryfedd felly fod amaethwyr mawr a bach yn galw ar yr Arglwydd i lenwi eu meysydd â chnydau helaeth ac i ganiatáu iddynt hin addas i'w casglu ynghyd? Ar ôl bod 'dan falltod y felltith' o gyni a drudaniaeth yn ystod y 1690au, canodd Owen Gruffydd garol 'o ddiolchgarwch i Dduw am ein helaethrwydd yn ôl prinder':

> Mae'r gweiniaid yn gwenu tôn gynnes tan ganu
> a fydda'n gruddfanu ar lwgu'n y wlad
> pob gradd sydd ddigonol heb ddim yn ddiffygiol
> ond rhinwedd wych eiriol a chariad.[49]

Gan fod tywydd teg ar adeg y cynhaeaf o bwys anhraethol i ffermwyr, arferent droi at yr almanac er mwyn gweld pa fath dywydd y gellid ei ddisgwyl cyn ymgymryd â'r paratoadau priodol. Ond yr oedd dau anhawster yn wynebu Thomas Jones: anwadalwch yr hin yng Nghymru a'r ffaith ei fod yn gorfod proffwydo'r tywydd o leiaf flwyddyn ymlaen llaw. 'Aml y digwydd gwlaw yn y naill sir', meddai ym 1684, 'y pryd na bo dim yn y sir nesaf atti: neu yn y naill blwyf heb ddim yn y plwyf arall, Ie weithieu or naill du ir Ty y syrth gwlaw, heb ddim or tu arall.'[50] Ar brydiau yr oedd yn weddol agos i'w le. 'Enillais fwy o Glod', meddai'n fostfawr yn ei almanac am 1691, 'wrth yscrifennu am y Towydd y llynedd nag a allwif fyth ddwyn dros y Rhinniog.'[51] Ac efallai y glynai'r un broffwydoliaeth fawr a wireddwyd yn y cof 'so that ever after', yn nhyb Reginald Scot, 'we believe whatsoever they say.'[52] Ond y gwir yw i Thomas Jones sylweddoli na thalai iddo fanylu'n ormodol wrth ddarogan y tywydd. Fel y treigliai'r blynyddoedd heibio, âi ei broffwydoliaethau yn fwy penagored a chyffredinol. 'Mwya mantes a Roe Sywedydd iw alw yn gelwyddog oedd yscrifennu am y Tywydd', oedd ei sylw doeth ym 1708.[53]

Wrth baratoi ei broffwydoliaethau am y tywydd, pwysai Thomas Jones yn gyson ar dechneg a ffurf cynnyrch ei gyd-almanacwyr yn Lloegr. Ac yn ei awydd i gyflwyno testunau difyr a diddorol i'r Cymry, mentrodd gyhoeddi yn ei almanac am 1701 fersiwn Cymraeg o'r *Erra Pater,* sef almanac 'tros byth', cyfres o broffwydoliaethau'n seiliedig ar ddaroganau Esdras.[54] Yn ôl yr *Erra Pater,* dibynnai'r tywydd drwy'r flwyddyn ar ba ddiwrnod y disgynnai'r Calan. Rhestrid ynddo hefyd 'ddyddiau peryglus neu aflwyddiannus' y flwyddyn. Er nad oedd Thomas Jones yn ymddiried yn llwyr yng nghoelion yr *Erra Pater,* cydnabu eu bod yn seiliedig ar athrawiaethau a gefnogwyd gan 'hen athrawon' cyn geni Crist. Bu mynd mawr ar y gwaith hwn drwy gydol yr Oesoedd Canol a rhoes haenau isaf ac ofergoelus cymdeithas groeso brwd i'r dwsin o argraffiadau Saesneg ohono a gyhoeddwyd rhwng 1536 a 1640.[55]

Dywedid mai'r almanac a'r *Erra Pater* oedd yr unig lyfrynnau y porai hwsmoniaid ynddynt yn ystod oes y Stiwartiaid Cynnar.[56] Er i awdur *Cas gan Gythraul* (1711) annog y cyhoedd i losgi pob copi o'r *Erra Pater* llygredig am nad 'oedd ar y Cymru eisiau Llyfrau o'r fath', fe gopïwyd fersiwn Thomas Jones yn ddigon aml yn ystod y ddeunawfed ganrif i beri i ni gredu bod y Cymry, hwythau, wedi cael blas mawr arno.[57] Mor ddiweddar â 1794, cyhoeddodd Wil Awst (William Augustus), y daroganwr nodedig o Gil-y-cwm, ger Llanymddyfri, fersiwn newydd o'r *Erra Pater: neu Ddaroganydd yr Amserau,* heb ddweud gair ei fod wedi codi'r cynnwys i gyd allan o almanac Thomas Jones am 1701. Yr oedd y Wil Awst hwn yn ŵr a adwaenai'r wybren mor dda fel y gallai'n fynych broffwydo'r awr y deuai corwynt, glaw ac eira.[58]

Yr oedd arwyddocâd gwleidyddol yn perthyn i almanaciau Thomas Jones yn ogystal. Bu'n ddigon ffodus (neu anffodus efallai) i fyw drwy gyfnod cyffrous anghyffredin, oes pan oedd y drefn gyfansoddiadol yn gwegian dan bwys cyffroadau a chynhennau crefyddol a gwleidyddol. Yr oedd dau beth yn achosi ofn a dychryn affwysol: y perygl o du Pabyddiaeth, ac uchelgais Lewis XIV, brenin Ffrainc. Er y gwyddom erbyn heddiw fod y ffydd Babyddol ar drai yng Nghymru yn ystod oes yr Adferiad, yr oedd diwygwyr Protestannaidd yn poeni'n enbyd fod gweision y Pab yn dal i 'hau eu hefrau', ac yn arwain y Cymry i ymddiried mewn 'ffiaidd eulynaddoliaeth.'[59] Honnent mai ffydd ddi-sail a hocedus oedd Pabyddiaeth a'i bod yn hollol groes i bopeth daionus a santaidd. Tynnent sylw hefyd at yr elfen ymladdgar a bwystfilaidd a oedd ynghlwm wrth y grefydd Babyddol: 'y Buttain fawr waedlyd' oedd Eglwys Rufain, 'chwydfa olaf Satan' oedd yr Iesuwyr, barbariaid afrywiog oedd y Gwyddelod, a gormeswyr didostur oedd y Ffrancod.[60] Dysgid y Cymro i gredu bod Pabyddiaeth a gormes yn gyfystyr. 'Nid oes ganddynt feddyginiaeth yn y byd i iachau teyrnasoedd', meddai John Thomas, rheithor Penegoes, 'ond wrth ollwng gwaed a thorri'r wythïen.'[61] 'Nid oes dim', cytunai Thomas Jones yn ei almanac am 1691, 'a'u bodlona ond mwy o oruchafiaeth nag sydd ar y ddaear iw Gael.'[62] Yn y 'Gofrestr' flynyddol, atgoffai ei ddarllenwyr am weithgareddau 'anfad' y Pabyddion yn y gorffennol: y merthyru yn Smithfield; uchelgais yr Armada ym 1588; Cynllwyn y Powdr Gwn ym 1605; y gyflafan echrydus yn Iwerddon ym 1641; y Rhyfeloedd Cartref; y Tân yn Llundain ym 1666, a Chynllwyn dieflig Titus Oates ym 1678. Yn ôl Thomas Jones, ni fyddai'r Pabyddion yn fodlon hyd nes y gellid peri i bob Protestant brofi poethder y tân, fel yn nyddiau Mari Waedlyd, dymchwel y Cyfansoddiad gwleidyddol, a darostwng i'r fath raddau fel y byddai ynys Prydain yn goch gan waed. Achosai'r bwgan Pabyddol yr un arswyd yn ystod oes y Stiwartiaid Diweddar ag a wnaeth ofn yr Iddewon yn yr Almaen yn y 1930au ac ofn Comiwnyddiaeth yn America yn y 1950au. Ymledai fel haint drwy'r boblogaeth. Caethiwyd y deallus a'r anneallus fel ei gilydd gan ofn yr hyn a fygythid, a gellir dweud yn ddibetrus fod almanaciau Thomas Jones o 1680 ymlaen wedi gwneud cryn dipyn i beri i'r Cymro gasáu'r Pabydd o ddyfnder calon.[63]

Yr oedd uchelgais 'yr hen Lewis o Ffrainc' hefyd yn gwasgu'n drwm ar feddwl y Cymry. Gwyddent o ddarllen yr almanaciau mai ef oedd lleidr pennaf Ewrop, ac mai ei fwriad oedd ehangu ei diriogaethau a'i awdurdod hyd nes y câi'r llaw uchaf ar holl ddeiliaid y cyfandir. Dymuniad pob Protestant oedd gweld teyrnas 'yr Anghenfil o Ffrainc'[64] yn syrthio, a phorthai Thomas Jones yr awydd hwnnw drwy broffwydo'n gyson y digwyddai rhyw anffawd i Lewis neu y byddai farw ymhen fawr o dro. Drwy gydol y Rhyfel Naw Mlynedd (1689-97) a'r Rhyfel am Olyniaeth Sbaen (1702-13/14), cyhoeddai Thomas Jones fod dydd brenin Ffrainc yn prysur ddirwyn i ben. Ond er taered y bygwth, y rhuo a'r rhybuddio, daliai brenin Ffrainc yn fyddar i bob apêl. O ddarllen rhwng y llinellau, gallwn weld bod amynedd y Cymry'n pallu wrth sylweddoli nad oedd brenin Ffrainc yn barod i gydnabod fod yr utgorn mawr yn seinio. Ond ateb swta Thomas Jones i'w ddirmygwyr oedd fod yr awduron a fu'n gyfrifol am nodi'r union adeg y ganed Lewis o Ffrainc wedi cyfeiliorni, a pha ryfedd felly iddo fethu llunio proffwydoliaeth gywir?[65] Y ffaith eironig amdani yw fod Lewis XIV wedi llwyddo yn y diwedd i oroesi Thomas Jones o ddwy flynedd.

Nid oes wadu nad oedd ymgyrchoedd ysblennydd a gwaedlyd Gwilym III a Lewis XIV ar y cyfandir yn faterion tyngedfennol i bobl Prydain, ac almanac Thomas Jones oedd yr unig gyhoeddiad Cymraeg rheolaidd i gynnig gwybodaeth am yr heldrin i Gymry uniaith. Ceisiodd Thomas Jones ddwyn crynodeb Cymraeg o helyntion gwleidyddol a milwrol y dydd i sylw'r Cymry mewn newyddiadur i'w gyhoeddi'n fisol o fis Rhagfyr 1690 ymlaen.[66] Eisoes bu wrthi'n gwerthu cylchlythyrau gwleidyddol i foneddigion a *literati* di-Gymraeg, a bwriodd ei brentisiaeth fel newyddiadurwr drwy gyhoeddi *The London Mercury* (neu'n ddiweddarach *The Lacedemonian Mercury*) ar gyfer y sawl a heidiai i dai coffi'r brifddinas.[67] Ond, er mawr ofid iddo, siomedig fu'r adwaith i'w newyddiadur Cymraeg ymhlith siopwyr Cymru, ac aeth y fenter â'i phen iddi yn bur sydyn.[68] O ganlyniad, diwallodd syched y Cymry am hanesion cyffrous drwy lwytho'i almanac â gwybodaeth am gampau'r fyddin Brydeinig ar gyfandir Ewrop.

O'r nawdegau ymlaen, trethid nerth milwrol ac economaidd Prydain i'r eithaf gan yr ymgyrch i dorri awdurdod 'y gormeswr creulon' o Ffrainc, i wastrodi'r Gwyddelod rheibus ac i ryddhau'r deyrnas o afaelion yr ofn rhag goresgyniad, gormes a chaethiwed. Rhwng 1689 a 1713, costiodd y rhyfeloedd yn erbyn Lewis XIV rhwng £5,000,000 a £7,000,000 y flwyddyn.[69] Anogid bonedd a gwrêng i uno yn y cwlwm gwladgarol, i wasanaethu brenin, gwlad ac eglwys yn ddiymod, i osod pob gewyn ar waith yn y frwydr dros 'ein crefydd a'n rhyddid', ac i gyfrannu'n hael at yr ymgyrch filwrol. Dygwyd pen trymaf y baich ariannol gan y boneddigion, tra gwasanaethai'r 'gweiniaid' yn y rhengoedd milwrol. Tystiai beirdd y cyfnod i angerdd a ffyrnigrwydd yr ymladd, ac i ddioddef-aint y milwyr a'r gwastraff ar fywydau. 'Mae'r Drwm yn uwch na'r Delyn' oedd gofid un ohonynt, cwynai Matthew Owen am y 'rhyfel hir anhoweth', ac er mwyn cysuro'i gyd-wladwyr y cynhwysodd Thomas Jones gyfres o gerddi 'i'w canu dan bared adeg rhyfel' yn ei flodeugerdd boblogaidd, *Carolau a Dyriau Duwiol* (1696).[70]

Yn Lloegr yr oedd trafod pynciau gwleidyddol a milwrol yn rhan annatod o fywyd y Sais. Llifai pamffledi, pregethau a chylch-lythyrau'n gyson o'r wasg. Ond yng Nghymru, dibynnai gwerin gwlad am eu newyddion am y rhyfeloedd pellennig ar ambell sgwrs a gipglywid mewn tai bonheddig neu dafarn, ar ddatganiadau cyhoeddus crïwr y dref, ar ambell dant gwleidyddol a drewid yn y pulpud neu ar rai o hanesion milwyr ffraeth eu tafod. Ymddengys fod digonedd o holi a sisial ynghylch y rhyfel ymhlith y Cymry, a cheisiai Thomas Jones ddiwallu eu syched trwy gynnwys yn ei almanac bob math o newyddion am yr hyn a fu a'r hyn a fyddai. Prin y medrai fodloni chwilfrydedd ei ddarllenwyr, gan gymaint oedd y cleber am y brwydro ar dir a môr. Ymddiheurodd iddynt yn ei almanac am 1701 am fethu 'llethu eu Clustiau a rhyw frithonaeg ynghylch Rhyfel' y llynedd, a phrysurodd i unioni'r cam ar fyrder.[71] Soniai Huw Morys am duedd y rheini a oedd yn llawn dychryn am y dyfodol i goelio 'llawer chwedl',[72] ac i'r sawl â mesur o ddychymyg ganddo, yr oedd y straeon cyffrous a geid yn almanaciau Thomas Jones yn cryfhau eu ffydd yng ngallu'r Stiwartiaid i'w harbed rhag cystudd, cerydd a cham. Darllenent yn yr almanac am rai o ymgyrchoedd gogoneddus y fyddin a'r llynges Brydeinig: y ddyrnod angheuol ('yr haeddiad a haeddodd',[73] chwedl William Humphrey) a roddwyd i obeithion y Gwyddel ar y Boyne ar 31 Gorffennaf 1690; y grasfa a ddioddefodd hufen llynges Lewis XIV yn La Hogue ym mis Mai 1692; a'r gorchestion a gyflawnwyd gan Ddug Marlborough ym mrwydrau gwaedlyd Blenheim, Ramillies a Malplaquet. Porthai Thomas Jones wladgarwch y Cymry bob cynnig: ni oddefai ei gyd-wladwyr i neb, meddai ym 1709, 'Stwrdio nai'i Cogio nai'u cystwyo ... nac i ddioddeu rhoddi iddynt gyfreithiau yn erbyn Anrhydedd eu gwlad eu hunain.'[74]

Yn gymysg â'r newyddion, wrth gwrs, fe gynigiai Thomas Jones liaws o ddaroganau perthnasol. Amwysedd oedd prif nodwedd ei broffwydoliaethau. Fel pob almanaciwr cyfoes, yr oedd yn gyndyn iawn i fynegi ei feddwl a'i fwriad yn glir. Cyfrwys a gochelgar iawn ydoedd wrth lunio darogan. 'Na ddisgwylied neb', meddai yn ei broffwydoliaeth am 1694, 'a disgyn bob peth ar a henwyd ymma wrth ddrws pob Tŷ, nag ymhob Sir, nag ymhob Teyrnas chwaith; yr un Plannedau sy'n Llyfodraethu'r holl fyd yn gyffredinawl, a diammau a digwydd yr holl bethau ymma mewn rhyw fannau a'u gilydd yn y byd.'[75] Gwyddai mai po leiaf o anwiredd oedd yn yr almanac, mwyaf i gyd fyddai'r clod a gâi fel rhagfynegydd. Meistrolodd y ddawn i gymysgu newyddion da a drwg, ac i fynegi'r cyfan mewn iaith niwlog ac amhendant. Pan fu'n trafod arwydd-ocâd seren gynffonnog Halley ym 1681, er enghraifft, dywedodd y gellir disgwyl helbul, caethiwed, rhyfel, ymryson, erlid, newyn, clefydau, drudaniaeth, eira, rhew mawr, cenllysg, gwyntoedd cryfion, mellt a tharanau, a phob math o ddoluriau creulon. Hyd yn oed pan wasgai darllenwyr arno i fanylu ychydig ar arwyddocâd ei ddarogan, ni ellid ei demtio. Yn wir, ychwanegodd y gallai ugain mlynedd fynd heibio cyn i holl effeithiau'r seren ryfedd honno ddod i'r amlwg.[76] Golygai hyn i gyd, yn ôl deddfau tebygolrwydd, na fyddai byth ymhell o'i le. Llwyddai i osgoi unrhyw bendantrwydd wrth drafod tynged gwlad neu unigolyn. Y cwbl a ddywedai oedd y gellid disgwyl amseroedd blin, ymryson a helbul, twyllo a chogio, marwolaeth a dinistr. 'Trwm ofid' neu 'llawer o aflwydd' i ryw ben coronog—Lewis o Ffrainc, fel arfer—neu i ryw deyrnas, oedd un

Swyedyddawl farnedigaeth am y flwyddyn 1685.

Dau bêth yn y flwyddyn hon fydd nodedig iawn tuag at droeadau'r byd, y Cyntaf o honnynt iw dyfodiad yr haul i arwydd yr hwrdd, ag ar hynny a Gofodwyd yr addurn ifod.

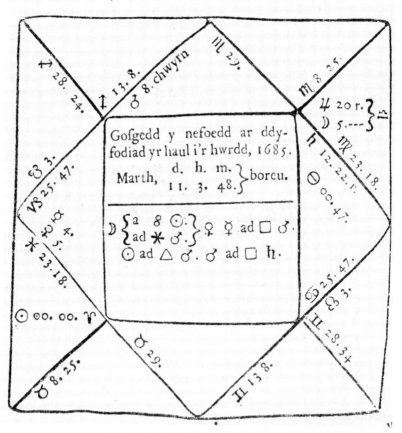

Y Sywedyddawl Farnedigaeth am 1685

Llun: Llyfrgell Genedlaethol Cymru

o'i hoff destunau. Brithir ei broffwydoliaethau gan y geiriau 'os', 'pe bai' neu 'ond', a llwyddai'n aml i dywyllu cyngor yn llwyr drwy ychwanegu brawddeg fel 'pethau amheuys a phetrus a ddatodir yn fuan ac a droir i dda neu ddrwg.'[77]

Fel llawer almanaciwr mwy profiadol nag ef ei hun, bu raid i Thomas Jones ddioddef edliwiadau a dirmyg ei ddarllenwyr, yn enwedig pan âi ei ddaroganau'n gandryll. 'Os camgymeraf unwaith', meddai, 'Cnaf a fydda gyda rhai, a phe dywedwn y gwir bob amser, Cythraul a fyddwn gydag eraill.'[78] Atgoffai ei geryddwyr yn gyson na aned eto mo'r dyn a fedrai foddio pawb. 'Oni bydd sywedydd cyn doethed â Duw ei hun', meddai'n swta, 'ni thâl ei gelfyddyd ef ddraen gan lawer o bobl.'[79] Tuedd ysgolheigion a diwygwyr crefyddol oedd edrych mewn dirmyg ar ei broffwydoliaethau amwys a niwlog. Yr oedd yn beth cyffredin yn Lloegr i edliw tras almanaciwr a'i gyhuddo o gymryd at waith nad oedd yn gymwys iddo. Bu John Partridge yn destun gwawd i Swift, Congreve a Brown. 'Partridge', meddai Tom Brown, 'was no more than a London cobbler before he was made running footman to the seven planets!'[80] Ergydio o fôn braich a wnâi Ned Ward:

> Poor Taylors, Weavers, Shoe-makers, and such
> Illit'rate Fools, who think they know too much,
> Are the chief Senseless Bigots that Advance
> A foolish Whim to further Ignorance.[81]

Yn yr un modd, siglai dysgedigion Cymru eu pennau'n drist wrth geisio datrys cyfarwyddiadau Thomas Jones. Siaradai Moses Williams yn ddiystyrllyd iawn am 'Twm y Teiliwr' yn ei gefn,[82] a honnai ei gyd-almanaciwr, John Jones o'r Caeau, Anghydffurfiwr lled gefnog a gwybodus, fod 'Tomos Siôn' yn 'gymhwysach i glyttio hen sachau nac i ddeall y Planedau' ac na wyddai 'mwy nac eidion oddiwrth Arwyddion yr Awyr.'[83] Cafodd aml gernod gan Forrisiaid Môn ond yr oedd hynny, drwy drugaredd, wedi ei ddyddiau ar y ddaear. 'Oedd dim yn y nefolion fydoedd nas gwyddai Domos', meddai William Morris, gyda gwên ddirmygus ar ei wefus, 'nid rhyfedd oedd iddo chwysu cymaint o alwyni ac yntau yn myned drwy orchwyl mor galed!'[84] Ond beth bynnag oedd barn llenorion uchel-ael amdano, ni fedrwn wadu i Thomas Jones agor bydoedd newydd o flaen meddwl pobl ddiaddysg.

Nid taenu gwybodaeth am sêr-ddewiniaeth oedd uchelgais diwygwyr crefyddol yr oes ychwaith. Os oedd gwŷr dysgedig yn ddirmygus o grefft yr almanaciwr, yr oedd Protestaniaid selog yn ffyrnig eu gelyniaeth tuag at y sawl a fentrai ragfynegi'r dyfodol. Yn ei lyfr dylanwadol, *Trugaredd a Barn* (1687 a 1715), dyfynnodd James Owen nifer helaeth o enghreifftiau dychrynllyd o 'gyfiawn farn Duw' yn disgyn ar 'y rhai sydd yn darllen tesni, ac ar y rhai sydd yn myned attynt i wybod eu tesni.'[85] Rhyfyg o'r mwyaf, yn ôl Rees Prydderch, oedd ceisio ennill gwybodaeth am yr hyn sydd i ddod, a barnai Simon Thomas mai sengi ar 'gyffiniau Llywodraeth Tywysog y Tywyllwch' a wnâi'r sêr-ddewinydd.[86] Anogwyd pob Cymro gan awdur anhysbys *Cas gan Gythraul* (1711) i 'blygu a gogwyddo ei ewyllys ei hun at 'wyllys Duw':

> Cei allu arnat dithau ei gasau dy bechod cas,
> Beth bynnag fo dy dynged os llefu ar Dduw am râs,
> Mae'n ddrwg it ofni Planed na thynged o unrhyw,
> Na phrissia pwy fo'th elyn os cai ond heddwch Duw.[87]

Hoff ddadl clerigwyr a gweinidogion oedd fod grym ac awdurdod Duw yn gryfach nag unrhyw rym arall, a bod holl drigolion y ddaear hon fel clai yn llaw'r Crochenydd. Prif ddyletswydd y Cristion oedd ceisio achubiaeth drwy ddibynnu'n llwyr ac yn ddirwgnach ar ddirgel ffyrdd Rhagluniaeth, gan ymarfer ei ddefosiynau, byw buchedd lân, a chynnal ei ffydd hyd y diwedd. Ond o ran tegwch ag almanaciwr fel Thomas Jones, ni thynnai'n groes i'r athrawiaeth honno. Wedi'r cwbl, gwnaeth gymwynas fawr ag achos yr Eglwys yng Nghymru drwy gyhoeddi ffrwd gyson o lyfrau defosiynol a bregethai'r union genadwri honno. Cyffesai'n aml yn ei almanaciau na fedrai sywedydd 'farnu ddim cyfarwydd-ach na dangos tueddiad naturiaeth y planedau.'[88] Ni fedrai ddwyn y dirgelion oll i'r goleuni gan mai Duw ei Hun a oedd wrth y llyw ac yr oedd ei ewyllys Ef yn anhreiddadwy. Rhyfeddai bob amser at allu a doethineb Duw, a gwyddai'n dda mai Ef yn unig a benderfynai dynged dynolryw.

Ar wahân i'r elfen broffwydol a newyddiadurol, yr oedd llawer peth arall yn yr almanac yn denu darllenwyr. 'Difyr a hoff gan lawer o'r Cymry', meddai Thomas Jones, 'ddarllen a chanu cerdd Cymraeg.'[89] Aeth un o'i olynwyr, John Prys, ymhellach: tybiai ef fod yn well gan lawer o'r Cymry 'gael caniadau nac odid o Bethau eraill a fyddis arferol yn rhoddi mewn Almanaccau'.[90] Erbyn oes y Stiwartiaid Diweddar yr oedd cerdd dafod yn dihoeni a phrydydd-iaeth, fel crefft broffesiynol beth bynnag, bron wedi diflannu o'r tir.

Yn sgil hynny, troes barddoni yn waith i feirdd gwlad—amaethwyr
a chrefftwyr gan amlaf—ac un o brif gymwynasau almanac
Thomas Jones oedd ei fod yn rhoi cyfle i awenyddion gwerinol
ymarfer eu hawen yn gyhoeddus. Rhoes yr almanac gyhoedd-
usrwydd i waith beirdd ifainc, i gyfeillion Thomas Jones ym
Meirionnydd—Ellis ab Ellis ac Ellis Cadwaladr o Landrillo, a
Matthew Owen o Langar—ac i sêr ffurfafen farddol Cymru: Huw
Morys, Dafydd Manuel ac Owen Gruffydd. Neilltuid cyfran
arbennig o'r almanac i garolau a dyrïau i'w canu ar dafod a thant
ar yr aelwyd. Ond manteisiai Thomas Jones hefyd ar bob cyfle i
gynnwys 'hen gywyddau odiaethol' er mwyn 'Henadwriaeth a
Choffadwriaeth o'r hen Gymraeg'.[91] Er mai niwlog oedd ei
wybodaeth am hen farddoniaeth Gymraeg, traethai'n gyson ac yn
huawdl am ragoriaeth beirdd y gorffennol. Cymysg oedd adwaith
beirdd cyfoes i ymdrechion Thomas Jones drostynt. Cwynai rhai ei
fod ar brydiau yn newid, a hyd yn oed yn malurio'u gwaith wrth ei
baratoi ar gyfer y wasg. Er mwyn ennill ei ffafr, yr oedd eraill yn ei
faldodi yn gwbl wenieithus, ac ni fedrai Thomas Jones, wrth gwrs,
ymatal rhag cyhoeddi pob pennill o fawl iddo ef ei hun. Ond
haeddai Thomas Jones glod am fod ei almanaciau yn treiddio i bob
rhan o Gymru, ac felly'n llwyddo i gysylltu beirdd Cymru â'i gilydd
mewn cyfnod pan oedd y gyfundrefn farddol ar fin darfod amdani,
a phan nad oedd unrhyw sefydliadau cenedlaethol neu ganolfan-
nau diwylliannol i'w dwyn ynghyd.[92]

Bu almanaciau Thomas Jones hefyd yn gadwyn hollbwysig i
gysylltu beirdd Cymru â'r eisteddfod. Yn ei almanac am 1701,
ymddangosodd hysbyseb yn gwahodd beirdd o Feirionnydd,
Maldwyn a Cheredigion, a phob prydydd a 'chantor celfyddgar', i
eisteddfod a oedd i'w chynnal ym Machynlleth ar 24 Mehefin
1701.[93] Testun y brif ornest lenyddol oedd 'gofyn cweir-gorn i
gweirio Telyn, tros William Dafydd, o roddiad John ab Hugh'.
Cynrychiolwyd sir Ddinbych gan Huw Morys o Lansilin, sir
Drefaldwyn gan Cadwaladr Roberts o Bennant Melangell, a sir
Feirionnydd gan Ellis Cadwaladr o Landrillo. Yno hefyd i gynnal
breichiau'r prif gystadleuwyr yr oedd Dafydd Jenkins, Dafydd
Manuel, Humphrey Owen, John Prichard Prŷs a John
Rhydderch.[94] Yng nghanol y rhialtwch hwyliog a'r asbri
llenyddol, manteisiwyd ar y cyfle i osod trefn ar bethau drwy
'geryddu camgynghanedd . . . egluro y pethau towyll a dyrus, ac i
wirio yr hyn sydd gywir mewn celfyddyd Prydyddiaeth yn yr Iaith

Gymraeg.'[95] Er mai digon cloff ac anwastad oedd cynnyrch beirdd yr eisteddfodau hyn, yr oedd ganddynt bellach fan cyfarfod i ymarfer eu crefft a chyfrwng printiedig i gyhoeddi ffrwyth eu llafur. Anodd gorbwysleisio'r ffaith fod almanac Thomas Jones, ynghyd â'r eisteddfod, wedi bod yn gyfrwng anhraethol bwysig i gadw beirdd mawr a mân Cymru mewn cysylltiad agos â'i gilydd, ac i blannu ynddynt yr awydd i ddyrchafu safon cerdd dafod a'r ewyllys i'w chadw'n fyw.

Hawdd credu bod darllenwyr difanteision yn cael blas mawr ar almanac Thomas Jones am fod ei awdur yn ŵr o ragfarnau cryfion. Nid oedd Thomas Jones yn swil i fynegi ei farn ar rai o bynciau llosg y dydd. Gofid angerddol iddo oedd gweld iaith a diwylliant yn edwino o ddiffyg nawdd. Er y gwyddai nad oedd holl foneddigion y wlad wedi cefnu ar eu treftadaeth, ofnai fod y traddodiad llenyddol Cymraeg yn gwanychu yn eu plith. Yr oedd swynion Llundain a'r ysfa am 'ucheldremio ar wychder y Saeson' yn denu bryd y boneddigion fwyfwy. O ganlyniad, tybiai llawer ohonynt nad oedd 'eu safnau yn drefnus heb Saesneg neu Lading ar eu min',[96] mai peth gwaradwyddus oedd arddel unrhyw fath o Gymreictod, ac mai'r domen oedd priod le'r iaith Gymraeg. 'Hoffa peth yn y byd gan rai yn yr oes hon', meddai Thomas Jones, 'addoli'r saesneg, o herwydd ei bod yn ymadrodd newydd ag yn y ffasiwn; a thaflu'r gymraeg i lawr ai sathru Tan draed.'[97] Ceisiodd berswadio gwŷr bonheddig i barchu a choleddu eu mamiaith. Nid rhyw fratiaith sathredig oedd y Gymraeg ond 'hen Iaith heuddbarch', cangen o'r iaith Hebraeg, sef yr iaith a lefarwyd gan Dduw ei Hun yn ngardd Eden. Gan ddilyn yr un trywydd â Dr. John Davies a Charles Edwards, rhybuddiodd Thomas Jones foneddigion Cymru mai rhodd gysegredig oedd yr iaith Gymraeg, ac na ellid ei diarddel heb sarhau'r Hollalluog ei Hun.[98]

Cenedlgarwr brwd a thwymgalon oedd Thomas Jones ac yr oedd yn casáu'r rhai a'u tybiai eu hunain 'yn rhy foneddigaidd i ddarllen cymraeg' â chas perffaith. Er iddo ennyn llid a digofaint boneddigion drwy barodïo eithafion Dic Siôn Dafyddiaeth yn effeithiol tu hwnt, ni chollai fymryn o gwsg. 'Ni ddyscest di ddigon', meddai'n ddiedifeiriol wrtho'i hun, 'o Gomplmentio boneddigion':

> Di a fyost ry sosi
> Wrth rai o rheini[99]

Gwrthodai ymgrymu'n ufudd o flaen gwŷr cyfoethog digydwybod, ac fel pob dychanwr da, cleddyf llym a miniog a oedd ganddo i'w trywanu. Dywedodd un tro, rhwng difrif a chwarae efallai, fod gwŷr bonheddig yn gwisgo rhuban ar un ysgwydd 'er mwyn dynabod yr ysgwydd ddeheu oddiwrth yr aswf'.[100] Ond pan ymosodai ar wŷr trachwantus a gâi bleser wrth 'falu wyneb y tlawd', gwnâi hynny mewn pob difrifwch. Brithir barddoniaeth ei almanaciau gan gyfeiriadau miniog at 'y cybydd main', 'yr occrwr brith', 'y Lefiathaniaid creulon' a'r 'gwŷr uchel beilchion' a enillai fri drwy ormes, gweniaith neu rodres. Nid oedd ganddo air da i'w ddweud am gyfreithwyr ychwaith: dynion barus, chwannog am y geiniog oeddynt, yn pesgi'n ddyddiol ar bres pobl 'gwmbrys' ac yn mwynhau twyllo pobl ddiniwed. 'Tasg fawr a fydd i rai o'r Cyfreithwyr wneuthur cyfiawnder', meddai yn ei almanac am 1695, 'Pen gaffo pawb uniondeb, Croes yn y post!'[101] Ofnai nad oedd modd i ymgyfreithiwr distadl a geirwir ddal ei dir mewn llys barn yn erbyn gwŷr goludog gormesol a chyfreithwyr twyllodrus:

> Nid oes goel ar yr anhenog
> Ond ar y bonheddig a'r cyfoethog.
> Mae pob peth yn wir
> A ddywedo meistir Tir:
> Os dadla gŵr gwreng o'r plwy,
> A Gŵr a fo mwy.
> Ni bydd ond Cna digywilydd,
> A phob peth gwaeth nai gilydd.
> Torrir ei goryn,
> Am ddadlau a meistir gwyn:
> Torrir un o'i Lode,
> A byddwch fodlon syre;
> Os dywediff ef amgen,
> Torrir ei dalcenn:
> Os dadla fod y frân yn ddu
> Ceiff garchar y foru:
> Os cyfreithia am gyfiawnder,
> Gwneir ef yn seger;
> Os siwia am yr eiddo ei hun
> Gwneir ef yn gardottun:
> Os cymer gyngor Tomas,
> Ni thyn ef ddim Cymdeithas
> A Gwŷr uchel Beilchion,
> Rhag iddynt flino ei galon.
> Dysged hyn un ufudd,
> Gan Tho. Jones o feirionydd.[102]

Wrth fynegi'r math hwn o anesmwythyd, mae'n rhaid bod
Thomas Jones yn lleisio barn y dyn cyffredin. Rhygnai'r porthmon
o'r Perthillwydion, Edward Morris, ar yr un tant, a thystiai'r
halsingod hefyd fod 'gwŷr mawr camweddus' yn helaethu 'bob un
ei derfyn ei hun' ac yn 'gwasgu pob brawd llwm, rheidus,
tylawd.'[103] Mewn oes pan roddai'r awdurdodau gymaint o bwys ar
waseidd-dra ac ufudd-dod dibrotest, yr oedd clywed siarad plaen
almanaciwr fel Thomas Jones yn hwb i galon yr anfreintiedig, ac yn
sicrhau bod yr almanac yn agos iawn at eu calonnau.

Os oedd Thomas Jones yn hoff o bryfocio a beirniadu, yr oedd
hefyd yn mwynhau cynnwys ambell fflach ogleisiol yn ei almanac-
iau, yn enwedig yn y cyfnod cyn i'w iechyd dorri yn y 1690au. Yn
ei almanac am 1681, anogai'r darllenydd i sicrhau bod ganddo
fwyd, dillad cynnes, tân da a 'chywely nwyfus' erbyn tywydd garw
mis Ionawr.[104] Ym 1688 awgrymodd mai yng nghanol tes mis
Gorffennaf y dylai mab brofi cariad merch, 'oblegid os gorwedd hi
yn glos wrth ei gŵr y mis ymma, nag amheued ef na wnelo hi hynny
ar hin oer'. 'Lle y bo merched', meddai yn yr un rhifyn, 'yn ddeg
ar hugain oed cyn eu priodi, diammeu y bydd arnynt ddiffyg naill
a'i Cynhysgaeth a'i glendid.'[105] 'Ni bydd fawr o sôn am ryfela',
meddai yn ei broffwydoliaeth am fis Rhagfyr 1691, 'na dim ymladd
yn y mis hwn, oddigerth rhwng y gwyr a'i gwragedd.'[106] Hawdd
credu hefyd fod ei ddarllenwyr wedi cael hwyl anghyffredin—er
nad jôc oedd y profiad i Thomas Jones ei hun—wrth ddarllen am yr
holl anhwylderau, yn enwedig 'y chwys anferthol' a'i lloriodd yn
ystod y cyfnod rhwng mis Mawrth 1692 a mis Chwefror 1698. Ond,
er mawr galondid i'w gwsmeriaid, ymwrolodd i 'gladdu fy holl
Ddoluriau' a dal ati 'i wneuthur ychwaneg o ddifyrrwch i'r
Cymru.'[107]

Gellir tybio hefyd fod almanac Thomas Jones yn apelio'n fawr at
y sawl a ymddiddorai yn hynt y gynnen rhyngddo a'i gyd-almanac-
wyr. Credai Thomas Jones ar hyd ei oes fod y drwydded a dderbyn-
iodd ym 1679 yn rhoi monopoli llwyr iddo ar faes almanaciau
Cymraeg. Ar fater hawlfraint yr almanaciau, nid oedd lle i'r un
ewyllys ond ei ewyllys ef, ac mor gynnar â 1681 galwodd ar y
Cymry i wrthod prynu gwaith y sawl a geisiai 'gownterffaetio' ei
almanac neu gyfieithu 'gau draethiad rhuw Sais disiapri.'[108]
Mewn oes pan oedd bri mawr ar ymryson llenyddol, yr oedd modd
i almanaciwr ennill cynulleidfa sylweddol drwy lunio neu ffugio
hanesion difyr iawn am ymdrechion ei elynion i'w lorio. Er

enghraifft, bytheiriai William Lilly a John Gadbury yn stormus yn
erbyn ei gilydd, ac yn y blynyddoedd ar ôl 1686 bu John Partridge
a George Parker yn ffraeo fel cath a chi. [109] Ond nid creu dadl yn
fwriadol a wnaeth Thomas Jones. Credai'n wironeddol mai i'w
ddwylo ef yn unig y dylid ymddiried y dasg o gyhoeddi almanac
Cymraeg, a phan waethygodd ei iechyd yn ystod y nawdegau
dwysaodd ei ofnau fod eraill yn ceisio nychu ei gynlluniau. Cariai
benyd o ofidiau beunydd, a daliai ddig yn ffyrnig yn erbyn y sawl
a feiddiai dynnu'n groes iddo. Pan ddechreuodd John Jones o'r
Caeau, Wrecsam, gyhoeddi almanac Cymraeg blynyddol ym
1701, ffrwydrodd yr elfen baranoig yng nghymeriad Thomas Jones
i'r wyneb. Enllibus tu hwnt oedd ei gyfeiriadau at 'Sionyn o'r Tŷ
yn y Cau'. Honnai mai cawdel o sothach gwag oedd 'bystrych
anwiw' y 'diffeithwr cnafaidd' o Wrecsam, ac mai bwriad pennaf y
gŵr ffuantus, dichellgar hwnnw oedd difetha cynlluniau 'hen
wasanaethwr' y Cymry. [110] Digon crafog oedd sylwadau John
Jones hefyd ar gymwysterau'r almanaciwr o Amwythig: rhybudd-
iai'r Cymry mai 'segur-was eger a chelwyddog' oedd Thomas
Jones, a'i fod yn ennill ei ddogn drwy dwyllo pobl ddiniwed ac
anwybodus. [111] Fe all, wrth gwrs, fod rhai o ddarllenwyr almanac-
iau Thomas Jones wedi syrffedu'n llwyr ar y cwyno, yr edliwio a'r
fflangellu di-ben-draw a geid ynddynt, ond haws credu bod y
mwyafrif o'i gynulleidfa wedi cael llawer iawn o ddiddanwch wrth
ddarllen am ei droeon trwstan. Wedi'r cwbl, yr helyntion cyffrous
a gofnodid mewn almanac a baled oedd yr agosaf peth a gâi'r
Cymry y pryd hynny i saga ddifyr yr *Archers* neu *Bobl y Cwm*.

Yn olaf, cynhwysai almanac Thomas Jones wmbredd o hysbys-
ebion amrywiol. Ynddo, câi'r darllenydd wybod b'le i brynu
llyfrau Cymraeg a Saesneg, papur o bob math, lluniau, inc,
mapiau, sbectol, dannedd gosod neu lygad pot. Hysbysebid swrn
helaeth o feddyginiaethau 'anffaeledig', megis yr *Elixir Proprietatis*
bondigrybwyll, a chymysgedd arbennig Robert Bateman, *The True
Spirit of Scurvy-grass*. Gwerthai John Moore, un o grachfeddygon
Amwythig, bowdwr at ddolur pen, cordial at ddiffyg anadl a
pheswch, a 'rhagorol ac odiaeth Bowdwr i ddinistrio Llynger neu
bryfed y bol mewn ifangc a hen.' [112] Ym 1685 hysbysodd Thomas
Jones ei hun ei fod yn gwerthu 'ennaint gwerthfawr' i iacháu'r sawl
'sy'n afiach o wres neu ymgosu neu ymgrafu'. Anogodd ei
ddarllenwyr i osod yr ennaint ar eu cyrff am dair noswaith yn
olynol, ac ymhen wythnos 'yr ymgrafu a Gymer ei genad ac a

ymedu a chwi yn ddiffael'. Ac os oedd plant yn y teulu 'yn chwanog i fagu llai', ni byddai byw un o'r llai o fewn deuddydd o osod yr eli ar eu crwyn.[113] Mewn oes pan oedd pob enaid byw ar drugaredd nifer o afiechydon a heintiau peryglus, nid y lleiaf o gymwynasau'r almanac oedd dangos pa feddyginiaethau bendithiol a oedd ar gael i leddfu poen.

Ac eithrio'r baledi a'r llyfrau ABC, yr almanac oedd y llyfryn Cymraeg rhataf ar y farchnad. Rhwng 1680 a 1690, codai Thomas Jones ddwy geiniog am ei almanac, ac ar ôl canfod fod pris papur yn ddrutach yn ystod blynyddoedd y rhyfel yn erbyn Ffrainc, rhoes geiniog ychwanegol ar bob dwsin copi a archebid.[114] Ymlafniodd i sicrhau bod yr almanac yn cael ei ddosbarthu'n effeithiol. Cyn i afiechyd ei rwystro, teithiai'n rheolaidd i brif ffeiriau Cymru a'r gororau—yn enwedig ffeiriau Aberhonddu, Caerllion, Caerdydd, Wrecsam a Bryste—i werthu ei almanaciau a'i faledi. Cyflogai bedleriaid i werthu ei gynnyrch o ddrws i ddrws, a phwysai'n drwm ar barodrwydd *mercers,* cigyddion, groseriaid a gwerthwyr nwyddau haearn i weithredu fel cyfanwerthwyr drosto.[115] Ar ôl ymsefydlu yn Amwythig ym 1695, dewisodd Thomas Jones nifer o lyfrwerthwyr proffesiynol i arolygu'r gwaith o ddosbarthu llyfrau i gyfanwerthwyr. Ar garreg ei ddrws gofalai Gabriel Rogers, llyfrwerthwr cysurus iawn ei fyd, am anghenion Cymry Cymraeg y Canolbarth; diwellid syched darllenwyr Gwynedd am lyfrau gan Humphrey Page, llyfrwerthwr o Gaer; a rhoes Samuel Rogers, Anghydffurfiwr blaenllaw a llyfrwerthwr llwyddiannus o'r Fenni, drefn ar y dull o ddosbarthu ffrwyth llafur Thomas Jones ymhlith Deheuwyr.[116] Sicrhaodd y rhain fod almanaciau Thomas Jones ar werth nid yn unig ym mhrif drefi marchnad gororau Cymru, ond hefyd yn nhrefi marchnad a phentrefi bach cefn gwlad. Treiddiai almanac Thomas Jones i gonglau pellaf Cymru, o Llanddaniel i Hwlffordd, o Dywyn i Lanymynech, ac o'r Wyddgrug i'r Fenni.[117]

Nid oes amheuaeth nad oedd Thomas Jones yn anelu ei almanac yn bennaf oll at Gymry anfreintiedig ac annysgedig, 'yr rhain', meddai, 'nad oedd ganddynt mo digon o Arian i fyned i Farchnad y Saesneg a'r Ladin i ddyblu eu Cappiau a Dysgeidiaeth.'[118] Lluniwyd llawer iawn o gynnwys yr almanac at bwrpas a chwaeth 'hwsmyn a llafurwyr y ddaear', ac mae'n werth sylwi fod almanac-iau megis *Le Compost des bergers* a *La Grande pronostication des labourers* yn cael eu darparu ar gyfer bugeiliaid a llafurwyr Ffrainc yn ystod yr un cyfnod.[119] Er bod tlodi, diffyg addysg a drudaniaeth yn feini

tramgwydd parhaus i'r Cymro a fynnai ei addysgu ei hun, bu'r
elfen hyfforddiadol yn almanaciau rhad Thomas Jones yn gymorth
i lawer i ddysgu darllen. Llwyddodd Thomas Jones i chwyddo
rhengoedd y Cymry llythrennog drwy gynnwys yn ei almanaciau
yr wyddor Gymraeg, rhestr o lythrennau, llafariaid a chytseiniaid,
rhestr o eiriau unsill a deusill, ffigurau yn ôl y dull Arabaidd a
Rhufeinig, ac 'addysc ir anneallus i wneuthyr byl cyfrifon'.
'Gwnaethost flys blasys ar blant i ddarllen', meddai Huw Morys
wrth Thomas Jones, a rhoes yr Anghydffurfiwr egnïol Stephen
Hughes air da i'w lyfrau ABC a'i almanaciau.[120] 'Hen ddynan
oedd Tomas yntau', meddai William Morris, 'a wnaeth lawer o lês
er cymaint ei anwybodaeth.'[121]

Hawdd credu bod cynnwys almanaciau Thomas Jones yn
pryfocio aml sgwrs yn efail y gof ac yng ngweithdy'r saer, neu'r
crydd neu'r gwehydd. Tanysgrifiai crefftwyr diwylliedig yn gyson
i lyfrau Cymraeg a mawr fu eu dylanwad ar fywyd llenyddol a
chrefyddol y wlad.[122] Ond, wrth gyfarch ei almanac, lled-
awgrymai Thomas Jones mai Cymry syml y farchnad a'r ffair oedd
ei brif gwsmeriaid:

> Cerddaist mewn blwyddyn
> Y mynydd a'r dyffryn:
> Tramwyaist bob adwy
> O fôn i fynnwy,
> Eist fel oen diniwed
> I gorlan y defed:
> Cefaist yno'n ebrwydd
> Orphwys a chynhesrwydd:
> Y Bobl ddifales
> A'th roent yn eu mynwes;
> A'r diniwed gwirion
> A'th roent wrth eu dwyfron.[123]

'I can't tell you anything about the Welch Almanack', meddai
William Morris wrth ei frawd Richard, 'all sorry stuff; na thalan yw
codi ar y maes, ond ar y goreu i'r bobl gyffredin.'[124] Tystiai
Erasmus Saunders fod pobl ddistadl fel gweision a bugeiliaid yn
cadw cyrddau darllen yn eu tai, ac yn ôl William Morris eto, arferai
llanciau plwyf Llanfihangel Tre'r-beirdd ymgynnull yn ystod y
1680au yn nhŷ cowper llythrennog o'r enw Siôn Edward i 'ddyscu
darllain gwaith Domos Jones y sywedydd.'[125] Gwelir ôl dylanwad
ei waith yng nghof/ofau gwerinwyr cyffredin. Ceir dernynnau

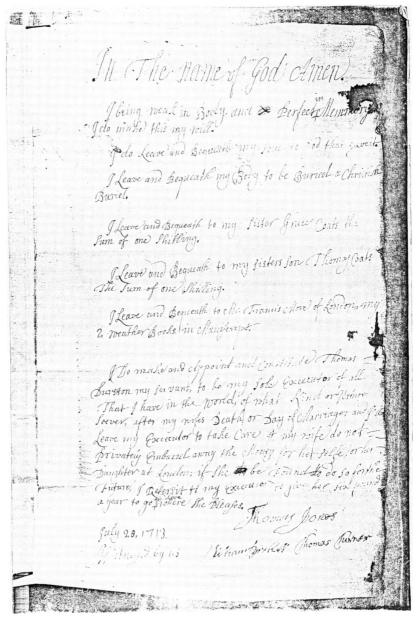

Ewyllys Thomas Jones

Llun: Archifdy Lichfield

briw o'i almanaciau ef a rhai John Jones, Caeau, yng nghanol
toreth o farddoniaeth a gofnodwyd yn llyfr englynion un William
Siôn o Fryn-saeth.[126] Yn gymysg â swrn o gyfrifon, reseitiau,
meddyginiaethau, daroganau ac adnodau ysgrythurol, gwelir peth
o gynnwys ei almanaciau yn y coflyfr a baratowyd gan un David
Ellis rhwng 1707 a 1727.[127] Tua'r un cyfnod hefyd lluniodd
gwladwr diwylliedig o'r enw Richard Roberts gyfrolau yn cynnwys
darn helaeth o waith Morgan Llwyd, *Gwyddor Uchod,* a chopi cywir
o'r *Erra Pater* a gynhwyswyd yn almanac Thomas Jones am 1701.[128]
Copïodd Robert Thomas, clochydd Llanfair Talhaearn, casglwr
almanaciau a gŵr 'gwybodol mewn llawer o gelfyddydau cywrain',
rannau o golofn sywedyddol Thomas Jones,[129] a benthyciodd
almanacwyr fel John Prys ac Evan Davies yn helaeth oddi arno
wrth lunio'u proffwydoliaethau.[130]

Er mwyn gwerthfawrogi swyddogaeth almanaciau Thomas
Jones yn llawn, rhaid cofio pa fath fyd yr ydym yn sôn amdano.
Cyfyng iawn oedd terfynau bywyd y mwyafrif o bobl Cymru.
Mewn oes pan nad oedd cyfryngau torfol fel y radio a'r teledu neu'r
sinema yn bod, a phan nad oedd cyfleusterau i deithio'n gyflym a
rhad, bu'r almanac Cymraeg, yn ei amryfal weddau fel dyddiadur,
blwyddiadur, newyddiadur a chylchgrawn, yn gyfrwng anhraethol
bwysig i estyn ychydig ar orwelion Cymry cyffredin, ac i'w difyrru
a'u hyfforddi ar yr un pryd. Ar hyd ei yrfa fel almanaciwr, ni
phallodd awydd Thomas Jones i oleuo a diddanu'r 'Cymro
ewyllysgar'. Yn ôl ei dystiolaeth ef ei hun, cyhoeddai Thomas Jones
bob rhifyn o'i almanac a phob llyfr o'i eiddo 'drwy fawr boen a
diwydrwydd'. Hawdd deall paham y rhyfeddai ei gyfoeswyr at ei
egni. Yr oedd cyn brysured â morgrugyn. 'Pob gorchwyl bychan
sydd ormod Tasg gan ddiogun', meddai, 'ond i'r ufudd a'r diwyd,
nid oes dim rhy anodd ei ddysgu.'[131] Yn wyneb pob math o
anawsterau, ymaflodd Thomas Jones yn frwdfrydig ac yn egnïol yn
ei orchwylion ac ni ellir llai na rhyfeddu at ei ddygnwch a'i ddyfeis-
garwch.

NODIADAU

1 Neuadd y Llyfrwerthwyr, Llundain, *Court Book,* 1 Mawrth 1679; Thomas Jones, [*Almanac*] (1703), sig. A8r-B1r. Am bortread llawnach gw. Geraint H. Jenkins, *Thomas Jones Yr Almanaciwr 1648-1713* (Caerdydd, 1980).

2 Thomas Jones, [*Almanac*] (1710), sig. B2r.

3 Thomas Jones, *Newyddion oddiwrth y Sêr* (1685), sig. B7v.

4 Thomas Jones, *Newyddion mawr oddiwrth y Ser* (1691), sig. C7v.

5 Archifdy Sir Amwythig, Assessment Rolls, 1698-1702, Bocs VII, rhif 278; Relief of the Poor Accounts, Bocs XV, rhif 723.

6 R. P. Bond, 'John Partridge and the Company of Stationers', *Studies in Bibliography,* XVI (1963), 61; C. Blagden, 'The Distribution of Almanacks in the Second Half of the Seventeenth Century', *Studies in Bibliography,* XI (1958), 114-5; Bernard Capp, *Astrology and the Popular Press* (1979), passim.

7 Ll.G.C., Llsau. Peniarth 508-10.

8 E. F. Bosanquet, 'English Seventeenth-Century Almanacks', *The Library,* X (1930), 395-7.

9 Ll.G.C., Llsau., 1613A, 12504A; Llsau. E. Francis Davies (1962); Ll.G.C., Lls. 12292A.

10 Ll.G.C., Llsau. 7021-2A.

11 Ll.G.C., Lls. Esgair a Phantperthog 2.

12 Alison Adburgham, *Women in Print* (1972), tt. 45-6, 50-1; Ll.G.C., Llsau. Plas Power, Mân gyfrifon a thalebau, 1727-31.

13 E. F. Bosanquet, op. cit., t. 365. Am y cefndir i gyhoeddiadau poblogaidd yn Saesneg, gw. V. E. Neuburg, *Popular Literature. A History and Guide* (1977), tt. 56-102.

14 John Prys, *Deonglydd y Sêr* (1760), sig. A2r.

15 Thomas Jones, *Almanac am y Flwyddyn 1681* (1681), sig. A8v.

16 Thomas Jones, *Newyddion Mawr oddiwrth y Ser* (1698), sig. B8r; *Newyddion Mawr oddiwrth y Sêr* (1702), sig. C1v-C6v.

17 Thomas Jones, [*Almanac*] (1686), sig. C3r-v.

18 Henry Coley, *Clavis Astrologiae Elimata* (1676), sig. A4v-A5r; C. H. Josten gol., *Elias Ashmole, 1617-1692* (5 cyf., 1966), 1, t. 88.

19 Thomas Jones, *An Astrological Speculation of the late Prodigy* (1681), sig. A3r-v.

20 Am fywgraffiad poblogaidd, gw. Derek Parker, *Familiar to All. William Lilly and Astrology in the Seventeenth Century* (1975).

21 Keith Thomas, *Religion and the Decline of Magic* (1971), tt. 305-7. Yr oedd copi o'i *Merlini Anglici Ephemeris* (1667) ym meddiant twrnai o Geredigion (Ll.G.C., Lls. 4459A).

22 Thomas Jones, [*Almanac*] (1708), sig. C7r.

23 G. M. Ashton gol., Robert Jones, *Drych yr Amseroedd* (1958), t. 25.

24 Gw. Geraint H. Jenkins, 'Popular Beliefs in Wales from the Restoration to Methodism', *Bwletin y Bwrdd Gwybodau Celtaidd,* XXVII, rhan III (1977), 440-462.

25 Coleg Prifysgol Gogledd Cymru, Lls. Bangor 95, Pregeth, 29 Mehefin, 1684.

26 Ashton, op. cit., t. 25.

27 William Meyrick, *Pattrwm y Gwir Gristion* (1723), t. 278.

28 John Prichard Prŷs, *Difyrrwch Crefyddol* (1721), tt. 130-2.

29 Edward Lhuyd, 'Parochialia', *Arch. Camb.,* 1909-11, t. 84.

30 Ll.G.C., Lls. 10B, t. 80.

31 Ll.G.C., Lls. 3B, t. 10.

32 Gwyn Thomas, *Y Bardd Cwsg a'i Gefndir* (1971), tt. 121-2.

33 Ll.G.C., Lls. 6146B, tt. 179-86.

34 J. Gwynn Williams, 'Witchcraft in Seventeenth-Century Flintshire', *Flintshire Historical Society Journal,* 26 (1973-4), 22; Stephen Hughes gol., Robert Holland, *Dav Gymro yn Taring yn Bell o'i Gwlad* (1681), t. 464.

35 Ll.G.C., Lls. Peniarth 86. tt. 186-226; Lls. Mostyn 55; Lls. Cwrtmawr 38B.
36 Ll.G.C., Lls. Cwrtmawr 492B, t. 94.
37 Ll.G.C., Lls. Cwrtmawr 38B, t. 10.
38 Keith Thomas, op. cit., t. 296; Simon Thomas, *Hanes y Byd a'r Amseroedd* (1718), t. 11.
39 Morgan Llwyd, *Gwyddor Vchod* (1657), t. 12.
40 Ashton, op. cit., t. 25. Cf. W. Farnham, 'The Dayes of the Mone', *Studies in Philology*, XX (1923), 70-82.
41 T. F. Thistleton-Dyer, *Old English Social Life* (1898). tt. 232-4; 'The Diary of John Greene (1635-57)', *English Historical Review*, XLIV (1929), 112.
42 Keith Thomas, op. cit., t. 299.
43 Thomas Jones, *Newydd oddiwrth y Ser* (1683), tt. 27-8.
44 Thomas Jones, *Almanac am y flwyddyn 1688* (1688), sig. A2r-A3r.
45 John Harris, *Vox Stellarum* (1792), sig. E1r.
46 Thomas Jones, *Newyddion Mawr oddiwrth y Sêr* (1698), sig. A2r-5r.
47 John Jones, [*Almanac*] (1724), sig. A3r.
48 Gw. W. G. Hoskins, 'Harvest Fluctuations and English Economic History, 1620-1759', *Agricultural History Review*, 16 (1968), 17.
49 Ll.G.C., Lls. 799D, tt. 24-5.
50 Thomas Jones, *Newydd oddiwrth y Seêr* (1684), sig. A3v.
51 Thomas Jones, *Newyddion mawr oddiwrth y Sêr* (1691), sig. A1v.
52 Keith Thomas, op. cit., t. 336.
53 Thomas Jones, [*Almanac*] (1708), sig. C7r.
54 Thomas Jones, *Newyddion Mawr oddiwrth y Ser* (1701), sig. C2v-C7v.
55 Keith Thomas, op. cit., t. 295; C. Camden, 'Elizabethan Almanacs and Prognostications', *The Library*, XXI (1932), 94-9.
56 T.P., *Cas gan Gythraul* (1711), t. 53.
57 Gw., er enghraifft, Ll.G.C., Lls. 7014A. tt. 81-113; Ll.G.C., Lls. 434B, t. 32; Ll.G.C., Lls. Cwrtmawr 6B, tt. 70-83.
58 Am Wil Awst, gw. *Y Bywgraffiadur; Y Brython*, cyf. 1, tt. 118-20.
59 Gw., er enghraifft, sylwadau miniog Stephen Hughes yn *Gwaith Mr. Rees Prichard*, IV (1672), rhagymadrodd; *Mr. Perkins His Catecism* (1672), sig. A5v-6v.
60 Geraint H. Jenkins, 'Llenyddiaeth, Crefydd a'r Gymdeithas yng Nghymru, 1660-1730', *Efrydiau Athronyddol*, XLI (1978), 40-1; Garfield H. Hughes, 'Cefndir Meddwl yr Ail Ganrif ar Bymtheg: Rhai Ystyriaethau', ibid., XVIII (1955), 33.
61 John Thomas, *Unum Necessarium* (1680), t. 36. Cf. Ll.G.C., Lls. Bodewryd 89C, rhan 7, t. 19.
62 Thomas Jones, *Newyddion mawr oddiwrth y Sêr* (1691), sig. A2r.
63 Am y cefndir cyffredinol, gw. John Miller, *Popery and Politics in England, 1660-1688* (1973).
64 Thomas Jones, *Newyddion mawr oddiwrth y Sêr* (1691), sig. A2r.
65 Thomas Jones, *Y Cyfreithlawn Almanacc Cymraeg* (1706), sig. C6r.
66 Thomas Jones, *Newyddion mawr oddiwrth y Sêr* (1691), sig. A2v.
67 H.M.C., XIV, Lls. Portland, 111, t. 437; Llyfrgell Bodley, *The Introduction to the London Mercury*, rhif 1-7 (1692).
68 Thomas Jones, *Y mwyaf o'r Almanaccau Cymraeg* (1692), sig. A1v.
69 W. A. Speck, *Stability and Strife. England 1714-1760* (1977), t. 123.
70 E. D. Jones, 'The Brogyntyn Welsh Manuscripts', *Cylchgrawn Llyfrgell Genedlaethol Cymru*, VIII (1953-4), tt. 2, 22; Ll.G.C., Lls. (ar adnau) 56B, t. 249; Thomas Jones gol., *Carolau a Dyrïau Duwiol* (1696), t. 342 ff.; Thomas Jones, *Almanacc am y Flwyddyn 1693* (1693), sig. A2r.
71 Thomas Jones, *Newyddion Mawr oddiwrth y Ser* (1701), sig. B5r-6r; *Newyddion Mawr oddiwrth y Sêr* (1702), sig. C1r.

72 David Jenkins, 'Bywyd a Gwaith Huw Morys, Pontymeibion, 1662-1709' (traethawd M.A. Prifysgol Cymru, 1948), t. 366.

73 *Carolau a Dyriau Duwiol*, t. 341.

74 Thomas Jones, [*Almanac*] (1709), sig. C1r.

75 Thomas Jones, *Newyddion mawr oddiwrth y Sêr* (1694), sig. A5r.

76 *An Astrological Speculation of the late Prodigy* (1681); Ll.G.C., Lls. Llanstephan 15B, tt. 37-41.

77 Thomas Jones, [*Almanac*] (1709), sig. C1r.

78 Thomas Jones, *Y Lleiaf o'r Almanaccau Cymraeg* (1692), sig. A8r.

79 Thomas Jones, *Newydd oddiwrth y Seêr* (1684), sig. A3v.

80 W. A. Eddy, 'Tom Brown and Partridge the Astrologer', *Modern Philology*, 28 (1930-1), 164.

81 Ned Ward, *The London-Spy Compleat* (arg. 1924), t. 365.

82 Ll.G.C., W.S. 50.

83 Thomas Jones, [*Almanac*] (1704), sig. F1v.

84 J. H. Davies gol., *The Letters of Lewis, Richard, William and John Morris of Anglesey, 1728-1765* (2 gyf., 1907-9), I, t. 157.

85 James Owen, *Trugaredd a Barn* (1715), t. 25.

86 William Evans gol., Rees Prydderch, *Gemmeu Doethineb* (1714), tt. 139-45; Simon Thomas, *Hanes y Byd a'r Amseroedd* (1718), t. 10.

87 T.P., *Cas gan Gythraul* (1711), t. 57.

88 Thomas Jones, *Newydd oddiwrth y Seêr* (1684), sig. A3v.

89 *Carolau a Dyriau Duwiol*, sig. A2v.

90 John Prys, *Wybrenawl Gennadwri neu Almanacc Newydd* (1744), sig. A1v.

91 Thomas Jones, *Y Lleiaf o'r Almanaccau Cymraeg* (1692), sig. A8r.

92 Aneirin Lewis, 'Llyfrau Cymraeg a'u Darllenwyr, 1696-1740', *Efrydiau Athronyddol*, XXXIV (1971), 47; G. J. Williams, *Traddodiad Llenyddol Morgannwg* (1948), tt. 263-4.

93 Thomas Jones, *Newyddion Mawr oddiwrth y Ser* (1701), sig. C8v.

94 Ll.G.C., Lls. 1244D, t. 35; Thomas Jones, *Newyddion Mawr oddiwrth y Sêr* (1702), sig. C7r; David Jenkins, op. cit., t. 72.

95 Thomas Jones, *Newyddion Mawr oddiwrth y Ser* (1701), sig. C8v.

96 Thomas Jones, *Newyddion mawr oddiwrth y Sêr* (1691), sig. A1v.

97 Thomas Jones, *Newydd oddiwrth y Seêr* (1684), sig. A1v.

98 Ibid., sig. A3-v.

99 Thomas Jones, *Almanac am y flwyddyn 1693* (1693), sig. A1v.

100 Thomas Jones, *Almanac am y Flwyddyn 1688* (1688), sig. C3r.

101 Thomas Jones, *Almanac am y Flwyddyn 1688* (1688), sig. C4r; *Newyddion Mawr oddiwrth y Sêr* (1695), t. 37.

102 Thomas Jones, *Almanac am y Flwyddyn 1693* (1693), sig. A1v.

103 *Carolau a Dyriau Duwiol*, t. 69; Samuel Williams, *Pedwar o Ganeueu ar amryw Desdunion* (1718); Llyfrgell Harold Cohen, Prifysgol Lerpwl, Lls. 2.69.

104 Thomas Jones, *Almanac am y Flwyddyn 1681* (1681), sig. A11r.

105 Thomas Jones, *Almanac am y Flwyddyn 1688* (1688), sig. B8r; sig. A7v.

106 Thomas Jones, *Newyddion mawr oddiwrth y Sêr* (1691), sig. C2r.

107 Thomas Jones, *Newyddion Mawr oddiwrth y Ser* (1699), sig. A1v-7r.

108 Thomas Jones, *Almanac am y Flwyddyn 1681* (1681), sig. A2v.

109 Am Gadbury, gw. *Dictionary of National Biography;* am Partridge a Parker, gw. H. E. Troyer, *Ned Ward of Grub Street* (1968), tt. 51-2.

110 Thomas Jones, [*Almanac*] (1704), sig. F1r; *Y Cyfreithlawn Almanacc Cymraeg* (1706), sig. C8v.

111 Thomas Jones, [*Almanac*] (1704), sig. F1v-3v.

112 Thomas Jones, [*Almanac*] (1703), sig. C8r-v.

113 Thomas Jones, *Newydd oddiwrth y Sêr* (1685), sig. C4r-v; *Almanac am y Flwyddyn 1688* (1688), sig. C8r-v.
114 Thomas Jones, *Newyddion mawr oddiwrth y Sêr* (1691), sig. C7v.
115 Am dwf trefi a siopau yn y cyfnod hwn, gw. Harold Carter, *The Towns of Wales* (1965) a G. C. Boon gol., *Welsh Tokens of the Seventeenth Century* (1973).
116 Thomas Jones, *Newyddion Mawr oddiwrth y Sêr* (1695), t. 48.
117 Geraint H. Jenkins, 'Thomas Jones: Tad y Fasnach Lyfrau Cymraeg', *Llais Llyfrau,* Gaeaf (1977), 22-3.
118 Thomas Jones, *Y Lleiaf o'r Almanaccau Cymraeg* (1692), sig. A8r.
119 Geneviève Bollème, *Les Almanachs Populaires aux XVIIᵉ XVIIIᵉ Siècles* (1969), t. 13.
120 Thomas Jones, *Newyddion Mawr oddiwrth y Ser* (1699), sig. C7v; Stephen Hughes gol., *Taith neu Siwrnai y Pererin* (1688), sig. A2v.
121 *Morris Letters,* I, t. 198.
122 Geraint H. Jenkins, *Literature, Religion and Society in Wales, 1660-1730* (1978), pennod X.
123 Thomas Jones, *Almanac am y Flwyddyn 1693* (1693), sig. A1v.
124 *Morris Letters,* I, t. 81.
125 Erasmus Saunders, *A View of the State of the Diocese of St. David's, 1721* (1949), t. 32; *Morris Letters,* I, t. 198.
126 Ll.G.C., Lls. 11992A.
127 Ll.G.C., Lls. 2261A.
128 Ll.G.C., Lls. 7014A, tt. 85-113. Cf. Ll.G.C., Lls. 6735B.
129 Ll.G.C., Lls. 6146B; Hugh Owen gol., *Additional Letters of the Morrises of Anglesey (1735-1786),* XLIX (1949), t. 705.
130 Gw., er enghraifft, John Prys, *Dehongliad y Sêr* (1747), sig. A1v.
131 Thomas Jones gol., *Yr Hen Lyfr Plygain* (1683), sig. P2v.

'Goleuni Gwedi Torri Allan Ynghymry': Her y Bedyddwyr yn ystod y 1690au*

Hirlwm gofidus iawn i'r Bedyddwyr fu'r blynyddoedd rhwng 1660 a 1689.[1] Hwn, yn ddiau, yw un o'r cyfnodau duaf yn hanes Cymru; oes ydoedd, i ddyfynnu ymadrodd a ddefnyddiwyd yn ddiweddar gan Saunders Lewis, o 'arwriaeth a thrasiedi'. Gorfu i lawer o Anghydffurfwyr wrth eu proffes ddioddef gormes ac anghyfiawnder. Yr oedd yr hen Fedyddiwr troch o Landdeti, y milwr ymfflamychol Jenkin Jones, yn llygad ei le pan floeddiodd y tu allan i ddrws eglwys ei blwyf: 'Ah! thou old whore of Babylon, thou wilt have it all thy own way now'.[2] Manteisiodd Eglwyswyr ar eu cyfle i droi tu min ar y rhai a fu'n gyfrifol am rwygo gwlad ac eglwys yn ystod 'yr amseroedd blin'. Yn wyneb deddfau dialgar, offeiriaid maleisus, ynadon chwerw a chwnstabliaid dirmygus, bu'n rhaid i Fedyddwyr ddangos mesur helaeth o wyliadwriaeth, dygnwch a dewrder. Anodd amgyffred y profiadau erchyll a thorcalonnus a ddaeth i ran rhai ohonynt. Treuliodd Henry Williams o'r Ysgafell naw mlynedd hir ac arteithiol mewn carcharau drewllyd, a thra oedd yno lladdwyd ei dad, treisiwyd ei wraig, a chipiwyd ei anifeiliaid a'i eiddo. Claddwyd Bedyddwraig ifanc o Lanfihangel Brynpabuan fel ci ar groesffordd yn unol â gorchymyn offeiriad y plwyf.[3] Er mai ysbeidiol oedd yr erledigaeth, byw beunydd beunos mewn ansicrwydd dirdynnol a wnâi'r cwmnïau bychain a oedd wedi ymneilltuo oddi wrth yr Eglwys Wladol. A ninnau'n byw mewn oes esmwyth, y mae'n briodol ein bod yn cofio am wrhydri'r bobl hyn, eu ffydd ddiwyro a'u parodrwydd i ufuddhau i'w cydwybod deued a ddelo.

Er gwaethaf y curo, y poenydio a'r carcharu, cafwyd cynnydd yn rhengoedd y Bedyddwyr yn ystod blynyddoedd 'Yr Erlid Mawr'. Gellir priodoli hynny'n bennaf i frwdfrydedd a sêl genhadol William Jones, Cilmaenllwyd. Gŵr o bersonoliaeth gadarn a ffydd gref oedd William Jones, ac os oedd Thomas Richards yn iawn i ddweud 'nad oes terfyn ar ramant Rhydwilym', William Jones biau'r clod am hynny. Oherwydd ni lwyddodd y deddfau dialgar i bylu min ei genhadaeth. Fel pob unben, enillodd barch ac anwyldeb. Tair cainc oedd i'w efengyl—bedydd troch, cymundeb

*Seiliwyd yr ysgrif hon ar anerchiad a draddodwyd yng Nghyfarfod Cymdeithas Hanes Bedyddwyr Cymru yn Aberteifi, 15 Gorffennaf, 1980.

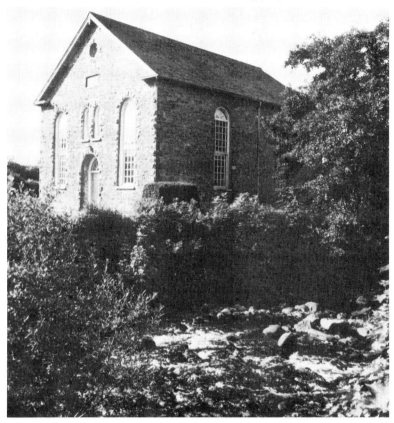

Rhydwilym (adeiladwyd 1875), Capel y Bedyddwyr
Llun: Anthony Maxwell, Arberth

caeth ac etholedigaeth bersonol—ac ni wyrodd led troed oddi wrth y genadwri haearnaidd honno.[4] Trwy ei egni a'i lafur diflino lluosogai'r aelodau o flwyddyn i flwyddyn: rhwng 1668 a 1675 tyfodd nifer aelodau'r eglwys a adwaenir heddiw fel Rhydwilym o 30 i 88. Erbyn i Ddeddf Goddefiad 1689 ddod i rym yr oedd 113 o aelodau ar y llyfrau a'r rheini'n perthyn i bron deugain o blwyfi yn ymestyn o ganol Ceredigion i Amroth, ac o Lanllawddog i Hwlffordd.[5] Yr oedd eneiniad ac arddeliad ar weinidogaeth William Jones. Tystiai ei gyfoedion i rym ei bregethu, i'w brysurdeb anesmwyth, a'i barodrwydd 'i ddycnu a dyfalbara drwy ddrycin a phob tywydd gwladol'.[6]

Yn sgil Deddf Goddefiad 1689 daeth gwanwyn o'r newydd i lonni calonnau'r Bedyddwyr. I ddefnyddio delwedd hapus Spinther James, yr oedd yr achos 'fel pren yn adfywio yn awelon gwanwyn'.[7] Câi'r Bedyddwyr lonydd bellach i bregethu'n ddilyffethair, i gyd-gyfarfod mewn tŷ cwrdd a chapel, ac i osod trefn ar eu pethau. Daeth cyfle iddynt ddod i adnabod ei gilydd yn well ac i ymgysegru o'r newydd. 'Nid ofer glynu wrth Dduw' oedd y wers a ddysgasant, yn ôl Joshua Thomas.[8] Ond nid pawb oedd yn llawenychu yn llwyddiant y Bedyddwyr. Wedi'r cwbl, yr oedd daliadau caethgymunol William Jones wedi bwrw gwreiddiau mewn tir a fraenarwyd gyntaf gan yr Annibynwyr. Am flynyddoedd maith cyn ei farwolaeth ym 1688 bu'r gŵr eangfrydig a dymunol hwnnw, Stephen Hughes, yn gyrru ei ddisgyblion i'r ardal honno i bregethu'r Gair, i ddosbarthu llyfrau ac ennyn sêl dros addysg a llythrennedd.[9] Ac ni fedrai ei ddilynwyr ef lai na chredu bod William Jones a'i lwynogod yn difwyno'r winllan Annibynnol. Erbyn 1691 yr oedd sŵn hogi arfau i'w glywed yn y ddau wersyll. Rywbryd yn ystod y flwyddyn honno cafodd John Phillips, aelod o eglwys Cilcam ym mhlwyf Eglwys-wen, ei argyhoeddi 'nad oedd Bedydd babanod yn ôl yr Efengyl'.[10] Achosodd datganiad Phillips gryn anesmwythyd i'w weinidog a'i gyd-aelodau, a cheisiwyd ei berswadio i ailfeddwl neu o leiaf i drafod y mater yn gyhoeddus. Felly y bu. Cytunodd George John, un o'r gweinidogion galluocaf yn rhengoedd y Bedyddwyr, i gynnal breichiau Phillips mewn dadl. Cyfarfu'r ddwy blaid ar lan afon Teifi yng Nghastell Maelgwyn, ond wedi oriau hir o resymu a gwrthresymu methwyd â chytuno. Felly penderfynwyd cynnal gornest bregethu ym Mhen-y-lan, wrth droed y Frenni Fawr, er mwyn i'r dysgedigion draddodi'n llawn ac yn oleuedig ar bob pwnc llosg yn ymwneud â bedydd. Ac fel y nesâi'r diwrnod penodedig poethai'r ddadl ac ymddengys fod prawf o blaid ac yn erbyn bedydd plant yn corddi pennau llawer.

Gwthiwyd y cwch i'r dŵr gan John Thomas, amaethwr a gweinidog Annibynnol o Lwynygrawys ym mhlwyf Llan-goedmor.[11] Cymerodd gomisiwn Crist i'w apostolion fel ei destun, er dirfawr siom i rai gwybodusion o'i garfan a fynnai mai athrawiaeth y cyfamodau oedd y trywydd priodol i'w ddilyn. Beth bynnag, traethodd John Thomas mewn dull mor llethol o hirwyntog nes codi syrffed ar bawb oedd yn gwrando. Bu'n rhaid gohirio achos y Bedyddwyr am fis cyfan, er mwyn rhoi cyfle, efallai, i'r niwl a daenwyd gan John Thomas wasgaru. Erbyn hynny yr oedd George John wedi gwangalonni ac yn anfodlon dadlau achos y Bedyddwyr. Disgynnodd y baich hwnnw ar ysgwyddau sgwâr John Jenkins, gweinidog Cilfowyr.[12] Dyn cydnerth, uchel ei barch ac egnïol i'w ryfeddu oedd John Jenkins. Cyn ei fedydd bu'n 'ŵr trach-wyllt, yn dilyn chwariaethau ofer a champau, yn ymddiosg i ymladd wrth chwarae cnappan, etc.', ond erbyn 1689 yr oedd ymhlith yr un ar ddeg o weinidogion yn Rhydwilym. Meddai ar allu arbennig i ddadlau ac ymresymu. Gwyddai sut a phryd i arllwys olew ar glwyf briwedig ac nid oedd ei well am ddofi cynnen. Yn ôl ei farwnadwr:

Yr oedd e'n hyfryd, megis Job, i drafod pob ymryson
Heb gynnyg dim ond pethau pur, yn ôl y gwir achosion.
Llaeth i fagu, gwin i lonni, gair o rinwedd oedd e'n rannu,
Cyngor iachus a chysurus, yn ddidrai a ro'i e'n drefnus.

Os byddai 'mrafael mewn rhyw fan yn torri allan weithiau,
A methu'n llwyr gytuno'n llon ynghylch y dyfnion bethau:
Pan agorai hwn ei enau, pob ymryson a ddadrysai;
Pawb yn tewi, gan lonyddu, heb ymrwysgo na therfysgu.[13]

Daeth tyrfa gref ynghyd i wrando ar John Jenkins yn traethu ar Marc XVI, 16 ('Y neb a gredo ac a fedyddier a fydd gadwedig: eithr y neb ni chredo a gondemnir'). Dilynwyd y bregeth gan ddadl boeth eithriadol, a'r ddwy garfan yn galw ar stôr ryfeddol o brofion ysgrythurol i lorio'i gilydd. 'Cerddai y ddadl fel tân', meddai Spinther gyda'i ormodiaith arferol, 'deffroai y nwydau ymrysonol, a daeth dynion cyffredin yn gampwyr yn Nadl Bedydd.'[14]

Wedi gwrando ar dystiolaeth y dadleuwyr gwyrodd John Phillips tuag at y Bedyddwyr, ac fe'i bedyddiwyd, ynghyd â nifer o'i gyd-aelodau yng Nghilcam, ar 18 Mehefin 1692. Aeth rhagddo i gynnal cyrddau gweddi yn ei dŷ a chyn pen dim gweinid ordinhadau yno hefyd.[15] Â chryn arswyd y gwyliai Annibynwyr Gogledd Penfro a Dyffryn Teifi y datblygiadau hyn. Ofnent y byddai llafur eu teidiau'n mynd yn gwbl ofer. Fe'u cynhyrfwyd gymaint fel y penderfynwyd anfon cais i'r hen ddiwinydd syber o Frynllywarch, Samuel Jones, yn gofyn iddo lunio cyfrol yn dadlau achos bedydd plant yn Gymraeg. Er mawr ofid iddynt, gwrthododd Jones.[16] Ac eithrio rhai cerddi, ni chyhoeddasai Samuel Jones unrhyw weithiau o bwys, er bod pawb yn cydnabod maint ei ddylanwad ac ehangder ei ddiwylliant. Nid yw'n debyg ei fod yn awyddus i gychwyn

brwydr lenyddol boeth oherwydd gŵr goddefgar a rhadlon ei
ysbryd ydoedd, un a fyddai bob amser yn tywallt olew rhagor halen
ar friwiau. At hynny, erbyn i'r cais ddod i'w law yr oedd yn 65
mlwydd oed ac yn dioddef yn enbyd o glefyd y garreg. Ni fynnai ei
gysylltu ei hun ag ymrafael frochus rhag i'w iechyd waethygu
ymhellach. Hawdd credu bod Annibynwyr y de-orllewin yn bur
siomedig. Nid oedd cymaint â hynny o Annibynwyr gwir alluog
wedi goroesi'r blynyddoedd o erlid, ac felly troesant am gymorth at
ŵr a restrir yn aml gyda'r Annibynwyr ond a ogwyddai mewn
gwirionedd at Bresbyteriaeth, sef James Owen, pennaeth academi
Croesoswallt.[17]

Yr oedd James Owen wedi ei ddonio i'r ymylon i ragori fel
dadleuwr. Eglwyswr oedd ei dad ond ni cherddodd James yn hir yn
ei lwybrau ef. Profodd dröedigaeth drwy wrando ar weinidog
Anghydffurfiol yn traethu ar Malachi IV, 1 ('Canys wele y dydd yn
dyfod, yn llosgi megis ffwrn; a'r holl feilchion, a holl weithredwyr
anwiredd, a fyddant sofl'). Bu'r profiad o ailenedigaeth yn un
ysgytiol i James Owen: treuliodd ddyddiau maith yn ymprydio a
gweddïo, weithiau'n gorwedd ar lawr am nosweithiau cyfan 'gan
ddarostwng ei hun wrth draed yr Iesu gyda llawer o ddagrau
grymus'.[18] Yn y man, gwasgarodd y cymylau a daeth y llencyn drwy
fwlch yr argyhoeddiad. Bu'n ffodus i gael manteision addysg
uwchlaw'r cyffredin: eisteddodd wrth draed Samuel Jones a
Stephen Hughes, ac fe'u synnwyd gan ei awch am ddysg, ei anian
ymchwilgar, ei ddygnwch a'i ddyfalbarhad. Treuliai oriau maith
yn ei fyfyrgell, a'i ben yn ddwfn yn ei lyfrau. Meistrolodd amryw
o ieithoedd y Dwyrain, daeth yn hyddysg yn y clasuron ac yn hanes
yr eglwys, ac nid oedd yn ddibris o ragoriaethau'r gogwydd
rhesymegol a gwyddonol newydd. Brwydrodd yn ddiarbed yn
ystod y blynyddoedd tymhestlog cyn 1689 i sicrhau hawl Anghyd-
ffurfwyr i addoli a phregethu'n rhydd. Meddai ar ruddin y gwir
Anghydffurfiwr, ac nid Thomas Gouge oedd yr unig Sais i synnu
wrth ddarganfod perl mor werthfawr ym mynyddoedd creigiog
Cymru.[19] Fel athro ac fel awdur, yr oedd graen ar resymeg Owen
a chadernid yn ei ddadleuon. Yr oedd yn ei elfen mewn ymryson-
feydd ac eisoes wedi dangos ei fod yn medru dal ei dir yn erbyn
esgob mor wybodus â William Lloyd o Lanelwy.[20] Cyn diwedd ei
oes byddai wedi llunio cyfrolau dysgedig ar hanfodion Presbyt-
eriaeth, o blaid cymuno achlysurol, ac yn erbyn Pabyddiaeth.[21] Ar
ben hynny, yr oedd yn hyddysg yn y Gymraeg. Ym 1687 cyhoedd-

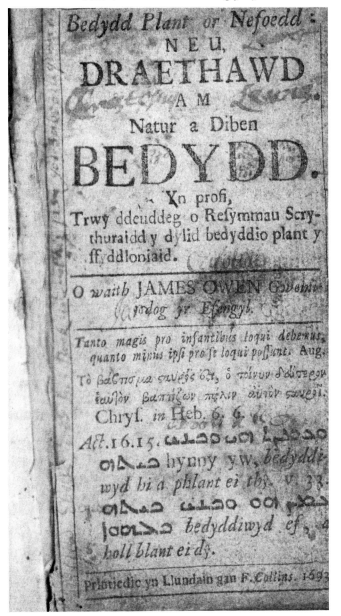

Wyneb-ddalen *Bedydd Plant or Nefoedd* (1693)
Llun: Llyfrgell Hugh Owen, Coleg Prifysgol Cymru, Aberystwyth

odd *Trugaredd a Barn,* cyfrol yn adrodd straeon am bob math ar
ryfeddodau dewiniol 'er rhybudd i'r pechadurus', a bu galw mawr
am argraffiadau pellach o'r gwaith hwn am yn agos i ddwy ganrif.
Nid oes amheuaeth felly nad oedd Annibynwyr y de-orllewin wedi
bod yn eithriadol o ffodus i rwydo lladmerydd mor anarferol o
ddawnus i bledio eu hachos. Yn ddi-os, cystadleuydd i'w barchu a'i
ofni oedd James Owen.

Ym 1693 cyhoeddodd James Owen y gyfrol Gymraeg gyntaf i
ymdrin â phwnc bedydd plant, sef *Bedydd Plant or Nefoedd.* Yn ei dyb
ef, golchiad oedd ystyr bedydd, golchiad y cnawd fel symbol neu
arwydd o olchiad yr ysbryd, ac y dylid gweinyddu'r ddefod trwy
daenelliad. Mynnai fod y gwir fedydd yn arwydd o edifeirwch a
maddeuant pechodau, ac na pherthynai i neb ond i'r ffyddloniaid
a'u plant yng nghyfamod Abraham. Aeth rhagddo i brofi ei ddadl
mewn deuddeg o osodiadau wedi eu trefnu yn fanwl-gywrain.
Hanfod y pwyntiau hynny oedd fod bedydd yn dilyn yn llinach yr
enwaediad, fod Ioan Fedyddiwr wedi bedyddio plant yr Iddewon,
fod Crist wedi gorchymyn i'w apostolion fedyddio'r holl genhed-
loedd, a bod yr arferiad hwnnw wedi parhau'n ddi-fwlch yn yr
Eglwys Gristnogol oddi ar ddyddiau'r Apostolion. Ac eithrio
ambell frathiad bachog ac ensyniad amheus, cyfrol ddigon
cymedrol ac ymataliol ei hysbryd oedd hon. Er bod James Owen yn
credu bod y Bedyddwyr wedi 'syrthio i brofedigaeth a magl diafol',
ni fynnai greu cynnen a diflastod. 'Gochel Zel anhymmerus', oedd
ei anogaeth i'w ddarllenydd, 'Zel, ac nid yw yn ôl gwybodaeth, tân
gwyllt ydyw, sydd yn difa eglwysi a gwledydd.'[22] Siarsiodd ei
ddilynwyr i ymddwyn yn gariadus ac yn addfwyn tuag at
Fedyddwyr: 'mae llawer ohonynt yn wir Gristnogion, sydd yn
ofni'r Arglwydd, am hynny cerwch hwynt fel brodyr.'[23]

Ymhen blwyddyn ymddangosodd y gyfrol Gymraeg gyntaf i'w
chyhoeddi gan Fedyddiwr, sef *Bedydd Gwedi i Amlygu yn Eglir ag yn
Ffyddlon, yn ol Gair Duw* (1694), cyfieithiad gan awdur anhysbys o
waith a luniwyd gan John Norcott yng ngharchar Wapping yn
ystod y saithdegau.[24] Er bod y gwaith gwreiddiol yn ddigon
teilwng, trosiad cloff a thra gwallus a gafwyd yn Gymraeg. Y mae'n
bosib bod y diffyg hwn i'w briodoli i awydd y Bedyddwyr i osod eu
hochr hwy i'r ddadl mewn da bryd a bod y cyfieithu wedi ei
gyflawni ar frys. Ond haws credu mai'r diffyg traddodiad o
ysgrifennu Cymraeg ymhlith y Bedyddwyr a'r petruster a godai
ynglŷn â theithi'r iaith a oedd yn bennaf cyfrifol am safon isel y

gwaith. Beth bynnag, barnwyd nad oedd y gyfrol Gymraeg yn ateb her James Owen yn ddigon cadarn. Ond pwy a fyddai'n gymwys ac yn awyddus i groesi cleddyfau â phennaeth dysgedig academi Croesoswallt? Yr oedd gweinidogion Rhydwilym yn ddynion digon galluog yn eu ffyrdd, ond ni fedrai'r un ohonynt ddal cannwyll i James Owen o ran dysg a diwylliant. O ganlyniad, gofynnwyd i brif 'Amddiffynnydd y Ffydd' ymhlith Bedyddwyr Lloegr, Benjamin Keach, lunio ateb cynhwysfawr i gyfrol Owen. Dewis da oedd hwn oherwydd yr oedd Keach eisoes â chryn brofiad o ddiogelu hawliau a buddiannau ei enwad ar lafar ac mewn print.

Benjamin Keach
Llun: Llyfrgell Hugh Owen, Coleg Prifysgol Cymru, Aberystwyth

Hanai Benjamin Keach o Stoke Hammond yn Swydd Buckingham.[25] Teiliwr ydoedd wrth ei grefft ac fe'i derbyniwyd i'r weinidogaeth yn ddeunaw oed ym 1658. Enillodd gryn amlygrwydd yn sgil achos cyfreithiol a ddygwyd yn ei erbyn yn Aylesbury ym mis Hydref 1664. Fe'i cyhuddwyd o gyhoeddi llyfr 'sgismatig a bradwrus', sef *The Child's Instructor,* catecism syml i blant. Honnai Keach mai ei ofal dros eneidiau plant ifainc a'i cymhellodd i lunio'r gyfrol, ond fe'i cosbwyd yn llym gan y barnwr Syr Robert Hyde. Fe'i dirwywyd ugain punt a'i ddedfrydu i ddwy awr yn rhigod Aylesbury a Winslow ar ddau Sadwrn yn olynol. Ar yr ail Sadwrn llosgwyd llyfr 'gwenwynig' Keach o flaen ei lygaid gan y crogwr cyhoeddus, a difethwyd pob copi argraffedig o'i waith. Hyd yn oed yn y cyfwng hwnnw, daliodd Keach i sefyll dros ei argyhoeddiadau. Cythruddodd ceidwad y carchar a'r siryf drwy bregethu i'r dorf tra oedd yn y rhigod. 'Y groes yw'r ffordd i'r goron', meddai'n siriol wrth ei ganlynwyr.[26]

Ym 1688 symudodd Benjamin Keach i Lundain a'i ordeinio drwy weddi ac arddodiad dwylo yn eglwys Southwark. Erbyn hynny yr oedd yn gogwyddo tuag at ffydd y caethgymunwyr ac yn ystod blwyddyn y goddefiad ym 1672 sefydlodd eglwys gaethgymunol yn Goat Yard Passage, Horsleydown. Yno, llwyddodd i ddwyn yr emyn i mewn i wasanaethau cyhoeddus y Bedyddwyr.[27] Ymroes i ysgrifennu, gan ddatblygu'n awdur cynhyrchiol a gwir boblogaidd. Er mai gŵr a'i diwylliodd ei hun oedd Keach, llwyddodd i gyhoeddi dros ddeugain o lyfrau yn ystod ei oes. Cafodd rhai o'i alegorïau, megis *War with the Devil* (1673), gymaint o groeso â gweithiau Bunyan yn Lloegr ac yn yr Unol Daleithiau.[28] Fel gŵr emosiynol, gwisgai Keach ei deimladau ar ei lewys, a dangosai barodrwydd bob amser i ddilyn goleuni ei argyhoeddiad, ac i draethu ar ragoriaethau ei gred. Cyfrifid Hanserd Knollys, William Kiffin ac yntau yn brif arweinwyr y Bedyddwyr yn ystod oes yr erlid, ac yr oedd awydd Keach i achub cam ei breiddiau yn ddihareb y pryd hwnnw. 'Here comes Mr. Keach', meddai'r llyfrwerthwr John Dunton, 'mounted upon some Apocalyptical Beast or other, with Babylon before him, and Zion behind him, and a hundred thousand Bulls and Bears, and furious Beasts of Prey, roaring, ramping and bellowing at him.'[29] Câi Keach flas arbennig ar frwydrau llenyddol, a theimlodd Eglwyswyr, Pabyddion a Chrynwyr yn eu tro lach ei gerydd. Ffaith arall o'i blaid yng ngolwg y Cymry oedd ei fod eisoes wedi cyhoeddi

ateb i ymosodiadau enllibus William Burkitt, rheithor Milden yn
Suffolk, ar fedydd credinwyr. Ymddengys fod Burkitt wedi torri ar
draws un o gyrddau John Tredwell, gweinidog gyda'r Bedyddwyr
yn ei blwyf, gan achosi berw gwyllt. Dwysaodd yr helynt pan
gyhoeddodd y rheithor *An Argumentative and Practical Discourse of
Infant Baptism* (1692), gan gynnwys yn y gyfrol honno gyhuddiad yn
erbyn Tredwell o fedyddio ei braidd mewn pwll-dŵr brwnt a
ddefnyddid gan geffylau, 'out of which his deluded converts come
forth with so much filthiness upon them, that they rather resembled
creatures arising out of the bottomless pit, than candidates for holy
baptism: and all this before a promiscuous multitude before the
light of the sun.'[30] Gofynnodd Tredwell i Keach lunio ateb i waith
bustlaidd Burkitt. Cydsyniodd Keach yn llawen ac fe gyhoeddwyd
ei ateb dan y teitl *The Rector rectified and corrected* (1692).

Gwyddai Bedyddwyr Cymru felly fod Keach wedi meistroli'r
maes ymlaen llaw, ond er mwyn iddo fedru deall dadleuon James
Owen bu'n rhaid cyfieithu *Bedydd Plant or Nefoedd* i'r Saesneg ac
wedyn trosi ateb Keach o'r Saesneg i'r Gymraeg. Ymddiriedwyd y
llafur i ysgolfeistr o Landeilo Tal-y-bont, Robert Morgan, hen
Fedyddiwr glew er dyddiau Cromwell.[31] Bu'n gennad dros eglwys
Caerfyrddin yng nghymanfaoedd 1653-4 ac ar ôl yr Adferiad
ymunodd ag eglwys Llanilltud Gŵyr fel cyd-weinidog i Lewis
Thomas, y Mŵr. Gofalu am ddiadell y gorllewin oedd ei waith ef yn
ystod oes y deddfau cosb a chyflawnodd ddiwrnod rhagorol o waith
fel pregethwr gwrol ac athro brwd. Er nad oedd Robert Morgan yn
feistr llwyr ar y Gymraeg, yr oedd y ffaith mai athro ydoedd yn ei
gymhwyso, ym marn ei gyfeillion, i lunio cyfieithiad derbyniol o
waith Keach.

Rhoes Benjamin Keach bennawd eithriadol o bryfoclyd i'w
waith: *Goleuni gwedi torri allan Ynghymry gan ymlid ymmaith dywyllwch*
(1696).[32] Cyfrol swmpus ydoedd: pum pennod ar hugain yn
ymestyn dros 400 o dudalennau. Hon oedd her ryfygus y Bedydd-
wyr Cymreig i'w gelynion, a'u hateb i James Owen ac Annibynwyr
y de-orllewin. Tybiai Keach fod gormod o lawer o wermod yng
ngeiriau James Owen ac fe'i cythruddwyd i'r byw gan yr ensyniad
fod Bedyddwyr yn euog o odineb a llofruddiaeth drwy fedyddio
aelodau noeth mewn hinsawdd mor anghynnes. Ond hanfod ei
ddadl oedd na ellid profi athrawiaeth bedydd plant ar sail
ysgrythurol. 'Na chredwch Mr. Owen', oedd ei siars i'w ddarllen-
wyr, 'oni all ei brofio ef oddiwrth air Duw.'[33] Hud a lledrith, felly,

oedd bedydd plant, 'arfer pechadurus ac anghyfreithlon.' Casglodd Keach gwmwl mawr o dystion ynghyd i brofi mai'r dull priodol o fedyddio oedd trochi, a dyfynnodd yn helaeth o waith y Tadau Eglwysig a diwinyddion cyfoes er mwyn arbed ei ddilynwyr rhag cael eu twyllo 'ag ychydig o sothach drewllyd, yn lle aur coeth Crist Jesu.'[34]

Wedi 1696 oerodd gwres yr ymdderu am ychydig. Ond nid un i ildio mewn dadl oedd James Owen a dychwelodd i faes y frwydr ymhen pum mlynedd drwy gyhoeddi *Ychwaneg o Eglurhad am fedydd plant bychain* (1701). Cafodd hwyl anghyffredin yn tanseilio rhai o osodiadau mwyaf amheus a rhyfygus ei wrthwynebydd ac nid oes amheuaeth nad oedd teitl cyfrol Keach wedi ei gynddeiriogi. 'Disgwyliais am ryw Oleuni mawr', meddai, 'eithr pan ddarllenais ef, ni chefais ond tywyllwch dudew yntho, a rhyfygus drawsresymiad yn gwyrdroi'r gwirionedd.'[35] Pwysleisiodd fod y Cymry wedi derbyn yr efengyl yn fore iawn ac mai 'ffordd newydd a didramwy' oedd ffordd yr ail-fedydd. Clytwaith o 'ddychmygion egwan' ac 'ymgyfogol adroddiadau siaradus' oedd cyfrol Keach, yn ei dyb ef, ac aeth rhagddo i ddangos sut y bu i'w wrthwynebydd lurgunio a gwyrdroi tystiolaeth diwinyddion eraill.[36] Eto i gyd, Benjamin Keach a gafodd y gair olaf: daeth y ddadl i ben pan gyhoeddwyd ei *Believers' Baptism* ym 1705. Erbyn hynny yr oedd llwch y frwydr wedi hen gilio. Bu Keach farw ym 1704 ac Owen ddwy flynedd yn ddiweddarach.

Y cwestiwn mwyaf diddorol sy'n codi o'r ddadl ffraeth a chynhennus hon yw pam na châi'r Bedyddwyr lonydd i fynegi eu cred yn ddirwystr? Ymddengys i mi fod o leiaf dri rheswm paham yr enynnent y fath gasineb. Mynnai Eglwyswyr ac Annibynwyr fel ei gilydd fod y Bedyddwyr yn bygwth sylfeini'r undod eglwysig drwy wadu bedydd plant. Yn y cyswllt hwn yr adnodau amlaf ar wefusau gwrthwynebwyr y Bedyddwyr oedd Effesiaid IV, 4-5 ('Un corff sydd, ac un Ysbryd, megis ag y'ch galwyd yn un gobaith eich galwedigaeth. Un Arglwydd, un ffydd, un bedydd'). Drwy wadu bedydd plant, meddai James Owen, yr oedd y Bedyddwyr yn eu rhwygo eu hunain oddi wrth gorff Crist ac yn dryllio un o ordinhadau sylfaenol yr Eglwys gyffredinol. Hyn a barai i bob Annibynnwr ddweud 'amen' i weddi daer Edmund Jones, 'yr hen Broffwyd': 'Arglwydd, na lwydda'r Bedyddwyr; gad iddynt wywo beunydd.'[37] Digon tebyg oedd barn Eglwyswyr. Cymharwyd y Bedyddwyr a holl sectau 'dieflig' yr oes gan Rondl Davies, ficer

Capel-y-ffin (adeiladwyd 1737), Capel y Bedyddwyr, Sir Frycheiniog
Llun: Anthony Jones

Meifod, i gancr, i surdoes, ac i lwynogod yn difwyno'r winllan.[38] Pechod 'o'r Anian erchyllaf', taranai Theophilus Evans, oedd ail-fedyddio.[39] Y Bedyddwyr oedd Bolsiefigiaid yr oes: ofnid y byddent yn dymchwel pob sail i undod a threfn o fewn yr eglwys.[40] A phan gofiwn mai ailsefydlu undod a threfn ar ôl blynyddoedd y chwyldro oedd prif ddyhead yr oes, haws deall y gynnen yn erbyn Bedyddwyr.

Caséid y Bedyddwyr hefyd am eu bod, yn nhyb llawer, yn bygwth chwalu undod y teulu. Yn ystod yr oes gyn-ddiwydiannol yr uned deuluol oedd un o'r sylfeini cadarnaf yn y gymdeithas.[41] Fe'i hystyrid yn feicrocosm o'r wladwriaeth a'r eglwys, a disgwylid i bob penteulu ei throi yn feithrinfa i'w blant. 'Tadau ydym', meddai James Owen, 'ac y mae cyfraith natur yn dyscu i ni amddeffyn meddiannau ein plant.'[42] Ofnid mai bleiddiaid wedi ymwisgo mewn crwyn defaid oedd y Bedyddwyr a'u bod yn arwain pobl i 'heresi ac amryfusedd' ac yn difetha pob safon foesol. Un wedd ar yr elyniaeth hon oedd amharodrwydd Eglwyswyr ac Annibynwyr fel ei gilydd i dderbyn bod y Bedyddwyr yn wŷr digon dysgedig i bregethu'r Gair. 'Trinied seiri, a'r cyfryw grefftwyr, y pethau sy'n perthyn i'w creffti', oedd sylw miniog Rondl Davies ym 1675.[43] Dirmyg cyffelyb a ddangoswyd tuag at y Bedyddiwr, John Jenkins, yn y ddadl lafar ym Mhen-y-lan ym 1692: pan ofynnodd Jenkins am y cyfle i fwrw golwg dros nodiadau ei wrthwynebydd, John Thomas o Lwynygrawys, atebodd yr Annibynnwr sgornllyd na fyddai'r rheini o ddim budd iddo gan iddo eu llunio yn yr iaith Roeg.[44] Achosai agwedd ffroenuchel yr Annibynwyr ymdeimlad o israddoldeb ymhlith Bedyddwyr, yn enwedig y rhai a amddifadwyd o freintiau addysg. Ond ni fynnent er dim gyfaddef hynny. Ym 1693 cynhwysodd James Owen ddyfyniadau o'r ieithoedd Lladin, Groeg a Syriaeg yn *Bedydd Plant or Nefoedd*, a bu'n rhaid i Benjamin Keach efelychu'r un safonau ysgolheigaidd drwy ofyn i wŷr dysgedig lunio cyfeiriadau a dyfyniadau astrus drosto.[45]

Agwedd arall ar y pardduo cyson oedd y cyhuddiad o anfoesoldeb. Er canif a hanner bu Cristnogion yn dannod i'r Bedyddwyr eu hanfadwaith ym Münster yn Westphalia ym 1534-5. Cipiwyd tref Münster gan garfan o Ailfedyddwyr dan arweinyddiaeth y teiliwr carismatig, John o Leyden. Daeth y dref yn enwog am boblogeiddio arferion megis amlwreigiaeth a chariad rhydd, ac nid anghofiwyd yr anfoesoldeb a'r trythyllwch honedig a fagwyd gan 'haint budr' Ailfedyddiaeth yn yr Almaen.[46] Cipiwyd pob cyfle i atgoffa Bedyddwyr yr ail ganrif ar bymtheg o'r ffordd y syrthiodd eu hynafiaid oddi wrth ras. Pan luniodd Thomas Edwards ei gyfrol wenwynig *Gangraena* ym 1646 pardduodd y Bedyddwyr drwy eu cyhuddo o annog yr ifanc i ddiota, mercheta ac arfer pob twyll ac ystryw. Ni fedrai Edwards ddygymod â'r sectau penboeth a milwriaethus a frigodd yn ystod y cyfnod chwyldroadol. Disgynnai ei ddwrn yn gyson ar dalcen y Bedyddwyr:

> They have done and practised many strange things in reference to baptisme of children, dressing up a Cat like a childe for to be baptized, inviting many people both men and women as to baptizing of a child, and then when neighbours were come, having one to preach against baptizing of children; they have baptized many weakly antient women naked in rivers in winter, whereupon some have sickned and died; they have baptized young maids Citizens daughters, about one and two a clock in the morning, tempting them out of their fathers houses at midnight to be baptized, the parents being asleep and knowing nothing.[47]

Nid oedd James Owen yntau uwchlaw ensynio bod y Bedyddwyr

yn euog o odineb a llofruddiaeth drwy arddangos cyrff noethion yn gyhoeddus a pheryglu bywydau trwy drochi eu haelodau mewn tywydd oer a gwlyb.[48] Er i Keach wadu'r cyhuddiad yn ffyrnig, dyma'r math ar ogan a difrïo maleisus a greai ragfarn yn erbyn y Bedyddwyr.

Y trydydd rheswm pam na châi'r Bedyddwyr efengylu heb rwystr oedd y gred mai cynhyrfwyr gwleidyddol oeddynt. Un o fwganau mawr yr oes oedd y byddai rhyfel cartref yn digwydd unwaith yn rhagor, ac y byddai sectau peryglus megis y Bedyddwyr yn dymchwel y llywodraeth yn union fel y gwnaethant ym Münster.[49] 'Angenfilod y ddynoliaeth' oedd y Bedyddwyr, yn ôl un o drigolion Aberhonddu, a'u bryd ar droi'r byd â'i ben i lawr:

> [They] will Ruine, Destroy, and throw down all that we have to defend our Lives, Liberty, and Estates; and instead thereof Erect a Righteous Government, after the mode of John of Leyden, and Knipperdolling. Who had Commission and Call, as they pretended, from God, to Kill all the wicked Kings, Magistrates, and People, that the Saints might possesse the Earth.[50]

Efallai nad oedd rhagfarnau mor eithafol â hynny i'w clywed yn sgil Deddf Goddefiad 1689 ond, er mawr siom i'r Bedyddwyr, daliai eu gelynion i'w galw'n 'Ailfedyddwyr'. Disgrifiad 'anghyfiawn' oedd hwnnw, meddai aelodau Rhydwilym yn eu Cyffes Ffydd ym 1689.[51] Barnai Thomas Edwards, y Bedyddiwr brochus o Rual yn sir y Fflint, i Isaac Chauncy lychwino ei enw da drwy ei alw'n 'Ailfedyddiwr' ym 1695.[52] Mor ddiweddar â 1732 parheid i godi hen grach trwy ddisgrifio Bedyddwyr Cymru fel 'epil Münster'. 'A all un dyn', meddai John Phillips mewn ateb cynddeiriog i'w elynion, 'yn y iawn synhwyrau roddi rheswm paham yr ydych yn ymroi y drosglwyddo Enllib a goganair a chasineb dau neu dri o ddynion gwallgof yn Germany, gan osod y budreddi a ffieidddra wrth ein drysau ni y Bedyddwyr Ynghymru?'[53] I'r rhai na fynnent gymrodeddu, ffanatigiaid penboeth oedd y Bedyddwyr o hyd. Nid mewn munud awr y diflannai'r cof am y defnydd a wnaed o rym y cledd yn ystod oes y Werinlywodraeth.

Y mae llawer iawn o'r dadlau astrus a chynhennus hyn rhwng Annibynwyr, Presbyteriaid a Bedyddwyr yn taro'n rhyfedd iawn ar ein clustiau ni heddiw. Fel y gwelsom, cafwyd mesur helaeth o ergydio a phardduo, o frathu a ffrewyllu, a gallai'r ddwy ochr fod yn afresymol o gul a phenstiff eu hagwedd. Ond nid oedd yr

Maesronnen (adeiladwyd 1696), Capel yr Annibynwyr yn y Clas-ar-Wy

Llun: Anthony Jones

egwyddorion yr ymladdai'r gwŷr hyn drostynt yn bethau dibwys. Mewn gwirionedd, ymdrinient â chwestiynau athrawiaethol pur sylfaenol. Ac ym mhoethder y ddadl yr oedd yn beth naturiol i'r ddwy blaid—o fwriad ac fel arall—lurgunio'r gwirionedd a thywyllu cyngor wrth geisio achub y blaen ar ei gilydd. Nid oes modd darganfod faint yn union o ddylanwad a gafodd cyfrolau James Owen a Benjamin Keach ar ddarllenwyr, ond gellir tybio bod y sawl a'u prynai yn bobl a oedd yn cymryd eu diwinyddiaeth o ddifrif. Wedi'r cwbl, nid rhywbeth arwynebol a diystyr oedd eu ffydd, ond ffrwyth mesur helaeth o wrando, darllen, myfyrio ac ymresymu. Gellir tybio y byddai ffermwyr a chrefftwyr y deorllewin yn barod i neilltuo ceiniogau prin i brynu llyfrau da.[54] Erbyn y 1690au—diolch yn bennaf i Stephen Hughes a Charles Edwards—yr oedd dewis pur helaeth o lyfrau Cymraeg, a'r rheini'n llyfrau defosiynol, ysgrythurol ac esboniadol, ar gael i drwytho Anghydffurfwyr darllengar yn hanfodion eu ffydd ac i'w coethi mewn moes a diwylliant. Hawdd credu bod y ddadl brintiedig rhwng Owen a Keach wedi bod yn foddion i hogi min ar feddwl lleygwyr deallus ac i oleuo cenadwri gweinidogion. Nid arwydd o nychdod y 'Sentars sychion' oedd dadl fawr y 1690au, ond arwydd o'r hyn a alwyd gan R. T. Jenkins yn 'anian symud ymlaen',[55] sef y sêl honno a oedd yn meithrin ymwybyddiaeth genhadol gref. Eisoes yr oedd canghennau'r Bedyddwyr yn tyfu a byddent yn eu tro yn ffurfio eglwysi ar eu pennau eu hunain. Erbyn 1700 byddai'r eglwysi Cymreig yn cyfarfod yn Gymanfa annibynnol ar ddaear Cymru.[56] Ac er na welodd y Bedyddwyr unrhyw gynnydd syfrdanol yn eu rhengoedd ar droad yr ail ganrif ar bymtheg, yr oedd ymrysonau'r 1690au wedi sicrhau bod gan y ffyddloniaid farn aeddfed ar bynciau'r ffydd.

NODIADAU

1 Am y cefndir, gweler Michael R. Watts, *The Dissenters* (Rhydychen, 1978), tt. 221-62; G. R. Cragg, *Puritanism in the Period of the Great Persecution* (Llundain, 1957), pennod IV; Thomas Richards, *Wales under the Penal Code, 1662-1687* (Llundain, 1925), passim; Geraint H. Jenkins, *The Foundations of Modern Wales: Wales 1642-1780* (Rhydychen a Chaerdydd, 1987), pennod V.

2 Charles Wilkins, *The History of Merthyr Tydfil* (Merthyr, 1908), t. 303.

3 Ceir llawer o'r hanesion trist hyn yn W. J. Rhys, *Penodau yn Hanes y Bedyddwyr Cymreig* (Abertawe, 1949) a T. M. Bassett, *Y Bedyddwyr* (Abertawe, 1977).

4 B. G. Owens, 'Trichanmlwyddiant Rhydwilym', *Trafodion Cymdeithas Hanes Bedyddwyr Cymru* (1968), t. 54.

5 J. Spinther James, *Hanes y Bedyddwyr yng Nghymru* (4 cyf., Caerfyrddin, 1896-1907), II, t. 488.

6 Thomas Richards, 'Eglwys Rhydwilym', *Trafodion Cymdeithas Hanes Bedyddwyr Cymru* (1938), t. 97.

7 J. Spinther James, op. cit., III, t. 13.

8 Joshua Thomas, *Hanes y Bedyddwyr ymhlith y Cymry* (Caerfyrddin, 1778), t. 336.

9 Thomas Rees, *History of Protestant Nonconformity in Wales* (Llundain, ail arg., 1883), tt. 222-5.

10 Joshua Thomas, op. cit., t. 421.

11 Ibid.

12 *Y Bywgraffiadur Cymreig.*

13 Joshua Thomas, op. cit., t. 355. Bu Jenkins farw, yn 77 oed, ym 1733.

14 J. Spinther James, op. cit., III, t. 25.

15 Joshua Thomas, op. cit., tt. 422-3.

16 J. Spinther James, op. cit., III, t. 25; Thomas Rees, op. cit., t. 215.

17 Ceir darlun diddorol o'i yrfa fel pennaeth yr academi yn Geraint Dyfnallt Owen, 'James Owen a'i Academi', *Y Cofiadur*, XXII (1952), tt. 3-36.

18 Charles Owen, *Some Account of the Life and Writings of James Owen* (Llundain, 1709), t. 3.

19 Ibid., t. 71; Matthew Henry, *A Sermon preach'd at the Funeral of James Owen* (Llundain, 1706), t. 52.

20 J. B. Williams gol., Matthew Henry, *The Life of Philip Henry* (Llundain, 1825), t. 86; M. H. Lee gol., *Diaries and Letters of Philip Henry* (Llundain, 1882), t. 309.

21 Gw. *Y Bywgraffiadur Cymreig;* Charles Owen, op. cit., penn. XIV.

22 James Owen, *Bedydd Plant or Nefoedd* (Llundain, 1693), t. vii.

23 Ibid., t. x.

24 Joseph Ivimey, *History of the English Baptists* (4 cyf., Llundain, 1811-30), III, t. 299.

25 Am hanes bywyd Keach, gw. Joseph Ivimey, op. cit., II, tt. 360-86; William E. Spears, 'The Baptist movement in England in the late Seventeenth Century as reflected in the Work and Thought of Benjamin Keach, 1640-1704' (traethawd Ph.D. Prifysgol Caeredin, 1953); Hugh Martin, *Benjamin Keach* (Llundain, 1961).

26 Thomas Crosby, *The History of the English Baptists* (4 cyf., Llundain, 1738-40), II, t. 204.

27 Michael R. Watts, op. cit., tt. 310-11. Cyhoeddodd Keach gyfrol yn cynnwys 300 o emynau ym 1691. Y mae'n werth sylwi fod James Owen yntau'n awdur emynau, gw. *Hymnau Scrythurol* (Llundain, 1705).

28 *The Life and Errors of John Dunton* (ail arg., 2 gyfrol, Llundain, 1818), I, t. 177; W. E. Spears, op. cit., t. 95.

29 Ibid., I, t. 177.

30 Benjamin Keach, *The Rector rectified and corrected* (Llundain, 1692), sig. A2v.

31 *Y Bywgraffiadur Cymreig;* J. Edwards, 'Robert Morgan o Landeilo-Talybont', *Trafodion Cymdeithas Hanes Bedyddwyr Cymru* (1912-13), tt. 7-8.

32 Teitl y fersiwn Saesneg oedd *Light broke forth in Wales, expelling Darkness: or the Englishman's Love to the Antient Britains* (Llundain, 1696).

33 Benjamin Keach, *Goleuni gwedi torri allan Ynghymry* (Llundain, 1696), t. 141.

34 Ibid., t. xxvii.

35 James Owen, *Ychwaneg o Eglurhad am fedydd plant bychain* (Llundain, 1701), t. 5.

36 Ibid., 7-8, 16, 120, 162.

37 Llyfrgell Genedlaethol Cymru, Lls. 7026A, t. 117.

38 Rondl Davies, *Profiad yr Ysprydion neu Ddatcuddiad gau Athrawon* (Rhydychen, 1675), sig. A3v.

39 Theophilus Evans, *Cydymddiddan rhwng dau wr yn ammau ynghylch Bedydd-Plant* (Llundain, 1719), t. v.

40 Glanmor Williams, 'Yr Ailfedyddwyr yn yr Unfed Ganrif ar Bymtheg', *Trafodion Cymdeithas Hanes Bedyddwyr Cymru* (1963), tt. 8-25.

41 J. Gwynn Williams, 'Rhai Agweddau ar y Gymdeithas Gymreig yn yr Ail Ganrif ar Bymtheg', *Efrydiau Athronyddol,* XXXI (1968), tt. 43-7.

42 James Owen, *Bedydd Plant or Nefoedd,* t. iii.

43 Rondl Davies, op. cit., t. 105.

44 *Monthly Repository,* I (1806), t. 400.

45 Benjamin Keach, *The Rector rectified and corrected,* sig. A4v.

46 John Cairncross, *After Polygamy was made a Sin. The Social History of Christian Polygamy* (Llundain, 1974), penn. 1; Claus-Peter Clasen, *Anabaptism. A Social History, 1525-1618* (Llundain, 1972), t. 14.

47 Thomas Edwards, *Gangraena* (Llundain, 1646), i, t. 67; Gw. hefyd J. F. McGregor, 'The Baptists: Fount of all Heresy', yn J. F. McGregor a B. Reay goln., *Radical Religion in the English Revolution* (Rhydychen, 1986), tt. 23-63.

48 *Bedydd Plant or Nefoedd,* tt. 186-7.

49 Michael R. Watts, op. cit., tt. 44, 81.

50 *An Alarum to Corporations: or, The Giddy sort of Hereticks Designs unmaskt* (Llundain, 1659), t. 8. Aeth y brawd milain hwn yn ei flaen i ddisgrifio'r Bedyddwyr fel pobl 'who have bin constant Faithbreakers and Kickers against Magistracy, Ministery, Law, Order, Right, and Common Honesty'.

51 Ll.G.C., Casgliad rhif 127A, t. 1.

52 Ll.G.C., Llsau. Rhual 76, 80.

53 John Phillips, *Adnodau ar rai Lleoedd Cableddus a Sarhaus o Lyfrau a osodwyd allan yn ddiweddar ar Fedydd Plant* (Llundain, 1732), tt. 22-3.

54 Geraint H. Jenkins, *Literature, Religion and Society in Wales, 1660-1730* (Caerdydd, 1978), pennod X.

55 R. T. Jenkins, *Hanes Cymru yn y Ddeunawfed Ganrif* (Caerdydd, 1931), pennod III.

56 T. M. Bassett, op. cit., t. 46.

Bywiogrwydd Crefyddol
a Llenyddol Dyffryn Teifi, 1689-1740*

Yn ystod y cyfnod rhwng Deddf Goddefiad 1689 a thwf Methodist-iaeth gynnar ystyrid Dyffryn Teifi yr ardal fwyaf cyfoethog ei diwylliant ac effro ei meddwl yng Nghymru. Magwyd yno nythaid o ddiwygwyr crefyddol, llenorion, beirdd a hynafiaethwyr a fu'n gyfrifol am ysgogi gweithgarwch nodedig iawn. Clymid y llengarwyr bywiog a deallus hyn ynghyd gan ddyheadau cyffelyb. Dau brif nod oedd ganddynt: yr awydd i ledu newyddion da yr Efengyl, i achub eneidiau ac i greu cenedl dduwiol a llythrennog; a'r awydd i ofalu bod yr hen draddodiadau barddol a llenyddol yn dal i ffynnu'n hoyw a chryf. Nid oes dim yn tystio'n groywach i fwrlwm llenyddol a chrefyddol y fro hon na'r ffaith i Isaac Carter o Genarth ddewis sefydlu'r wasg swyddogol gyntaf a gafwyd yng Nghymru yn Nhrerhedyn, neu Atpar, ym mhlwyf Llandyfrïog ym 1718.

Er bod cyfathrach bur glòs rhwng llenorion Dyffryn Teifi yn ystod y cyfnod hwn, ni pherthynent i gylch cydnabyddedig ac nid oeddynt o reidrwydd yn gweld lygad-yn-llygad ar bob pwnc. Y ffordd hawsaf o adnabod eu cymeriad a mesur eu cyfraniad yw ymdrin â hwy fel unigolion.[1] Awn felly am dro ar hyd dolydd eang a gwastad glannau Teifi, gan gychwyn yn y Cilgwyn ym mhlwyf Llangybi, cartref Simon Thomas. Go niwlog yw'r wybodaeth gennym amdano ef, ond ymddengys iddo gynorthwyo'r Anghydffurfiwr dylanwadol, Philip Pugh, am gyfnod cyn symud ym 1711 i ddilyn dwy alwedigaeth, sef fel gweinidog Presbyteraidd a gwerthwr sidan yn nhref Henffordd.[2] Gŵr dysgedig, unigolyn balch ac ergydiwr ceryddgar oedd Simon Thomas. Yr oedd difrifwch y Piwritan wedi ymwreiddio'n ddwfn yn ei bersonoliaeth a glynai'n ddi-ildio wrth y sylfeini Calfinaidd. Ef oedd archelyn y Pabyddion a'r Arminiaid, ac mewn cyfres o gyhoeddiadau Saesneg—llyfrau a gyhoeddwyd gan wasg breifat o'i eiddo yn Henffordd[3]—ymosododd yn finiog ar y rhai a droesai eu cefn ar werthoedd uniongred y traddodiad Piwritanaidd. Ond fel awdur *Hanes y Byd a'r Amseroedd* (1718) y cofiwn am Simon Thomas yn bennaf. Ailfedyddiwyd ei gyfrol ym 1724 â theitl mwy priodol, sef

*Traddodwyd y ddarlith hon gerbron Cymdeithas Hynafiaethwyr Ceredigion mewn cyfarfod yn Aberaeron, 17 Tachwedd, 1979.

Llyfr Gwybodaeth y Cymro, a daeth yn un o lyfrau Cymraeg mwyaf poblogaidd y ganrif. Er bod y gyfrol yn dryfrith o ragfarn wrth-Babyddol, yr hyn sy'n nodedig amdani yw ei hymgais i drosglwyddo i'r Cymro cyffredin rai agweddau o'r wybodaeth seryddol a gwyddonol a ddarganfuwyd gan bobl fel Newton, Boyle, Flamsteed a Whiston. Drwy annog ei ddarllenwyr i godi eu golygon, ceisiai Simon Thomas ysgubo ymaith hen ddefodau ofergoelus a chreu chwilfrydedd i wybod mwy am y byd a'i bethau. 'Gwael ac anifeilaidd yw'r Dyn', meddai, 'yr hwn nid yw ei Wybodaeth yn cyrraedd tu hwynt i'w Wlad ei hun, a'i Oes ei hun.'[4]

O groesi'r afon, deuwn i blwyf Cellan, ac yno, yn y Glaslwyn,[5] y ganed Moses Williams, un o lenorion mwyaf amryddawn a goleuedig ei ddydd. Yn wahanol i'r rhan fwyaf o'i gyd-lenorion yn Nyffryn Teifi, cafodd Moses Williams y fantais o droi mewn cylchoedd pwysig ac amrywiol ym Mhrifysgol Rhydychen. Bu hefyd, yn ei dro, yn gweini ar gyfreidiau ysbrydol plwyfolion Chiddingstone yng Nghaint, Llanwenog yng Ngheredigion, Defynnog ym Mrycheiniog a Bridgwater yng Ngwlad-yr-haf. Sicrhaodd ei dad, Samuel Williams, ei fod yn ymserchu'n gynnar yn hen lenyddiaeth y Cymry, ond y dylanwad pennaf arno oedd yr ysgolhaig eithriadol alluog hwnnw, Edward Lhuyd. Bu Williams yn casglu defnyddiau ac yn gosod trefn arnynt dros Lhuyd yn Rhydychen. Wedi marwolaeth Lhuyd ym 1709 syrthiodd y baich o weithredu ei ddymuniadau ac o wireddu ei freuddwydion ar ysgwyddu David Parry, brodor o Aberteifi, a Moses Williams. Bu'r her yn ormod i Parry. Cipiwyd ef gan swynion Siôn Heiddyn a bu farw'n ŵr ifanc ym 1714.[6] Ond daliodd Moses Williams ati gydag ymroddiad rhyfeddol. Er iddo fethu â sicrhau digon o gefnogaeth ariannol i ddwyn ei holl gyfrolau arfaethedig drwy'r wasg, cyflawnodd gymwynasau lawer. Y mae ei *Gofrestr* (1717), sef y rhestr gyntaf o lyfrau Cymraeg a gyhoeddwyd rhwng 1546 a 1717, yn sylfaen i bob astudiaeth lyfryddol Gymraeg.[7] Cyhoeddodd rai o gyfraniadau disgleiriaf y dyneiddiwr Humphrey Lhuyd, yr ieithydd William Baxter, a'r hynafiaethydd William Wotton.[8] At hynny, llafuriodd yn ddyfal i gasglu arian ar gyfer ei argraffiadau o'r Beibl ym 1717-8 ac ym 1727, a chyfieithodd nifer helaeth o gatecismau a llyfrau defosiynol.[9] Cyfeiriwyd droeon yn y gorffennol at Foses Williams fel gŵr na chyflawnodd ei addewid. Gellid dadlau iddo fod â gormod o heyrn yn y tân, ac iddo gael anhawster i ganolbwyntio ei adnoddau a'i dalentau disglair i gyflawni un gorchest fawr. Ond y gwir amdani yw na chafodd y nawddogaeth ariannol i'w alluogi i weithredu ei gynlluniau na'r cyfle ychwaith i ennill anrhydedd yn ei wlad ei hun. Yr oedd yn meddu ar lawer cymhwyster priodol i swydd esgob, ond cyfrifid ef yn ŵr beiddgar a pheryglus gan yr awdurdodau eglwysig. Ciciwr yn erbyn y tresi oedd Moses Williams. Nid oedd arno ofn dweud yn blaen beth a oedd yn ei feddwl, a châi flas ar droi tu min ar fonheddwyr chwyddedig a dibris o'u diwylliant. Gwrthodai foesymgrymu gerbron esgob di-Gymraeg na chynffonna am gymwynas neu ddyrchafiad. Melltithiai rodres a diogi ei gyd-offeiriaid. Ni welid ef byth yn cyffwrdd pig ei gap wrth gyfarch gŵr bonheddig trahaus. Y mae'r bregeth danbaid a draddodwyd ganddo gerbron Cymdeithas yr Hen Frythoniaid ym 1717 yn dangos ei fod nid yn unig yn ymboeni am les Cymru ond fod ganddo hefyd weledigaeth newydd ynghylch ei dyfodol.[10] Ysywaeth, nid oedd digon o'i gyfoeswyr yn barod i elwa ar ei syniadau ac i estyn help llaw, a bu Moses Williams farw—o dorcalon efallai—yn Bridgwater ym 1742.

Croeswn yr afon o blwyf Cellan i blwyf eang Llanwenog. Yno, yn y Trafle, Llanwenog, y ganed Jencin Jones, mab i John Jenkins, gof a rhydd-ddeiliad cefnog. Gadawodd Jencin Jones ei farc ar yr ardal fel llenor, emynydd, pregethwr a dadleuwr.[11] Fe'i disgrifia'i hun fel Cymro 'diathrylith digelfydd ac anhyfedr',[12] ond ôl llaw y llenor sy'n sicr o'i grefft sydd ar ei waith i gyd. Mwy priodol oedd disgrifiad ei farwnadwr, Evan Thomas, ohono:

> Roedd e'n gymreigiwr dethol,
> Llawn geiriau pwysig gwreiddiol,
>   Pur wrol araith.
> Cyfieithodd Lyfrau hyfryd
> 'Morchestodd ddwyn yn astud
> I'r byd wybodaeth.[13]

Fel tad Arminiaeth yng Nghymru yr adwaenir Jencin Jones yn bennaf. Tynnodd nyth cacwn am ei ben pan roes heibio ei fagwraeth Galfinaidd a chychwyn achos Arminaidd yn hen ffermdy Pen-y-banc tua 1726, cyn mynd yn ei flaen i godi'r capel Arminaidd cyntaf yng Nghymru yn Llwynrhydowen ym 1733.[14] Fel gweinidog bu'n 'ddoeth ladmerydd mwyn',[15] ac ymlafniodd yn galed i arbed ei braidd rhag 'pob rhagrithiol rith Duwioldeb'.[16] Bu farw yn ei anterth, yn 42 oed, ym 1742. Erbyn hynny yr oedd chwech o eglwysi Arminaidd yn blino eneidiau Calfinaidd y fro, ac amlinellau'r 'Smotyn Du' wedi dechrau ymffurfio.[17]

Ymdroella afon Teifi yn ei blaen i Landysul lle y ganed yr Anghydffurfiwr gwybodus James Davies neu Iaco ab Dewi.[18] Un o ddisgyblion disgleiriaf Stephen Hughes oedd Iaco ab Dewi, ond un tra gwahanol i 'Apostol Sir Gaerfyrddin'. Nid dyn parod i chwythu utgorn o blaid yr achos Anghydffurfiol oedd y llenor distadl hwn. Gŵr swil, dywedwst, yn caru'r encilion ydoedd. Perchid ef gan ei gyd-lenorion fel cyfieithydd diwyd a chopïwr medrus. Y mae ei lawysgrifen brydferth yn hyfrydwch i'r llygad ac yn brawf o'r parch a roddai llenorion yr oes i grefftwaith gofalus. Dioddefodd Iaco ab Dewi ergydion personol enbyd: llosgwyd ei eiddo mewn tân, a nychwyd ei gorff gan afiechyd blin. Treuliodd y rhan olaf o'i oes yn byw yn dawel ar gyrion Llanllawddog, gan ennill ei fara drwy gopïo hen lawysgrifau a chyfieithu llyfrau o waith Beveridge, Bunyan ac eraill.[19] Collodd bob cydymdeimlad â'r 'byd gorwag blinderus'[20] hwn, a chyffesodd mai 'angau anhyfryd yw mywyd i mi'.[21] Ni roes fawr ddim gwerth ar bethau daearol, loes iddo oedd bod yng ngŵydd dynion eraill, a thrigai, i bob pwrpas, mewn byd o'i eiddo ei hun. Ni thrafferthai i geisio cwmnïaeth, a'i brif ddifyrrwch oedd pori mewn rhyw 'lyfr da difrifol', megis *Llwybr Hyffordd i'r Nefoedd, Y Ffydd Ddi-ffuant* neu *Galwad i'r Annychweledig.*[22] Blinodd ar 'yr ymrafael a'r ymryson, y Cynhennau a'r ymbleidiau' a wahanai ddynion oddi wrth ei gilydd, a phleidiai achos yr ymarfer o lonyddwch.[23]

Os dringwn uwchlaw'r afon i blwyf Troed-yr-aur deuwn at gartref Ifan Gruffydd, rhydd-ddeiliad, Anghydffurfiwr a bardd o'r Twr-gwyn.[24] Bardd chwim ei feddwl a dychanwr tra phigog oedd Ifan Gruffydd. Mynegai ei farn yn finiog, heb ofni gwg na gofyn gwên. 'Ni ofnai un', meddai Alban Thomas amdano,[25] ac y mae'r saethau blaenllym a geir yn ei gerddi a'i halsingod yn dangos ei fod yn ergydiwr di-ail. Yr oedd yn gofyn cryn ddewrder ar ei ran, er enghraifft, i fentro i blith beirdd a cherddorion y Gogledd a'r Canolbarth yn yr eisteddfod a gynhaliwyd mewn tafarn ym Machynlleth ym mis Mehefin 1701.[26] Wedi iddo gyrraedd a chanu ei bwt, canfu Ifan fod y cythraul cerdd dafod yn tarfu ar rialtwch yr achlysur. Dirmygwyd ei waith yn arw gan brydyddion y Gogledd, er ei fod, ym marn Ioan Siencyn, 'yn llawer gwell Bardd na neb ohonynt hwy'. Dychwelodd Ifan adref yn berwi gan gynddaredd ac aeth ati i lunio cyfres o englynion yn cystwyo ei elynion o'r

Gogledd, a'u gyrru i'w hargraffu gan Thomas Jones yr Almanaciwr. Ond os nad oedd llawer o gariad rhwng Ifan Gruffydd a beirdd Gwynedd, yr oedd ganddo edmygwyr lu yn nyffryn Teifi. Dywedir ei fod bron yn 80 oed yn marw, a hawdd synhwyro o ddarllen marwnadau Alban Thomas[27] a Siencyn Thomas[28] i'r hen ŵr fod llenorion y fro yn cofio amdano â chryn anwyldeb a pharch:

> Oer y pwnc oedd rhoi pencerdd
> Dan gwys ddwys ddofn, colofn cerdd:
> Ifan Gruffydd fwyn graffus,
> Dyn ar air a dynai'r us;
> E brofwyd hwn yn Brif-fardd,
> Dir ei fod yn Gadair Fardd:
> Fe wnai Gerdd yn bencerddiawl,
> Cyson oedd ei dôn ddidawl . . [29]

Y nesaf o sêr llachar godre Ceredigion yw Samuel Williams, tad Moses, ficer Llandyfrïog a rheithor Llangynllo.[30] Trigai yn Abertrosol ym mhlwyf Llandyfrïog, ac fel llawer offeiriad distadl a chyfyng ei amgylchiadau yn yr oes honno, enillai beth o'i fara drwy drin y tir—'fel llafurwr cyffredin', yn ôl un edliwiwr.[31] Nid oes cofnod i Samuel Williams fynychu coleg erioed. Yn wir, pan

Eglwys Llandyfrïog

Llun: R. J. Moore-Colyer

gyhuddwyd ef ryw dro o esgeuluso gweddïo dros y ddwy brifysgol
yn Lloegr, ei ateb chwim oedd na fu ar gyfyl y naill le na'r llall ac
na welai felly reswm yn y byd i eiriol drostynt![32] Yr oedd Samuel
Williams wrth ei fodd ymhlith ei lawysgrifau a'i lyfrau, a diau mai
ganddo ef y cafodd nifer helaeth o lenorion glannau Teifi yr
ysbrydiaeth i gadw'r diwylliant Cymraeg yn fyw ac effro.
Ymffrostiai yng ngorffennol ei dreftadaeth a mynegai yn gyson ei
awydd i 'wneuthur daioni i'w genedl a'i gyd-wladwyr'.[33] Er mwyn
cynyddu 'gwir wybodaeth o Dduw'[34] ymhlith ei blwyfolion,
cyfieithodd rannau o waith awduron megis Gildas, James Ussher
ac Erasmus Saunders.[35] Beveridge, Patrick a Tillotson oedd ei
arwyr yn y pulpud, a lluniodd gyfrol o'u pregethau mewn llaw-
ysgrifen brydferth tu hwnt.[36] Serch hynny, oherwydd diffyg nawdd
ariannol, dim ond dau gyfieithiad o'i waith, *Amser a Diwedd Amser*
(1707) ac *Undeb yn Orchymynedig i Ymarfer* (1710), ynghyd ag un
casgliad byr o halsingod[37], a welodd olau dydd. Ond gwyddai ei
gyd-lenorion ei fod yn llenor cywrain ac yn ysgolhaig o'r iawn ryw.
Gellir amgyffred rhychwant ei ddarllen drwy gofio iddo addo i'w
fab, Moses, y câi etifeddu ei gasgliad gwych o lyfrau ar yr amod ei
fod yn talu deugain punt i'w fam amdano.[38]

    Nid nepell o Landyfrïog, sef yng Nghwm-du, ger Castellnewydd
Emlyn, trigai un o feirdd sioncaf y fro. Brodor o'r Felin Drewen ym
mhlwyf y Brongwyn oedd Siencyn Thomas.[39] Yn ôl Gwynionydd,
llanc penrhydd ac afreolus fu Thomas ym more'i oes. Yr oedd ef a
Theophilus Evans yn gyfeillion pennaf, ac y mae'n bosib i'r
ddeuddyn brofi tröedigaeth tua'r un pryd.[40] Mewn cyffes edifeiriol
yn ei henaint, ymhelaethodd Thomas ar bechodau ei ieuenctid:

> Canu a dawnsio gyda'r tant,
> Yn fawr fy chwant at fiwsic,
> Dilyn y gelfyddyd hon,
> Ymhlith cyfeillion ffrolic;
> Chwarae cardau'n dda fy null,
> Ar hyder ennill arian,
> Ac yfed cwrw oedd fy ngwaith,
> Tros lawer noswaith gyfan.[41]

Crydd ac amaethwr ydoedd wrth ei alwedigaeth. Enillodd
anwyldeb y fro ar gyfrif ei ddawn fel pregethwr ffraeth, cynghorwr
praff, prydydd llithrig a gwarchodwr yr hen ddiwylliant cynhenid.
Ei fab ef, Ioan Siencyn o Aberteifi, oedd y clerwr olaf yn hanes sir
Geredigion, a thystiodd hwnnw i ddawn farddol ei dad:

Cafodd ffrwd gyfarwydd ffraeth,
O fawr ddawn i farddoniaeth
Nyddai, da Meddai'r Modd,
Medrai'r wythran ymadrodd:
Gweuai Gan, gyngan ei gwedd,
Gauedig, trwy'r Saith Cyhydedd:
Odlau, cywyddau gweddus,
Eilai'r Gŵr, heb lerr nag us,
Didwyll Englynion didawl,
Carolau, Emmynnau Mawl:
Ceidwad ein Iaith, cadarn oedd . . . [42]

Nid oes amheuaeth nad Theophilus Evans, mab Charles Evans
o Benywennallt ym mhlwyf Llandygwydd, oedd y llenor disgleiriaf

Theophilus Evans

Llun: Llyfrgell Genedlaethol Cymru

a fagwyd ar lannau Teifi yn ystod y cyfnod hwn.[43] Ychydig o edmygwyr digymysg a gafodd Theophilus Evans erioed, ac mae'n rhaid dweud ei fod yn ŵr anodd closio ato. Ceisiodd ei ŵyr, yr hanesydd Theophilus Jones, ei wyngalchu drwy ei bortreadu fel gŵr addfwyn a llednais,[44] ond gor-serch pietistaidd, mae'n siŵr, sydd i gyfrif am y darlun unllygeidiog hwn. Y gwir amdani yw mai dyn llym-dduwiol a cheryddgar oedd Theophilus Evans. Profodd drŏedigaeth yn ystod ei ieuenctid, rhoes heibio ei 'ffôl-serch at bethau eraill'[45] a daeth yn Eglwyswr i'r carn. Dyn prysur, aflonydd ydoedd, a go brin fod un cymal segur yn ei gorff. Cyhoeddodd doreth o gyfieithiadau, ac y mae nifer ohonynt yn brawf o'i duedd i ymgecru yn hytrach na chymodi.[46] Yn ei awydd i adfer uniongrededd eglwysig, manteisiodd ar bob cyfle i ergydio'r sawl a oedd yn euog o 'sism'. Er iddo alw ar eraill i garthu allan bob llid a dicter yn eu heneidiau, sbeitlyd a chas oedd ei agwedd ef ei hun at Grynwr fel George Fox neu Anghydffurfiwr fel Richard Baxter. Yn wir, ar adegau pan oedd Anghydffurfwyr o bob math yn drwm dan ei gerydd, mentrodd ddweud sawl peth sy'n groes i ysbryd yr Efengyl.[47] Ond nid fel dadleuwr chwyrn a digymrodedd y cofiwn am Theophilus Evans. Uwchlaw popeth yr oedd yn llenor toreithiog a fedrai ysgrifennu Cymraeg cyhyrog a llawn asbri. Cyhoeddodd ei brif orchest, *Drych y Prif Oesoedd* (1716), pan oedd ond 23 oed, ac anodd peidio â rhyfeddu at wybodaeth a gallu dyn mor ifanc. Mewn oes pan ymfodlonai cynifer o lenorion ar lunio gwe o ystrydebau, creodd y sbrigyn hwn o hanesydd digoleg epig gofiadwy ac ysgubol o lwyddiannus. Hon fu'r gyfrol hanes fwyaf poblogaidd yng Nghymru am ddwy ganrif ac apeliodd yn fawr iawn at falchder a dychymyg trigolion bro Teifi.

Brodor o Aberteifi oedd William Gambold.[48] Cafodd addysg dda yn Rhydychen, daeth yn un o ddisgyblion Edward Lhuyd, a chyfrannodd tuag at ychwanegiadau Lhuyd i argraffiad Gibson o waith enwog William Camden, *Britannia*. Ym 1709 fe'i penodwyd i reithoriaeth Cas-mael a Llanychaer yn sir Benfro, ac yno, yn ôl ei fab, 'bu'n addurn i'w broffesiwn'.[49] Tynnwyd ef i mewn i gylch dethol llenorion dyffryn Teifi, a'i brif orchest—os nad prif lafur ei fywyd—fu cwblhau Geiriadur Saesneg-Cymraeg, gwaith a gychwynnwyd wedi i anhwylder yn ei frest ei orfodi i ollwng ei ddyletswyddau plwyfol.[50] Gorffennodd ei *Lexicon Cambro-Britannicum* ym 1722, wedi blynyddoedd hir o gasglu a chyfieithu geiriau ac idiomau Saesneg ac o astudio'n drwyadl yr holl lawysgrifau a'r llyfrau Cymraeg a ddaeth i'w law. Gwaetha'r modd, methodd â chasglu digon o arian i gyhoeddi'r gwaith, a chyn marw siarsiodd ei fab hynaf, John—yr esgob Morafaidd—i werthu'r llawysgrif a rhannu'r ysbail rhwng ei bedwar brawd a'i unig chwaer. [51] Flwyddyn cyn ei farwolaeth, sut bynnag, llwyddodd Gambold i gyhoeddi *A Welsh Grammar* (1727), ac yn y rhagymadrodd i'r geiriadur hwnnw galwodd ar Gymry di-Gymraeg a gelynion yr iaith i ddysgu'r iaith Gymraeg ac i ymffrostio yn ei hynafiaeth. [52]

Erys un llenor arall sy'n teilyngu sylw, sef Alban Thomas, curad Blaen-porth a Thre-main rhwng 1722 a 1737. [53] Trigai yn y Rhos, tyddyn ar dir Stephen Parry, ysgwier Neuaddtrefawr. Aeth Alban Thomas, fel nifer o wŷr llengar y cylch hwn, drwy 'fwlch yr argyhoeddiad'. Cyn hynny, fel y tystia un o'i gerddi cynnar, arferai fynd i garu a photio yn 'Llechryd fawlyd fach'. [54] Digon rhyfygus yw ei bennill i ringyll:

> Swyddog Senedd ydyw r fo
> Sy'n erchi peidio a'r pidin,
> Mae enw arall ar y Gwr
> Cyhyddwr dadwrdd dwy Din. [55]

Hyd yn oed ar ôl ei dröedigaeth, gellir synhwyro bod stôr o hiwmor parod a ffraeth yn dal i gronni dan fantell barchus yr offeiriad. Tystia ei feddargraff i'w natur radlon ac afieithus, i'w gyfeillgarwch a'i haelioni at y tlawd, ac i'w lafur di-ball dros y grefydd Gristnogol. [56] Yr oedd iddo air da fel bugail cydwybodol, ac yn ei rageiriau i'w gyfieithiadau Cymraeg anogai ddarllenwyr yn gyson i 'ofalu mewn pryd ac amser am eu heneidiau anfarwol'. [57] Er mai tra gwallus a dieneiniad oedd ei gynnyrch barddol, lluniodd nifer o englynion, cywyddau a halsingod. [58] Ond braint bennaf Alban Thomas oedd cael bod y Cymro cyntaf i gyhoeddi llyfr Cymraeg mewn gwasg swyddogol yng Nghymru: ymddangosodd ei *Cân o Senn iw hen Feistr Tobacco,* cerdd ddychanol am y 'deiliach biwyn bawach', o wasg Trerhedyn ym 1718.

Y sêr disglair hyn oedd prif lenorion godre Ceredigion yn ystod y cyfnod hwn. O'u dosbarthu yn ôl eu galwedigaethau, gwelir bod pump ohonynt yn offeiriaid, un yn weinidog gyda'r Presbyteriaid ac un arall gyda'r Arminiaid, un yn rhydd-ddeiliad, un yn grydd-amaethwr ac un yn gyfieithydd a chopïwr proffesiynol. Ac eithrio Iaco ab Dewi, yr oeddynt i gyd yn ddynion cymharol gysurus eu byd. Dim ond dau ohonynt—Moses Williams a William Gambold—a elwodd ar addysg brifysgol, a dau yn unig—Simon Thomas a Jencin Jones—a flasodd addysg athrofa Anghydffurfiol. Cynnyrch ysgolion lleol ac ymddiwyllio personol dygn, mae'n siŵr, oedd y lleill, a byddai'n fuddiol inni gadw hynny mewn cof wrth bwyso a mesur cyfraniad y nythaid dalentog hon o ddynion i fywyd crefyddol a llenyddol Dyffryn Teifi.

Prif nod diwygwyr crefyddol Dyffryn Teifi oedd ennill eneidiau i Grist a chreu cymdeithas dduwiol a llythrennog. Bu Deddf Goddefiad 1689 a'r Ddeddf Argraffu 1695 yn symbyliad pwysig i'w gweithgarwch. Pan basiwyd Deddf Goddefiad 1689 gyrrwyd yr hoelen olaf i arch y syniad y gellid sicrhau unrhyw fath o undod neu fonopoli crefyddol, a chydnabuwyd hawl yr unigolyn i ddilyn ei gydwybod ac i addoli yn ei ffordd ei hun. Ym 1695 llaciwyd amodau caethiwus y deddfau argraffu, ac agorwyd y ffordd i ddatblygiad gweisg rhanbarthol yn Amwythig, Trerhedyn a Chaerfyrddin. Hyn sy'n esbonio'r awydd o'r newydd ymhlith Eglwyswyr ac Anghydffurfwyr i bregethu'r Gair ac i greu traddodiad llenyddol grymus. Yr oedd cred bur gyffredin ymhlith llenorion bro Teifi na allai dim argyhoeddi pobl mor effeithiol â'r gair llafar o'r pulpud. Gwyddent mai pregethu a gadwodd Cristnogaeth yn fyw dros y canrifoedd ac mai hyn a fyddai'n sicrhau ei dyfodol hefyd. Gan fod 'un enaid yn werthfawrocach na'r holl fyd',[59] teimlent fod dyletswydd arnynt i drosglwyddo newyddion da yr Efengyl ac i ymlafnio'n ddiarbed i ennill calon pob pechadur. Ond yr oedd profiad ymarferol yn eu hargyhoeddi hefyd fod darllen llyfr yn ychwanegu'n ddirfawr at werth a dylanwad pregeth a draddodid ar lafar.[60] Un o'r cymhellion pennaf a barodd i Samuel Williams lunio cyfieithiadau oedd ei gred fod y 'llythyren a 'sgrifennir yn aros pan yw'r Gair a glywir yn diflannu'.[61] Wedi'r cwbl, gallai'r sawl a brynai lyfr ei gadw wrth ei ymyl, ei ddarllen wrth ei bwysau, a thrwy fyfyrio a meddwl drosto ddyfnhau ei wybodaeth a'i brofiad yn aruthrol.

Ond pa un ai ar lafar neu mewn print yr oedd diwygwyr am drosglwyddo'u cenadwri, yr oeddynt oll yn gytûn mai eu dyletswydd oedd llefaru a thraethu mewn arddull glir a dealladwy. Yr oedd Stephen Hughes eisoes wedi siarsio Anghydffurfwyr y fro i beidio ag ysgrifennu yn y cymylau, ond i wneud eu gorau glas i 'wneuthur pethau Duw yn blay'n neu'n eglur ddigon i ddeallt wriaeth y cyffredin bobl'.[62] Didwyll laeth y gair oedd y geiriau amlaf ar

Cân o Senn iw hên Feiſtr

TOBACCO

A Gyfanſoddodd Gwaſanaethwr Ammodol
iddo *Gyn't* pan dorodd ar ei Ammod ac
ef, ynghŷd a'r Rheſſymmeu paham y deff-
ygiodd yng waſanaeth y Concwerwr beu-
nyddiol hwnnw. Ar hen Dôn ac oedd dri-
gannol yn y *Deyrnas* hon Lawer Blwydd
ŷn faith Cyn Tirio'r crwydryn ynthi,
ag a Elwid y *Frwynen lâs*, neu *Dan y Coed*
a *Thany Grwydd.* Y mae'r 8. ſylaf gyntaf
o'r breichiau yn groes rowiog o'r draws
gyhydedd, a'r berreu'n amlaf yn Cyfocho-
ri.

_____

Argraphwyd yn Nhre-Hedyn, *gan* Iſaac Car-
ter *yn y Flwyddyn* 1718.

Y Llyfr Cymraeg cyntaf i'w gyhoeddi yn Nhrerhedyn
Llun: Llyfrgell Genedlaethol Cymru

wefusau'r diwygwyr hyn, a gwnaethant ymdrech wirioneddol i osgoi defnyddio dyfyniadau astrus, ymadroddion clasurol, pynciau dadleuol ac orgraff ddieithr. Felly, gofalodd Simon Thomas fod ei arddull ef yn 'eglur, blaen a hawdd ei deall',[63] ceisiodd Jencin Jones osgoi geiriau a fyddai'n 'rhy estronaidd i'r Gwerin',[64] ac addawodd Iaco ab Dewi beidio â llenwi 'eu Pennau â Datguddiaethau uchel a llwytheu mewn Difinyddiaeth'.[65] Yn yr un modd, delw pregethau syml ac eglur Tillotson, Beveridge, Bull a Patrick sydd ar waith yr Eglwyswyr.[66] Gwyddai Samuel Williams am anallu'r Cymry i ddeall 'ymadroddion parablaidd dysgedig', a loes calon iddo ef a'i gyd-offeiriaid oedd clywed pregeth 'mewn gwisc o eiriau peraidd i ryngu bodd i'r bonedd a'r bobl fawr'.[67] O ganlyniad, yr oedd mesur helaeth o lewyrch ar yr hyn a elwid gan Jeremy Owen yn 'ysbryd gwir Gatholig, rhyddid Cristnogol, a chyd-ddygiad'[68] ymhlith diwygwyr o wahanol ogwyddiadau diwinyddol. Er y gallent weithiau anghytuno'n ffyrnig ar bynciau athrawiaethol, nid oedd unrhyw raniadau o'r fath i darfu ar y genhadaeth bwysig i ddiwallu rheidiau ysbrydol y gymdeithas. Dyna paham fod natur llenyddiaeth Eglwysig ac Anghydffurfiol mor debyg i'w gilydd yn ystod y cyfnod hwn.

O'i chychwyn, rhoes Protestaniaeth bwyslais arbennig ar feithrin ymwybyddiaeth grefyddol o fewn yr uned deuluol, ac aeth llenorion Dyffryn Teifi ati o ddifrif yn ystod y cyfnod hwn i droi'r teulu yn gorlan eglwysig, yn feithrinfa i'r ifanc a'r anllythrennog, ac yn noddfa rhag pechod, drygioni ac anffyddiaeth. Yr oedd John Vaughan, Derllys, yn awyddus i'r Gymdeithas er Taenu Gwybodaeth Gristnogol ddyfeisio dull o hyrwyddo defosiynau teuluaidd ym mhob plwyf o fewn y deyrnas,[69] ac yng nghyd-destun dyheadau felly y mae'n rhaid esbonio'r ffrwd o lyfrau a ymddangosodd yn rhoi cynghorion buddiol i geidwaid tai.[70] Lluniodd Jencin Jones gyfieithiad o lyfr Matthew Henry, *A Church in the House,*[71] a chyflwynodd Samuel Williams ei gyfieithiad ef o waith Erasmus Saunders, *A Domestick Charge, Or, The Duty of Household-Governours,* i holl benteuluoedd Cymru, yn enwedig y rhai ymhlith ei blwyfolion yn Llandyfrïog, Llanfair Trelygen a Llangynllo yng nghwmwd Gwynionydd.[72] Yn nhyb Williams, yr oedd gan y *paterfamilias* ddyletswydd i 'ddwyn ym mlaen elw eneidiau' a'u rhwymo i ryfela yn erbyn 'y cnawd, y byd a'r cythraul'.[73] Disgwylid i'r penteulu droi ei gartref yn eglwys fach, gan osod ei blant a'i weision ar ben y ffordd a'u magu yn ofn ac addysg yr

Arglwydd. 'Hyffordda blentyn ymhen y ffordd, a phan heneiddia, nid ymedy â hi', oedd cyngor sawl diwygiwr. Sylw cyffelyb ar ffurf hen ddihareb a oedd gan Moses Williams:

> A wreiddio mywn Drygioni
> Anhawdd fydd ei gynghori.[74]

Yr oedd cyfrifoldeb arbennig ar y penteulu i ofalu bod ei blant yn dysgu'r catecism, yn medru darllen darnau o'r Ysgrythur a llyfrau defosiynol, ac yn meithrin yr arfer o weddïo. Lluniodd Samuel Williams y llyfr gweddïau gwreiddiol Cymraeg cyntaf a gafwyd at bwrpas penteuluoedd, ac ychwanegodd atynt swrn o gywyddau i gymryd lle'r 'Dirifau o Faswedd, Rhimynnau ofer a hen Chwedlau celwyddog sy'n rhy fynych yn llygru llawer o Deuluoedd'.[75] Ac nid oedd esgob fel George Bull ar ôl yn annog archddiaconiaid ac offeiriaid ei esgobaeth i ofalu bod llyfrau priodol yn cael eu dosbarthu ymhlith penteuluoedd i'w cynorthwyo yn y dasg o drosglwyddo'r genadwri Brotestannaidd ar yr aelwyd.[76]

Prif sylfaen yr ymgyrch i greu cymdeithas dduwiol a llythrennog oedd yr Ysgrythur. Bu llenorion bro Teifi yn flaenllaw iawn ymhlith y rhai a fu'n ceisio paratoi argraffiadau sylweddol o'r Ysgrythur i'w gosod yn nwylo lleygwyr. Dan nawdd y Gymdeithas er Taenu Gwybodaeth Gristnogol, treuliodd Moses Williams flwyddyn gyfan yng Nghymru ac un arall yn Llundain yn casglu tanysgrifiadau ar gyfer ei argraffiad ef o'r Beibl Cymraeg ym 1717-18.[77] Bu ei dad, Samuel, yn gyfrifol am baratoi mynegai, a llwyddwyd yn y diwedd i godi digon o arian i gyhoeddi deng mil o gopïau. Dosbarthwyd mil ohonynt yn rhad ac am ddim ymhlith y tlawd, ac yn ôl Griffith Jones, Llanddowror, buont yn sbardun i lawer o denantiaid anllythrennog i ddysgu darllen a diwygio'u buchedd.[78] Cymaint fu'r galw am Feiblau fel y bu'n rhaid i Foses Williams, gyda'r Gymdeithas er Taenu Gwybodaeth Gristnogol eto'n gefn iddo, drefnu i gyhoeddi argraffiad sylweddol arall ym 1727.[79]

At hynny, ceisiai diwygwyr—ar lafar ac mewn print—ddarbwyllo'r Cymry fod ganddynt drysorfa ddihafal yn yr Ysgrythur. 'Yn y Beibl', meddai Samuel Williams, 'y mae Afonydd pur o Grisial, a'r Mwyngloddiau cyfoethocaf.'[80] 'Nid oes Air yn y Byd', credai Jencin Jones, 'ag a chwilia ac a drywana yn gyffelyb i'r Gair yn yr Ysgrythurau.'[81] Ond efallai mai drwy gyfrwng yr halsingod y llwyddodd offeiriaid i gyflwyno cynnwys ac arwyddocâd yr

Ysgrythurau mewn dull syml a chofiadwy i bobl y fro. Oes aur yr halsingod oedd y cyfnod rhwng 1688 a 1722: fe'u lluniwyd hwy wrth y cannoedd i'w llafarganu ar yr aelwyd neu yn yr eglwys, ac y maent yn esiampl wych o'r ynni llenyddol ac ysbrydol a nodweddai odre'r sir cyn geni Methodistiaeth. [82] Ni pherthyn i'r canu anystwyth hwn lawer o deilyngdod llenyddol, ond llwyddodd i gydio yn nychymyg y bobl a'u perswadio ei bod yn ddyletswydd arnynt i ddarllen yr Ysgrythur a'i dehongli'n ystyrlon. Yn ôl Ifan Gruffydd o'r Tŵr-gwyn, cannwyll anniffodd i arwain yr anwybodus allan o'u caddug i'r goleuni oedd Gair Duw:

> Gwybodaeth bur ydyw'r Sgrythur
> Sydd yn dryssor gwerthfawr gwerthfawr
> Mae'n goleuo pawb a'i cerddo
> megis Canwyll ddidwyll ddidwyll. [83]

Wrth baratoi ei ragymadrodd i'r mynegair Ysgrythurol Cymraeg cyntaf i'w gyhoeddi, llawenychai Abel Morgan, brodor o Lanwenog a ymfudodd i Bennsylvania ym 1711, fod y Beibl Cymraeg bellach nid 'yn unic yn nwylaw'r cyfoethogion a'r dyscedig a'r Eglwyswyr, ond hefyd yn nwylaw'r cyffredin'. [84]

Er mwyn meithrin to o blant a phobl a fedrai roi cyfrif llawn o'u ffydd, rhoddid cryn bwyslais ar gateceisio rheolaidd a chymuno mynych. Ofnai Moses Williams mai esgeuluso'r catecism oedd y prif reswm am yr 'holl Lifeiriant o Annuwiolder a welwn ni yn y Byd, a Gwreiddyn pob Drygioni', [85] ac aeth ati, gyda'i ddygnwch arferol, i lunio ac argraffu mil o gopïau o'r *Catecism Cymraeg* (1715), a dosbarthu cnwd helaeth ohonynt ymhlith ei blwyfolion yn Llanwenog. 'Cofiwch', meddai William Evans, yr Anghydffurfiwr o Bencader, wrth ei gyd-weinidogion, 'fod Catecheisio mor berthynol i'n swydd ac ydyw pregethu.' [86] Pan gyhoeddwyd *Eglurhad o Gatechism Byrraf y Gymanfa* ym 1719—clamp o gyfrol yn ymestyn dros 445 tudalen—gan nifer o Anghydffurfwyr bro Teifi, siarsiwyd pob teulu i bori'n gyson ynddo am ei fod, yn ôl y noddwyr, y llyfr 'gorau yn nesaf at y Beibl a ddaeth yn Gymraeg hyd yn hyn'. [87] Y mae'n amlwg fod Eglwyswyr ac Anghydffurfwyr yn darllen gwaith ei gilydd. Ni welai William Evans ddim o'i le ar ddysgu Catecism Eglwys Loegr i blant Anghydffurfwyr, a defnyddid cyfieithiad Iaco ab Dewi o Gatecism Cymanfa West-minster yn ysgolion Griffith Jones, Llanddowror. [88] Rhan o'r un ymgyrch hefyd oedd y ddarpariaeth helaeth o lyfrau megis

Cydymmaith i'r Allor (1715) gan Foses Williams a *Pasc y Christion* (1703) gan Thomas Baddy a geisiai ddarbwyllo pobl i osod pris ar weddi ac i gymuno'n fynych.[89]

Y cam nesaf oedd dysgu pobl i werthfawrogi moesau da. Erbyn ail hanner yr ail ganrif ar bymtheg, yr oedd y lefain Piwritanaidd yn gweithio drwy'r blawd eglwysig.[90] Gwelai Anghydffurfwyr ac Eglwyswyr fel ei gilydd fod angen ymgyrch ddwys i ddwyn perswâd ar werinwyr i ymwadu â phechodau megis meddwdod, llygru'r Sul, a thyngu a rhegi. Mewn oes pan oedd oriau gwaith yn hirfaith ac amser hamdden yn brin, manteisiai'r bobl gyffredin ar y cyfle i fyw mewn 'aflywodraeth' ar y penwythnos neu yn ystod y gwyliau eglwysig. Sonia'r halsingod am bleserau rhai o drigolion y fro ar y Sul:

> rhai yn whare diss a charde,
> rhai yn bwlio rhai'n dawnsio
> rhai yn whare tenys bele.[91]

Tystient fod pobl yn 'loetran mewn ty Tafarn', yn troi 'at ryw gamp neu ofer gwmpni' neu'n mwynhau 'whedle ofer'.[92] Ar ôl 1689 cychwynnwyd ymgyrch gan y brenin, Gwilym III, aelodau seneddol, esgobion, offeiriaid a gweinidogion i garthu moethusrwydd, anlladrwydd ac oferedd o'r gymdeithas. Pasiwyd nifer o ddeddfau seneddol i atgyfnerthu'r rhai a oedd eisoes yn gwarafun i bobl halogi'r Sul, meddwi, a thyngu a rhegi.[93] Achosai'r pechodau hyn gryn anesmwythyd ymhlith diwygwyr y fro. 'Gwagedd y byd' oedd diwylliant y cyffredin bobl, a chyhoeddwyd cnwd o lyfrau ymarferol yn eu hannog i gymryd pechod o ddifrif. Ffrwyth yr ymgyrch hon oedd traethawd Samuel Williams, 'Difrif Achwyniad ar y tosdurus Sarrhâd o Ymadrodd Halogedig mewn Cymdeithas', a'i gyfieithiad o waith ymosodol y mynach Gildas, sef *De Excidio Brittaniae*.[94] Ym 1714 cyhoeddodd Iaco ab Dewi gyfieithiad o waith Edward Wells yn ymosod ar 'y Pechod Mawr o Gymmeryd Enw Duw yn ofer',[95] ac yr oedd llu mawr o'r halsingod yn adleisio'r Ficer Prichard:

> Cymru Cymru am dy frynti
> Edifara cofia cofia . . .[96]

Un o'r dulliau pennaf a ddefnyddid i geisio tynnu dynion o'u llwybrau pechadurus oedd pwysleisio sicrwydd angau, barn a chosbedigaeth dragwyddol. Ar un olwg, wrth gwrs, nid oedd angen galw sylw at y ffaith mai einioes fer a gâi dyn. Gwyddai'r Cymry'n

iawn am 'gystydd, Afiechyd, Blinder ac Adfyd',[97] gan mai gobaith
bychan a oedd gan y rhan fwyaf am hir ddyddiau. Yr oedd myrdd
o fygythion—tlodi, afiechyd, haint a thân—yn peryglu eu bywydau
beunydd, ac ni allent lai na bod yn ymwybodol o freuder bywyd a'u
tynged drist.[98] *Cri de coeur* pur gyffredin a glywyd gan Siencyn
Thomas:

> Glyn tra llydan o drallodion
> Yw'r byd hwn i ddoniol ddynion.[99]

Eto i gyd, mewn pregeth ac ar gân, nid oes brinder tystiolaeth fod
diwygwyr yn annog pawb i gofio am freuder bywyd ac i ystyried y
goblygiadau a oedd ynghlwm wrth farwolaeth ddisyfyd:

> Nid siwr i neb, pan godo'r wawr,
> Y caiff e' weld yr hwyr:
> Gall angau daro bob pen awr
> Ein hoedl 'bant yn llwyr.[100]

Llwyddodd Siencyn Thomas i ddefnyddio'r arfer o smocio tybaco
fel ffordd o atgoffa'r fro am ddarfodedigrwydd einioes dyn:

> Y Llydw a'r Sorod sy'n aros yn ôl,
> Sydd foddion rhagorol i'n cofio,
> Mai o'r pridd y daethom er cymmaint ein sŵn
> I'r pridd y dychwelwn ni etto,
> Y Ddaear i'r ddaear, a ddychwel ar hynt
> A'r Llydw i'r llydw a ddychwel fel gynt,
> Mae'n einioes ni'n darfod fel us o flaen gwynt,
> Meddyliwn am hyn wrth ei Smocco.[101]

Memento mori oedd y rhybudd cyson yn nhraethawd Samuel
Williams ar brynu ein hamser ac ystyried ein diwedd.[102] Pwrpas
dyn ar y ddaear, meddai, oedd paratoi ar gyfer dydd ei farwolaeth,
a thasg hir a chaled oedd dysgu marw'n dda.

Neges oerias oedd gan y diwygwyr i'r sawl a suwyd i gysgu 'ar
wely manblu Difrawch cnawdol'.[103] Erbyn heddiw y mae'r syniad
o gosbedigaeth dragwyddol wedi mynd yn angof bron, ond rhygnai
pregethwyr ac awduron yr oes honno yn ddyfal ar y tant bygythiol
hwnnw. Teimlai Jencin Jones fod dyletswydd arno fel gweinidog yr
efengyl 'i ganu'r Udgorn ac i'ch rhybuddio chwi o'r Farn'.[104] Yn
ei dyb ef, ni bu ac ni bydd hafal dân, na'r fath artaith a phoenedig-
aeth, â'r hyn a geid ym mhydew diwaelod uffern.[105] Galwai ar ei
ddarllenwyr i ystyried dyfnder y pwll, poethder y tân a hyd y
dioddefaint:

Berwboeth dalpau,
Brwmstanllyd belau,
Uffernol ffyrnau,
A myglyd meiliau mwll;
A'r seirph yn glymmau gwynias
O gwmpas ymhob twll.[106]

Yn ôl Alban Thomas, tynged y rhai sy'n 'trochi eu hunain mewn Trythyllwch a Drygioni' fydd disgyn i'r:

llynnoedd hynny o Dân a Brwmstan, lle nad yw'r pryf
yn marw, na'r Tân yn diffodd; lle yr rhwymir hwynt
ynghadwynau tragwyddol y Tywyllwch; ac y poenir
hwynt ddydd a nos yn oesoedd gan Ddiafol a'u
ysprydion melltigedig mewn Fflamau poethion
llosgedig o dân angerddolaf ac aniffoddadwy.[107]

Byddai dychryniadau uffern, yn ôl Iaco ab Dewi, yn ddigon i beri i'r pechadur gwytnaf grynu: 'O'r llefein a'r udo sydd yno Nos a Dydd! O'r wylofein, cwynfan a'r Rhincian dannedd? O ddolurieu, a cholyneu cydwybod! O'r dychryn, cyfyngder, y gwarth a'r Anobeith!'[108] Wrth wrando'r halsingod y clywai pobl gyffredin y disgrifiadau mwyaf erchyll o uffern. Y gair amlaf ar wefusau'r awduron hyn oedd 'repento', ac yr oeddynt wedi meistroli'r grefft o hoelio sylw drwy ailadrodd eu neges yn gryno ac yn fachog:

Ofer repento gwedi Comito: I Uffarn isod, Beddeu sydd Barod
Gwedu'ch Comito cewch eich Tormento
Gida'r bwistfilod, Beddeu sydd Barod.[109]

Gan fod yr ymwybyddiaeth o angau, barnedigaeth a thragwyddoldeb yn gorwedd dan yr wyneb ym meddyliau dynion, medrai'r diwygwyr craffaf ei dwyn i'r amlwg pan drewid y fro gan ryw anffawd neu drychineb annisgwyl. Ym mis Tachwedd 1703 digwyddodd storm enbyd ledled Cymru: rhwygwyd llongau, boddwyd morwyr, ac achoswyd cryn ddifrod ar dir.[110] Ni chollodd bugeiliaid ysbrydol y cyfle hwn i ddangos i'w preiddiau mai enghraifft oedd hon o allu'r Hollalluog i dywallt ffiolau ei ddicter ar bobl wrthnysig a phechadurus. Gwyddent fod digwyddiadau fel hyn yn medru deffro iasau ac ofnau rhyfedd iawn mewn dynion. Tua'r adeg hon y cwblhaodd Samuel Williams ei gyfieithiad o *Time and the End of Time,* er mwyn atgoffa'r diedifar am 'y Gagendor erchyll . . . lle mae lliaws o eneidiau yn galaru ac yn wylo ddydd a nos'.[111] Diau iddo fynnu bod pob chwyth o'r gwynt nerthol wedi bloeddio 'edifarhewch' a phob taran wedi gweiddi 'diwygiwch'. Sylwodd Thomas Williams fod 'y Dymmestl Ddinistriol' wedi dwysbigo eneidiau, ac na fedrai neb 'a chalon o gig ynddo' ymatal rhag arswydo at y digwyddiad.[112] 'Bu nerth ofnadwy y gwynt', meddai David Rees, 'a'i sŵn dychrynllyd yn ddigon i beri i'r eneidiau gwytnaf grynu, ac i achosi i lawer o gnafon afradlon, na fyddent gynt byth yn galw o ddifrif ar yr Arglwydd, i weddïo.'[113] Yn yr un modd, pan achoswyd anesmwythyd helaeth yn ne-orllewin Cymru gan ymosodiadau o'r teiffws a'r frech wen rhwng 1726 a 1729,[114] manteisiwyd ar y cyfle i atgoffa dynion o'r Farn a ddaw oddi uchod. Llwyddodd Jencin Jones i gael 212 o bobl y fro i dalu swllt a chwech yr un (sef tua naw ceiniog newydd) am gopi o *Dydd y Farn Fawr* (1727) i'w hatgoffa na 'bydd dim Cymmysgedd o Lymmeidiau diddanus yng Nghwpan Digofaint Duw'.[115] Dosbarthodd y Gymdeithas er Taenu Gwybodaeth Gristnogol bedair mil o gopïau o lyfr Thomas Richards, Llanychaearn, *Cyngor Difrifol i un ar ôl Bod yn Glaf* (1730), er mwyn dangos i bob pechadur mai rhybudd o farwolaeth oedd yr haint, a bod Duw, yn ei haelioni, wedi rhoi ail gyfle iddo i edifarhau ac i baratoi ar gyfer 'y Cyfrif mawr'.[116] Nid oes amheuaeth felly nad oedd diwygwyr Dyffryn Teifi yn defnyddio'r athrawiaeth am gosbedigaeth dragwyddol fel arf pwysig yn y rhyfel yn erbyn dihidrwydd, pechod a llacrwydd moes. A diau i'w gwaith yn y maes hwn baratoi'r ffordd ar gyfer anogaethau blagardus y Methodistiaid cynnar.[117]

Buasai'n gwbl gamarweiniol i roi'r argraff mai proffwydo dinistr a gwae a chodi arswyd oedd unig genadwri'r diwygwyr hyn. Sonient yn gyson am y gobaith mawr Cristnogol, a cheisient feithrin, dyfnhau a chyfoethogi bywyd ysbrydol gwrandawyr a darllenwyr drwy sôn am anfeidrol ras, cariad a maddeuant Duw. Cyhoeddwyd cnwd o lyfrau treiddgar ac ymholiadol a oedd yn pwysleisio'r profiad goddrychol, yn ceisio argyhoeddi'r galon yn ogystal â goleuo'r deall, ac yn dweud wrth ddynion beth yn union sydd raid ei wneuthur fel y byddent yn gadwedig.[118] Ni fynnent ar unrhyw gyfrif ganiatáu i ddynion ymfodloni ar 'ffug dduwioldeb a rhith crefydd oddi allan'.[119] Galwodd Theophilus Evans ar 'ddynion drwg-ystryw anedifeiriol' i ufuddhau i ddwysbigiad cydwybod a hedfan 'att waed Crist ar adenydd ffydd' i'w glanhau.[120] 'Tarian Crist'nogrwydd yw Ffydd', meddai William Williams, person Llangynllo,[121] a cheisiodd William Lewes, Llwynderw, esbonio 'rhyfeddol rym neu effaith Edifairiwch'.[122]

Mynnai Jencin Jones na ellid bod yn Gristion llawn heb brofiad o faddeuol ras: 'pan yw Dyn wedi ei droi o Dywyllwch i Oleuni, o Feddiant Satan at Dduw; pan yw'r Meddwl wedi ei Oleuo, yr Ewyllys wedi ei adnewyddu; y Serchiadau wedi eu gwneuthur yn nefol, yna mae Dyn yn Gristion yn wir'.[123] Yn yr un modd, ymdrechai Samuel Williams yn daer i argyhoeddi ei braidd o ddrygioni pechod, o annigonolrwydd pethau'r byd, o gyflawnder a chyfiawnder Crist, ac o'r angen am achubiaeth.[124] 'Iesu Grist yw'r unig ffordd', meddai, wrth ymdrin â phwysigrwydd 'golchfa'r adenedigaeth'[125]:

> A groeshoeliwyd chwi i'r Byd, neu a yw'ch Eneidiau
> yn glynu wrth y llwch? a oes gennych Dryssor yn y
> Nefoedd, neu Dryssorau yn y maes yn unig? A brynsoch
> chwi'r Perl? Neu a ydych yn ymfodloni a graian?
> Pwy yw eich Cymdeithion, Cenfaint foch y Cythraul, ai
> praidd Crist?[126]

Yr oedd llyfrau John Bunyan yn maethloni bywyd ysbrydol Cymry'r fro erbyn y cyfnod hwn. Cyhoeddwyd *Taith y Pererin* ym 1688, 1699, 1713 a 1722, ynghyd ag ail ran o'r saga enwog ym 1713 a 1730. Yn ôl Stephen Hughes bu'n 'offeryn i wneuthur llawer o Ddaioni i fagad o bobl',[127] a chanfu'r Cymry darllengar fod cyflawnder o gysur a chynhesrwydd ysbrydol i'w darganfod ynddo. Bu mynd mawr ym mro Teifi ar un arall o weithiau Bunyan, sef *Come and Welcome to Jesus* (1678). Troswyd y gyfrol rymus honno i'r Gymraeg gan Iaco ab Dewi, er mwyn dangos bod Crist yn croesawu'r pechadur pennaf, 'bid ef mor goch a'r Gwaed, bid ef mor goch a'r porphor.'[128] Bu *Tyred a Groesaw at Jesu Grist* yn gymorth mawr i ddarllenwyr ddod i lawn sicrwydd ffydd. Cyfeiriodd neb llai na Howel Harris ato fel 'llyfr anghyffredin iawn',[129] a bu ei ddylanwad ar brifiant ysbrydol Evan Williams, Cwmllynfell, mor drwm fel y dysgodd rannau helaeth ohono ar ei gof.[130] Dwysbigwyd calon David Jones, Dugoed, Llanlluan, wrth ddarllen y gwaith mewn cae ger ei gartref: 'bu'n wiw gan Dduw Hollalluog', meddai, 'ddangos i mi Oleuni mawr, a'r llais oedd, yr wyf yn barod i'th dderbyn, tyred ataf, a pharodd hynny i mi fod yn barod iawn i fod yn eiddo iddo Ef.'[131]

Nid gwaith didramgwydd oedd cipio eneidiau. Yr oedd nifer o anawsterau'n sugno nerth y diwygwyr ac yn boen i'w hysbryd. Y cyntaf oedd ymlyniad dall pobl gyffredin wrth ddefodau ofergoelus a dewiniol.[132] Cymdeithas glòs a chaëedig ar lawer ystyr oedd

cymdeithas glannau Teifi. Araf iawn y treiddiai newyddion i'r
plwyfi anghysbell, ac yr oedd tuedd i bobl ddi-fraint ddilyn yr un
rhigolau o ddydd i ddydd, o fis i fis, ac o flwyddyn i flwyddyn. Yn
ôl y teithiwr, Benjamin Malkin, ym 1803, yr oedd rhai o blwyfi
mwyaf diarffordd Ceredigion 'wedi eu cau allan o'r byd'.[133] Pa
ryfedd felly fod hen goelion yn gwrthod darfod o'r tir? Ar un olwg,
problem oesol oedd hon. Yn ystod y Rhyfel Cartref, cwynodd John
Lewis o'r Glasgrug am yr 'haid o seremonïau ofergoelus dall sydd
yn ein plith'.[134] Cymysgfa ryfedd o ofergoeliaeth, paganiaeth,
Pabyddiaeth a Phrotestaniaeth a ganfu Erasmus Saunders yn ne-
orllewin Cymru ym 1721.[135] Pan luniodd Joshua Thomas ei gyfrol
swmpus ar y Bedyddwyr yn ystod y 1770au, dywedodd ei fod yn
cofio clywed 'llawer o hen chwedlau pabaidd ymhlith yr hen bobl'
o gwmpas godre'r sir.[136] Testun syndod i Samuel Meyrick ym 1808
oedd canfod nad oedd golau'r Grefydd Ddiwygiedig wedi llwyddo
i ddileu paganiaeth ac ofergoeliaeth ymhlith pobl gyffredin.[137] A
phan luniodd Evan Isaac ei gyfrol liwgar ar goelion y Cymry yn
ystod tridegau'r ugeinfed ganrif, mentrodd ddweud bod cred
trigolion y sir hon ym modolaeth ysbrydion yn parhau'n hynod o
rymus.[138]

Beth oedd arferion 'pobl weringar a gwangred',[139] chwedl
Samuel Williams? Gwisgent swynion ar eu cyrff ac o gwmpas y tŷ
er mwyn gwarchod eu heneidiau a'u meddiannau rhag ystrywiau'r
diafol a'i lengoedd. 'Braidd y dodent ewin ar eu croen', meddai
Robert Jones, Rhos-lan, am ei ragflaenwyr cyffredin, 'heb ryw
goel.'[140] Rhoddent lawer o goel ar ymddangosiad wenci neu sgrech
pioden. 'Y mae'n beth arferol gan rai dynion hyd heddyw', meddai
Simon Thomas ym 1718, 'nid yn unig goffa Enw'r Groes, ond
hefyd dynnu lun y groes a'r eu hwynebau a'u brestiau, a thros y
Dwfr yn yr hwn yr ymolchant.'[141] Ar ddydd gwylmabsant teithient
i gynnig offrwm uwch beddrodau'r saint. Yr oedd o leiaf ddau gant
o ffynhonnau sanctaidd yng Ngheredigion,[142] ac yr oedd cyrchu
mawr at rai, megis Ffynnon Wenog yn Llanwenog a Ffynnon
Ddewi yn Llandysul, a oedd yn enwog am eu rhin iachusol.

Cyfareddid pobl syml gan ddirgelion pob digwyddiad anesbon-
iadwy. Gan na fedrent na deall nac esbonio holl ryfeddodau natur
a'r cread mawr, hawdd deall eu hygoeledd a'u hofnau. Dotient ar
storïau iasol ac arswydus, ac nid oedd dim gwell ganddynt na
chlywed 'hen chwedlau celwyddog'[143] yn cael eu hadrodd o
gwmpas tanllwyth o dân ar hwyrnos o aeaf. Credent yn ddiysgog

ym modolaeth y tylwyth teg, bwcïod, gwrach y rhibynnod a
chythreuliaid aflan. Tystiai dynion geirwir fod y gannwyll gorff yn
dal i ymlwybro'n dalog i fynwentydd y fro.[144] Yng ngweithfeydd
plwm canol y sir, clywid y coblynnod yn curo ddydd a nos.[145] Pan
ddiflannodd Iaco ab Dewi o'i gartref am saith mlynedd, tybiai ei
gymdogion mai'r tylwyth teg a'i cipiodd.[146] Ymhlith nifer o
straeon lliwgar am ysbrydion a gofnodwyd gan Dafydd Lewys ym
1725, ccir sôn am fwgan a fu'n preswylio mewn tŷ yng Nghilybron-
nau ym mhlwyf Llangoedmor. Dros gyfnod hir bu'r ysbryd yn
cadw twrw yn ystod y nos, yn taflu cerrig ac yn achosi gofid mawr
i drigolion y tŷ. 'Llawer iawn yn hir amser fu'n mynd yno', meddai
Lewys, 'i weled, i glywed, ac i wylad y nos; a'r tylwyth yn cadw ty
agored, ac yn groesawi pawb a ddelent yno. O'r diwedd
ymddangosodd i un o'r tylwyth, ac a chwedleuodd, ac ni flinodd mo
honynt mwyach.'[147]

Yr oedd tuedd pobl anfreintiedig a thrallodus i heidio at y dyn
hysbys neu'r wrach wen yn achosi loes fawr i ddiwygwyr y fro.[148]
Yr oedd gwŷr hysbys yn enwog am eu gwybodaeth gyfrin, eu
cyfrwystra rhyfeddol ac am chwimder symudiad eu dwylo.
Honnent fod y grefft o swyngyfareddu ar flaenau eu bysedd, ac am
swm penodol o arian byddent yn 'adnabod' cymeriad meibion a
merched, yn darogan y dyfodol, yn darganfod lladron, yn adfer
eiddo a ladratawyd, yn iacháu'r cleifion, yn rheibio ac yn
dadreibio, a llu o bethau eraill.[149] Gwyddai Simon Thomas am
'goeg-ddynion', o bosib ym mro ei febyd yn Llangybi, 'a wnant
fawr Ymffrost o blegyd eu Gwybodaeth o bethau i ddyfod, trwy
galandro, a bwrw Golygiadau y Ser a'r Planedau'.[150] Dylifai hen
ac ifanc atynt i ofyn am gymorth. Yr oedd llawer o bobl dlawd a
thrallodus yn poeni mwy am eu dioddefaint yn y byd hwn—am
salwch, methiant y cynhaeaf, tlodi, lladrad, dyweder—nag am y
tebygolrwydd y byddent yn llosgi yn fflamau uffern yn y byd nesaf.
Nid oedd gan fugeiliaid ysbrydol y nesaf peth i ddim i'w gynnig i'r
bobl drallodus hyn, ar wahân i briodoli eu dioddefaint i'w
pechadurusrwydd neu i ewyllys anchwiliadwy yr Hollalluog.
Cymwynas fawr y gwŷr hysbys oedd eu bod yn gweini i gyfreidiau
cymdeithasol pobl yn y byd hwn ac yn cynnig gwasanaeth na ellid
ei gael mewn un man arall.

Gan fod llawer iawn o bethau y tu hwnt i ddeall pobl gyffredin,
yr oedd y gred yn nylanwad maleisus gwrachod yn parhau mewn
bri.[151] Tybid bod gwrachod yn medru melltithio'r sawl a fyddai'n

eu digio drwy achosi dolur corfforol, drygu bywyd rhywiol, erthylu
gwartheg a rheibio bwyd a diod. Er mai ffugiadau yw llythyrau
swynol Anna Beynon,[152] dichon eu bod yn seiliedig ar rai o goelion
a thraddodiadau ardal Llandysul. Ffrwyth dychymyg, mae'n siŵr,
yw'r hanes am wrachod yn cadw cwrdd ar lan afon Teifi bob nos
Sadwrn, gan 'nofio ar glustogau ar hyd wyneb yr afon, ac yn
clebran trwy ei gilydd fel haid o wyddau'. Haws o lawer yw coelio'r
stori am dair o wartheg Waunifor yn trengi wedi i wraig y tŷ wrthod
cardod o flawd i 'ryw hen fenyw salw, ddanneddog, o Felindre
Siencyn'.[153] Yn niffyg unrhyw esboniad derbyniol arall, priodolid
pob digwyddiad felly i *maleficium* y wrach. Ceir tystiolaeth fwy
pendant yng nghofnodion Llys y Sesiwn Fawr: ym mis Mehefin
1693[154] dygwyd Catherine Rees o Nancwnlle o flaen ei gwell ar
gyhuddiad o fod yn wrach. Yr oedd Erasmus Thomas, llafurwr o
Drefilan, wedi ei gleisio yn arw ganddi, a thystiodd John Jenkins o
Nancwnlle ei bod wedi melltithio offeiriad Ystrad ac achosi poen a
salwch hir iddo. Mynnodd Richard a Sarah Lloyd o Landdewibrefi
fod salwch, diffrwythdra ac aflunieidd-dra eu merch i'w briodoli i
gastiau rheibus Catherine Rees. Honnodd pob un o'r tystion fod
enw drwg iddi fel gwrach faleisus yn y gymdogaeth ac na feiddiai
llawer o bobl ei gwrthod rhag iddi eu melltithio. Gallai'r gred mewn
gwrachyddiaeth fod yn foddion i esbonio unrhyw anffawd
anesboniadwy, a daliodd ei gafael ar feddyliau pobl gyffredin hyd
at ddiwedd y ganrif ddiwethaf.

Protestiai Eglwyswyr ac Anghydffurfwyr fel ei gilydd yn erbyn
defodaeth, ofergoeliaeth a llacrwydd gwerin bobl. 'Drwg arferion'
a ''piniwne ofer' a ddeilliodd o 'Uffern ac o Rufain' oeddynt, a
rhoesant bob gewyn ar waith i'w dileu.[155] Ceisient blannu'r syniad
nad drwy 'shiawns a ffortun'[156] y trefnid hynt a helynt dynolryw,
ond yn ôl dymuniad ac ewyllys yr Hollalluog. Yn ôl Simon
Thomas, gweision i Dywysog y Tywyllwch oedd y tesnïwyr a'r
sêr-ddewiniaid. 'Nyni nis gwyddom', meddai, 'ac nis gallwn
wybod beth a ddigwydd i ni y foru.'[157] Neges gyffelyb oedd gan
Iaco ab Dewi hefyd:

> Nid yw brudiwr nes er gwybod,
> Tynghedfen drwg, heb allu'i rhagod,
> Nid oes borth rhag hon a'i niwed,
> Ond ffoi at Dduw i gael ymwared.[158]

Ceisiwyd chwalu'r hen gredoau a'r damcaniaethau yn ogystal
drwy borthi'r cyhoedd â ffrwyth y wyddoniaeth newydd. Simon

Thomas oedd y Cymro cyntaf i roi cynnig ar drosglwyddo crynodeb poblogaidd o wybodaeth wyddonol a seryddol yr oes. Yn ei lyfr arloesol, *Hanes y Byd a'r Amseroedd,* casglodd gyfoeth o wybodaeth am yr holl ddarganfyddiadau chwyldroadol a gyflawnwyd er dyddiau Copernicus. Agor bydoedd newydd o flaen meddyliau 'Cymry uniaith ac annysgedig' oedd ei fwriad, ac mewn oes pan oedd y mwyafrif o'r bobl yn gwbl analluog i reoli eu tynged eu hunain yr oedd neges fel honno'n un hynod o amserol.[159]

Yr ail anhawster neu fwgan i ddiwygwyr y fro oedd ofn y Pabydd. Er bod nifer y Pabyddion yn ne-orllewin Cymru wedi edwino'n fawr er dyddiau Elisabeth I,[160] yr oedd caredigion y Grefydd Ddiwygiedig yn parhau i fod yn niwrotig o bryderus wrth ystyried y peryglon o du Rhufain.[161] Yr oedd dwy sail i'r rhagfarn wrth-Babyddol. Yn gyntaf, tybid mai ffydd hocedus a thwyllodrus oedd Pabyddiaeth, crefydd a dynnai'n groes i bopeth daionus a sanctaidd. Nid 'yr Hen Ffydd' oedd Pabyddiaeth, ond 'ffiaidd eilunaddoliaeth', llygriad cableddus o'r wir grefydd apostolaidd. Prin y medrai Theophilus Evans ei berswadio ei hun i roi eiliad o ystyriaeth i 'holl sothach Pabyddiaeth',[162] a gwelodd Simon Thomas yn dda i gyffelybu Eglwys Rufain i 'Dommen fawr yn ymmyl Ty, i'r hon y bwrir yr holl Dom a'r Tail a gesglir yn y Beudai a'r Fywchfaes oddiamgylch'.[163] Credai pob Protestant mai anwybodaeth oedd mamaeth Pabyddiaeth, a bod y Pab a'i weision yn gomedd hawl yr unigolyn i berchen Beibl a dod i wybod y gwirionedd drosto'i hun. Mynnai Eglwys Rufain osod awdurdod yn uwch na'r gwirionedd, a thrwy gydol yr Oesoedd Canol bu'r Cymry mewn 'caethiwed tost ac erchyll' dan fawd gormesol y Pab.[164] O ganlyniad, yn nhyb Iaco ab Dewi, yr oedd 'eneidiau truein' wedi cael eu harwain 'yn aflawen gan y Dall, i ffos Angeu, a Distriw'.[165] Mewn cerdd a luniwyd i gystwyo'r Ymhonnwr Siarl ym 1745, mynegodd Siencyn Thomas ei ofnau ynghylch awydd y Pabydd i osod cannwyll Dduw dan lestr:

> Ceisio mae'r pabistiaid gwaedlyd
> Losgi'n Biblau ni gyd yn garn
> A Merthuru athrist weithred
> Y Protestanieid union farn.
> Llenwi gwlad, ag Eglwys wedi'n
> Ag anwybodaeth gethin gas
> Cadw dynion mor dywylled
> A'r Anifeiliaid yn y Maes.[166]

Yr ail sail i'r gwrthwynebiad i Babyddiaeth oedd y gred mai crefydd ormesol a bwystfilaidd ydoedd. Mewn oes pan oedd Prydain yn wynebu bygythiad dychrynllyd o du'r 'Anghenfil o Ffrainc',[167] Lewis XIV, dysgid trigolion Dyffryn Teifi i gasáu'r Pab a'i ddilynwyr o ddyfnder calon. Bleiddiaid rheibus oedd y Pabyddion: sonia'r halsingod am 'law groylon y Pabyddion' ac am y modd y llosgwyd miloedd o Brotestaniaid duwiol yn y gorffennol.[168] Y Pab oedd y Gwrth-Grist, 'y dyn gwaedlyd' a 'gelyn creulon i wir Bobl Dduw'.[169] Caseid yr Iesuwyr â chas perffaith: 'y Jesuit brych . . . mor gyfrwys fu ei ddysc', canai Alban Thomas, ac nid amheuai Simon Thomas mai'r milwyr celaneddol a dichellgar hyn oedd 'y Frawdoliaeth gasa ag sy'n perthyn i Eglwys Rufain'.[170] Yr oedd elfen gref o senoffobia ynghlwm wrth y rhagfarnau hyn: barbariaid gwyllt oedd y Gwyddelod, 'begers byd' oedd y Sbaenwyr a 'chigyddion gwaedlyd' oedd y Ffrancod.[171] Dwysawyd yr ofnau ar adeg o argyfwng cenedlaethol, ac anogid pob Protestant y pryd hwnnw i argyhoeddi ei gymydog mai crefydd gau oedd Pabyddiaeth ac mai gormes a chaethwasiaeth fyddai tynged y sawl a blygai lin i'r gelyn allanol.

Y trydydd bwgan i fwrw ei gysgod yn drwm dros ymdrechion diwygwyr y fro oedd y cof am yr hyn a ddigwyddodd yn ystod y cyfnod chwyldroadol rhwng 1640 a 1660. Hunllef fu'r drefn a sefydlwyd gan y Piwritaniaid, a chofiai trigolion y sir yn dda am y defnydd a wnaed o rym y cledd gan filwyr estron a gorfodogwyr pybyr.[172] Nid atgof pell ychwaith oedd yr hanes am ddienyddiad Siarl I, a brithir llenyddiaeth yr oes â chyfeiriadau miniog at drawsfeddianaeth Cromwell. Anodd mesur dyfnder y graith a seriwyd yn eneidiau'r Cymry yn ystod 'yr amseroedd blin', ac un o ofnau mawr y ddwy genhedlaeth ar ôl 1660 oedd y byddai rhyfel cartref yn torri allan unwaith yn rhagor, gan roi cyfle i fudiadau gweriniaethol i droi'r byd wyneb-i-waered.[173]

Ar ôl profi cyfnod o chwyldro, yr oedd y sawl a gredai mewn undod yn barotach nag erioed i ddysgu pobl fod yn rhaid wrth reol a threfn o flaen dim. Geiriau brwnt mwyach oedd 'brwdaniaeth' a 'phenboethni'. Prif gystwywr yr *enthusiasts* gorbybyr oedd Theophilus Evans. Yr oedd ef yn fwy chwannog na neb o'i gyfoeswyr i agor hen glwyfau drwy edliw i Anghydffurfwyr yr hyn a gyflawnwyd gan sectau a mudiadau cythryblus yr oes chwyldroadol. Casâi Theophilus Evans sectyddiaeth â chas perffaith. Yr oedd y gair 'brwdaniaeth' fel cadach coch i darw iddo ef.

'Dugn-Hereticiaid aflan' oedd y Crynwyr, ac aflonyddwyr penboeth, llawn 'Zêl frwd danbaid . . . yn ymdreiglo o fan bwygilydd i bregethu i'r werin anwastad' oedd y Methodistiaid.[174] Fel llawer Uchel-Eglwyswr digymrodedd, ofnai Theophilus Evans fod y carfanau hyn â'u bryd ar gynneu fflam gwrthryfel mewn byd ac eglwys. Yn ei dyb ef, ni ellid rhannu'r eglwys heb fygwth seiliau Cristnogol a pharhad y wladwriaeth. O gofio'r agwedd hon, nid yw'n rhyfedd yn y byd mai adfer undod a threfn oedd un o freudd-wydion mawr yr oes. Yn ei awydd i sicrhau cytgord perffaith o fewn y deyrnas, cyhoeddodd Samuel Williams ddau argraffiad o *Undeb yn Orchymynedig i Ymarfer* (1710; 1712),[175] pregeth yn seiliedig ar Salm 133[1] ('Wele, mor ddaionus ac mor hyfryd yw trigo o frodyr ynghyd'). Yn y bregeth honno, gwelir yn eglur fod sêl a brwdan-iaeth dan gabl mwyach, a bod disgwyl i bawb i osgoi cynghorion 'pobl derfysgus, ymrysongar a chynhennus, a holl Achleswyr Anghydfod'. Mewn gweddi deimladwy, lleisiodd Samuel Williams ddyheadau'r oes: 'Anfon i'n mysg (nyni a atolygwn i ti o Dduw) am Amryfusedd, Wirionedd; am Schism, Undeb; am Ofergoel, union Addoliad; am Gymysgedd, iawn Drefn; am Halogrwydd, Dduwioldeb; am Ymrafael, Gytundeb; ac am bob gau Opiniwnau, union Farn ymhob peth.'[176] Y gwir amdani yw mai math o ddiod gwsg oedd llawer o lenyddiaeth grefyddol yr oes. Drwy arlwyo cyffur i dawelu'r bobl gellid sicrhau cymod a threfn, ac osgoi'r posibilrwydd arswydus y câi'r wlad ei rhwygo unwaith yn rhagor gan ryfel cartref.

Y bwgan olaf i ddiwygwyr y fro oedd yr her i'r ddiwinyddiaeth Galfinaidd o du Arminiaeth. Â synnwyr trannoeth, gallwn weld mai arwydd o gynnydd ac o ddeffroad meddyliol oedd y gwahan-iaethau barn a ymddangosodd ar faterion diwinyddol. Ond ymarswydai Calfiniaid lleol rhag unrhyw ymgiprys deallusol a allai ddarnio eglwysi a llacio'u gafael hwy ar feddyliau dynion. Ar draws y ffin yn Henllan Amgoed, cyffrowyd dadleuon cas yn ystod yr helynt a gododd rhwng Uchel-Galfin ac Isel-Galfin.[177] Ond mwy peryglus na hynny oedd y galw cynyddol am ryddid barn mewn materion eglwysig. Rhoddid parch newydd i brofion rheswm a gwyddoniaeth yn yr academïau Anghydffurfiol, ac yr oedd y gogwydd hwnnw yn esgor ar ddehongliadau newydd a oedd yn rhwym o fygwth y consensws Calfinaidd. Cychwynnwyd yr heldrin ym mro Teifi pan flinodd Jencin Jones o Lanwenog ar Galfiniaeth gyfyng a digymrodedd ei hen feistr, James Lewis, gweinidog

Pantycreuddyn. Wedi yfed yn ddwfn o'r ffynhonnau diwinyddol rhyddfrydig a lifai drwy academi Thomas Perrot yng Nghaerfyrddin yn ystod y 1720au cynnar, penderfynodd Jones herio seiliau Calfiniaeth. Hyd y gellir barnu, pregethai'r Arminiad ifanc gyda mesur helaeth o ffresni, dewrder a dylanwad. Yr oedd eisiau menter a gwroldeb i dorri ar draws rhai o gonfensiynau diwinyddol mwyaf cysegredig y fro, ac nid yw'n syn o gwbl fod Calfiniaid lleol wedi arswydo at ymddygiad a dysgeidiaeth newydd Jencin Jones. Er hynny, os yw traddodiad llafar i'w goelio, yr oedd o leiaf un Cardi wedi gwynto bargen dda: 'Diawl a'm cato i', meddai'r wàg hwnnw, 'os nad Jencin Jones yw'r dyn gore, mae yn fodlon i bawb gael myned i'r nefoedd, nid fel Mr. Lewis am gadw y nefoedd iddo'i hun a'i etholedigion.'[178] Ond go brin fod yr hen Galfinydd hirben a dwys, James Lewis, yn ŵr digon llydan ei feddwl i fwynhau'r jôc nac i roi cyfle i anuniongrededd hidlo drwy ei braidd. Caeodd bulpud Pantycreuddyn yn erbyn Jencin Jones, a throes yntau i bregethu'r ffydd Arminaidd yn hen ffermdy Pen-y-banc o 1726 ymlaen.[179]

Bu'r cynnydd yn rhengoedd yr Arminiaid yn destun loes a sen i'r ffyddloniaid Calfinaidd, a chafwyd cryn ymdderu ar lafar ac mewn print. Ym 1729 cyhoeddodd Jencin Jones lyfryn yn dadlau mai 'lledrith diddim' oedd pechod gwreiddiol, a bod gan bob unigolyn ryddid ewyllys i sicrhau ei gadwedigaeth ef ei hun.[180] Atebwyd yr her bron cyn i'r inc sychu ar bapur yr Arminydd. Rhuthrwyd amddiffyniad drwy'r wasg gan James Lewis a Christmas Samuel, gweinidog Pant-teg, Abergwili. Bwriad *Y Cyfrif Cywiraf o'r Pechod Gwreiddiol* (1730) oedd amlygu'r 'twyll a'r hudoliaeth' a geid yng ngwaith cableddus Jencin Jones, ac i amddiffyn Calfiniaeth yn ei grym. Mae'n gwbl amlwg fod gweinidogion Calfinaidd yn petruso'n arw wrth weld yr efengyl newydd yn ymledu fel cwmwl du dros y fro. Cyffrowyd mwy o chwerwder a dicter pan ddechreuodd Bedyddwyr fel Abel Francis o Gastellnewydd Emlyn a Charles Winter o'r Hengoed wrthdystio'n huawdl yn erbyn pechod gwreiddiol ac etholedigaeth bersonol.[181] Erbyn 1733 yr oedd Eglwys Llwynrhydowen ar ei thraed, a'r argyfwng yn prysur waethygu. Ceisiodd Enoch Francis gyfannu'r rhwyg yn ei lyfr cymedrol, *Gair yn ei Bryd* (1733), cyfrol a luniwyd 'i lonyddu yr ymrysonau ag sydd yn peri mawr ofid a nychdod enaid, gan ddiffodd cariad, a thynu cynnen'.[182] Ond mwynhau cynnen o bob math a wnâi Simon Thomas a tharanai ef yn erbyn pob rhyfygwr a

Llwynrhydowen (adeiladwyd 1834), Capel yr Undodiaid

Llun: Anthony Jones

geisiai chwalu'r undod Galfinaidd. 'Crefydd Arminius sydd fel Grug yr Anialwch', meddai wrth olrhain seiliau ffydd Jencin Jones a'i ddisgyblion i ddyddiau Pelagius, 'y Crasdir sych sydd yn cytuno orau a hwynt hwy.'[183] Yn ôl yr hereticiaid hyn, chwarddai'n ddirmygus, prynodd Crist bawb o'r hil ddynol, a neilltuodd le i 'Blant Juddewon, Plant y Mahometanod, Plant y Paganod' yn nheyrnas nefoedd![184] Ond ni bu geiriau caredig Enoch Francis na rhuo blagardus Simon Thomas yn ddigon i amddiffyn Calfiniaeth rhag y llanw Arminaidd. Erbyn marwolaeth Jencin Jones ym 1742, â chryn arswyd y soniai Calfiniaid am 'gyflym rediad llwyddiannus Arminiaeth ac Ariaeth yn yr Eglwysi'.[185] Medrent amgyffred y perygl, ac anogent eu preiddiau'n daer i lynu'n ddiffuant ac yn ddeallus wrth uniongrededd y traddodiad Calfinaidd.

Er mai dwyn goleuni'r Efengyl ac iachawdwriaeth i'r bobl oedd y prif ysgogiad i ddiwygwyr Dyffryn Teifi, yr oedd parch at eu treftadaeth ddiwylliannol a chariad at eu gwlad yn gymhelliad

hollbwysig. Nid cyfrwng yn unig oedd yr iaith Gymraeg i'r
llenorion hyn, ond trysor i'w goleddu. Ymffrostiai Samuel
Williams yn y ffaith fod gan y Gymraeg 'feini gwerthfawr, tlysau
godidog a gwisgoedd euraid'.[186] Gallai ei fab, Moses, ysgrifennu
Saesneg graenus, ond iaith ei fam oedd orau ganddo, gan mai
honno, meddai, 'y mae pawb eraill agos o holl Drigolion Ewropa yn
cynfigennu wrthym o'i Achos'.[187] Gwyddai ef, a'r lleill, am y
cysylltiad agos rhwng y Gymraeg a'r Hebraeg a mamieithoedd
eraill y dwyrain.[188] Ymboenent hefyd am ystwythder a phurdeb yr
iaith. Er bod rhai ohonynt yn eu caethiwo'u hunain i holl gymhleth-
dodau'r gystrawen Saesneg wrth drosi llyfrau i'r Gymraeg, yr oedd
y mwyafrif yn medru cyflawni'r dasg yn llyfn a rhwydd. Honnai
Jencin Jones fod darllen Cymraeg yn 'un o'r saith Gamp
deuluaidd', a cheisiodd ymestyn a chyfoethogi geirfa ei ddarllen-
wyr drwy ddefnyddio hen eiriau neu fathu geiriau newydd megis
'anorair', 'anwrthebair', 'cuchnaws', 'dwfr-wryf', 'safnfudraidd'
a channoedd o rai eraill.[189] Fel y gweddai i un a ysgrifennai gydag
asbri a ffresni, yr oedd Theophilus Evans yn ddirmygus iawn o'r
sawl a hoffai 'math o hen Eiriau sy megis wedi llwydo a phen-
wynnu gan Oedran'.[190] 'Y peth sydd ber-arogl mewn un Jaith',
meddai, 'a ddrewa yn barod wrth ei gyfieithu yn ôl y Llythyren i
Jaith arall.'[191] Loes calon i Alban Thomas oedd gorfod gwrando ar
dafodiaith fratiog trigolion de-orllewin Cymru, a lluniodd restr
faith o eiriau Saesneg sathredig 'er mwyn gweled or Cymru ei
hamrafussedh'.[192]

Yr oedd agweddau fel hyn yn bwysig mewn oes pan oedd gwŷr
bonheddig yn ymseisnigo a llawer o eglwyswyr yn ystyried yr iaith
Gymraeg yn gyfrwng rhy amrwd i drafod materion o bwys mewn
gwlad ac eglwys.[193] Mewn almanaciau, baledi, halsingod a llyfrau
crefyddol, tystiai llenorion fod y boneddigion yn gomedd i'r iaith
Gymraeg le anrhydeddus o fewn y gymdeithas. Wrth ganu clodydd
ei 'hen-famiaith odidog', gresynai Samuel Williams wrth
sylweddoli ei bod 'wedi myned yn ddigyfrif tan draed a'i braint yn
niffodd ym mysg pobl goegfeilchion y Genhedlaeth serch-
newyddiawg hon'. Ymosododd yn ddeifiol ar y 'min-grynnion' na
fynnent siarad dim ond 'rhyw goeg-gymhendod lledieithog'.[194] Yn
yr un modd, pwysai'r ffaith fod hen noddwyr y Gymraeg yn dwyn
gwarth ar y genedl yn drwm ar enaid Moses Williams: ofnai fod
gormod ohonynt 'wedi gorphwyllo cymhelled yn ddiweddar nad
yw'n gywilydd yn y byd ganddynt gablu a dibrisjo' un o'r ieithoedd

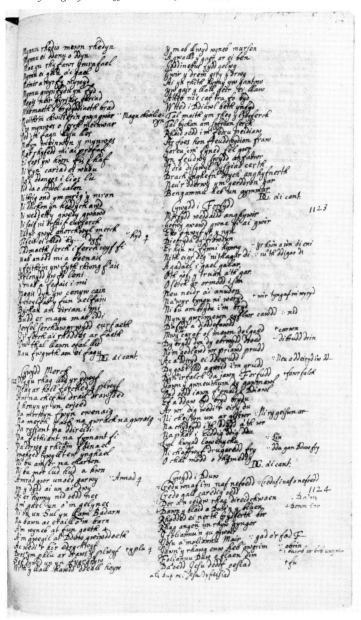

Llawysgrifen Samuel Williams

Llun: Llyfrgell Genedlaethol Cymru

Llawysgrifen Iaco ab Dewi

Llun: Llyfrgell Genedlaethol Cymru

hynaf yn Ewrop.[195] Gwrthdystiodd y ddau hefyd yn erbyn offeiriaid diog a hunandybus a fyddai'n 'brwysgo ar draws tafarnau' ac yn pregethu yn yr iaith fain er mwyn 'anafu'r iaith Gymraeg' a drysu Cymry uniaith.[196]

Ymhyfrydai'r llenorion yn y ffaith fod ganddynt etifeddiaeth ddiwylliannol odidog yn ymestyn yn ôl i ddyddiau'r penceirddiaid. Er bod y gyfundrefn farddol ar drai, os nad wedi dadfeilio'n llwyr, yr oedd yr awydd i arddel cysylltiad agos â ffynhonnau bywiol eu treftadaeth farddol yn parhau. Yng nghwmni Iaco ab Dewi, treuliodd Samuel Williams oriau hirfaith ac egni di-ben-draw yn copïo rhai o drysorau llenyddol penna'r gorffennol. Copïodd nifer helaeth iawn o gywyddau hen a chyfoes, ac y mae'r llawysgrif a adwaenir fel Llanstephan 133 yn y Llyfrgell Genedlaethol yn deyrnged i'w ddyfalbarhad gymaint ag i'w ysgolheictod. Ynddi ceir 770 tudalen o farddoniaeth orau'r genedl wedi ei chopïo mewn llawysgrifen brydferth tu hwnt ganddo ef ac Iaco ab Dewi. Chwiliai Samuel Williams am hen lawysgrifau ym mhob twll a chornel, ac ni fynnai ar unrhyw gyfrif anwybyddu hyd yn oed y tameidiau mwyaf bratiog. Yn yr un modd, gwyddai Iaco ab Dewi gryn dipyn am ddiwylliant a chrefft yr hen gywyddwyr, ac y mae'r trysorau a gasglodd ar gyfer ei gyfrol *Flores Poetarum Britannicorum* (1710) yn brawf o'i ddiddordeb mewn canu rhydd.[197] Er mai tra gwallus a dieneiniad yw cynnyrch barddol Alban Thomas, gwnaeth ei orau glas i ddilyn cyfarwyddyd ac 'awdyrdod prydyddawl' cewri'r traddodiad barddol.[198] Bu'n fwriad gan Moses Williams i gyhoeddi Geiriadur a Gramadeg Cymraeg, casgliad o drioedd a mynegai i farddoniaeth Gymraeg ond, oherwydd diffyg nawdd ariannol, ni welwyd llawer o ffrwyth ei lafur mewn print. Eto i gyd, daliodd ati i gasglu a chopïo hen lawysgrifau a oedd ar chwâl neu mewn perygl o gael eu difetha.[199] Y mae'r llawysgrifau a ddiogelwyd yng nghasgliad godidog Llanstephan yn goffa bythol i'r llafur aruthrol a gyflawnwyd ganddo.

Elfen amlwg arall ymhlith llenorion y fro oedd eu hawydd i anadlu bywyd i esgyrn sychion hanes Cymru. O ran dychymyg a dawn dweud, yr oedd campwaith Theophilus Evans, *Drych y Prif Oesoedd* (1716), yn bwrw pob llyfr arall a gyhoeddwyd ar hanes Cymru i'r cysgod.[200] Gwyddai Theophilus Evans sut i gyffroi'r dychymyg drwy adrodd stori dda. Seiliwyd ei waith ar ddwy thema: yn gyntaf, yr hanes am achau a gwareiddiad yr hen Frythoniaid, a'r rhyfeloedd a fu rhyngddynt a'r Rhufeiniaid, y

Brythwyr a'r Saeson; ac yn ail, cychwyn y traddodiad Cristnogol a thwf crefydd hyd oes y Grefydd Ddiwygiedig. Fel gwladgarwr brwd yr ysgrifennai Theophilus Evans, ac ni fynnai wrando ar Saeson dysgedig a honnai mai cywreinbeth henffasiwn a diystyr oedd seiliau cenedligrwydd y Cymry. Fersiwn ceidwadol a chynwyddonol yw ei ddehongliad ef o hanes ei genedl, a'i brif fwriad oedd maethu'r Cymry yn holl ogoniant, lliw a chyffro eu gorffennol. Rhoes hwb o'r newydd i'r hen draddodiadau am darddiad y Cymry. Impiodd wedd liwgar ac atyniadol ar hanes Sieffre o Fynwy am ddyfodiad Brutus—'y gŵr o Gaerdroea'—ac am holl helyntion y Cymry hyd ddyddiau Cadwaladr. Rhoes wisg werinol yn ogystal ar ddadl y Llydawr, Paul Pezron, mai o Gomer, fab Jaffeth fab Noa, y tarddodd y Cymry. Llyncwyd ei chwedlau yn awchus, a chlywir adlais o'i ymffrost ef yng nghanu'r fro:

> Cymry mwynion oll och bron
> A ddaeth o gron Gardroya
> Dros Beriglys forodd mawr
> I ddyrys lawr Britannia.[201]

O gofio dawn greadigol Theophilus Evans, ei arddull ffres, ei eirfa liwiog a'i hiwmor dychanol, haws deall paham y cyhoeddwyd o leiaf ugain argraffiad o *Drych y Prif Oesoedd* cyn 1900. Deuai tystion lu i gadarnhau mai darluniwr swynol, chwedleuwr diddan a gwladgarwr pybyr oedd Theophilus Evans.

Yr elfen wladgarol yw'r nodwedd olaf yng ngwaith llenorion Dyffryn Teifi. Addefent yn gyson eu bod yn barod i roi pob gewyn ar waith dros 'wlad a chenedl y Brutaniaid'. Ni fyddai Samuel Williams yn cuddio'i deyrngarwch i'w wlad dan lestr: 'gwresogrwydd Zêl fy Serch', meddai, 'a Thwymnder Ymysgaroedd fy nghariad tuag at fy Ngwlad a'm Cenedl fy hun sy'n fy nghymell yn oestad ac yn gyrru blys arnaf (heb arbed na Phoen na Thraul) i geisio gwneuthur rhyw Dwrn da a Llesâd iddynt yn ôl fy ngallu.'[202] Deuai cariad y llenorion at eu gwlad i'r amlwg pan welent fod rhywun neu rywrai yn gweithredu'n groes i les y genedl gyfan. Berwent gan gynddaredd o weld eglwyswyr uchel eu bri yn sarhau'r iaith Gymraeg ac yn mynegi dymuniad i'w 'danfon i dir angof mor ebrwydd ag y gallesid'.[203] Nid oeddynt yn ddall i ddiffygion moesol a deallusol rhai o'u cyd-offeiriaid, a gwrthdystient yn huawdl yn erbyn y drefn a orfodai'r sawl a chwenychai ddyrchafiad i 'ymbil' o flaen esgob neu dirfeddiannwr 'a'i ganlyn ef yn hir ac yn faith, ei besgi, ei anrhegu, a'i wobrwyo ef o ddydd i ddydd, ai foddhau ef o hyd ym mhob peth hyd yr eithaf'. [204] Gwyddent yn dda mai pen-llanw'r drefn honno fyddai dyrchafu offeiriaid drwg 'a bod yn ddiserch i'r rhai da'. [205] Yr un gŵyn a leisir yn yr halsingod:

> 'R Eglwyswyr s' a'i bryd i gasglu'r Da'r byd,
> Hwy gneifant y cnaif, ni phorthant y praidd.

> Ysgeulus ŷnt hwy i warchod eu plwy;
> A mudion fel Cŵn, heb gyfarth na sŵn. [206]

Dengys yr halsingod nad Howel Harris oedd y diwygiwr cyntaf i daranu yn erbyn gwŷr mawr Ceredigion. [207] Y mae'n amlwg fod cryn anesmwythyd yn bodoli o ganlyniad i ymgais Lefiathaniaid mawrion y sir i grynhoi—drwy deg a thrwy drais—fwy o dir ar draul eraill:

> mayr gwyr mowrion yn byw'n groylon
> yn Asgellog Ag yn llidiog
> yn rhioli wrth ei ffansi
> A newid ton fel y mynnon
> yn damsen gwlad mewn modd irad
> fal y borfa wrth ei trawstra
> byw yn ddyrys Ag yn ddibris
> yn llawn hocced nafys niwed. [208]

Yr un byrdwn a glywir gan Ifan Gruffydd a Samuel Williams yn yr unig gasgliad printiedig o halsingod i weld golau dydd:

> Trahaus yw'r Gwŷr mawr camweddus sy'n awr
> Yn gwasgu pob Brawd llwm, rheidus, tylawd.
> . . . .
> Llaweroedd y sy'n troi Tŷ at eu Tŷ,
> A maes at eu maes: mae'r rhain yn ddiras.

> Helaethant bob un ei derfyn ei hun
> Ni phorthir mo'u Chwant er cymaint a gânt. [209]

Eu hunig gysur oedd gwybod na fyddai Duw yn gwyro barn ar 'ddydd brawd' er mwyn y cyfoethog. Deifiol iawn oedd rhybudd Ifan Gruffydd i'r gŵr mawr gormesol na fynnai ystyried ei dynged:

> Nid yw celain y balcha'i ben
> Ond diarbed fwyd i bryfed. [210]

Bron na ellir clywed rhai awduron yn rhwbio'u dwylo yn eiddgar wrth feddwl am gwymp bonheddwyr trahaus ar Ddydd y Farn:

> Ar holl renti mawr ar Cyfoeth syn awr
> A gollir yn Llwir rhwng boreu a hwir
> Ar plasau ar tai o gerig a chlai
> A gwmpant I Lawr ar doriad y wawr.[211]

Ond yng ngwaith Moses Williams y ceir y mynegiant mwyaf teilwng a thrawiadol o wladgarwch llenorion y cylch. Yr oedd Moses Williams yn feddyliwr gwreiddiol, a dichon y gellid priodoli hynny i'r ffaith iddo symud mewn cylchoedd dysgedig ac amrywiol y tu allan i'w gynefin. Nid oes dwywaith nad oedd yn ŵr synhwyrus anghyffredin. Carai ei wlad yn angerddol. Ymboenai ynghylch problemau ei wlad a phlediai achos yr iaith ar bob achlysur. Mewn pregeth wladgarol danbaid a draddododd gerbron aelodau o Gymdeithas yr Hen Frythoniaid yn Llundain ym 1717, lleisiodd Moses Williams ei freuddwydion ynghylch dyfodol Cymru.[212] Cymerodd 1 Corinthiaid X.24 fel testun: 'na cheisied neb yr eiddo ei hun, ond pob un yr eiddo arall'. Molawd i Gymru yw'r llith, ac ymgais i ddwyn perswâd ar Gymry goludog y brifddinas i ymrwymo i ofalu am les y genedl. Yr hyn sy'n rhoi hynodrwydd i genadwri Williams yw'r ffaith ei fod yn awyddus i weld datblygiad economaidd yng Nghymru. Er ei fod yn ymffrostio yng nghyfraniad y Cymry i ddiwylliant a chrefydd ar hyd yr oesoedd, yr oedd yn ddigon craff i weld bod angen buddsoddi cyfalaf yng Nghymru er mwyn hybu datblygiadau a sefydliadau dros gylch eang. Galwodd arnynt i noddi prifysgolion ac ysgolion elusengar er mwyn codi cenhedlaeth o wŷr talentog ac addysgedig; i godi gweithdai, elusendai ac ysbytai er mwyn ymgeleddu'r hen, y methedig a'r clwyfus; i adeiladu masnachdai er mwyn hybu crefftwaith a busnes ymhlith yr haenau canol; ac i argraffu llyfrau Cymraeg i'w dosbarthu ymhlith y gwerinos tlawd. Aeth ymhellach na hynny: dangosodd ei fod wedi sylweddoli bod tir Cymru wedi ei fendithio gymaint fel y gellid ei chymharu â gwlad Canaan fel y'i disgrifir yn Deut. VIII. 7-9. Apeliodd yn daer at y Cymry ariannog yn Llundain i fuddsoddi arian sylweddol yn eu mamwlad er mwyn rhoi cyfle i'w cyd-wladwyr llai breintiedig wireddu eu breuddwydion a datblygu eu talentau i'r eithaf. O wneud hynny, meddai, gallai'r Hen Frythoniaid weddnewid Cymru'n llwyr a sicrhau cyfle iddi ddatblygu a mynegi ei phersonoliaeth yn ddirwystr. Pan gofiwn mai ar chwedlau niwlog a sentimental yn aml y seiliwyd gwladgarwch yr oes honno, ni allwn lai na rhyfeddu at ehangder gweledigaeth Moses Williams.

Gwaith cymharol ddidrafferth oedd ysgrifennu neu gyfieithu llyfr, ond gorchwyl anos o lawer oedd dwyn y cynnyrch hwnnw i olau dydd, yn enwedig oni fedrai awdur ddibynnu ar gymdeithasau dyngarol am nawdd ariannol. Erys nifer o gyfieithiadau Samuel Williams yn anghyhoeddedig,[213] ac nid ef oedd yr unig lenor i weld llawysgrif orffenedig 'megis Plentyn y ddaethai hyd yr anedigaeth heb rym i esgor'.[214] Dan y fath amgylchiadau, nid oedd dewis ond chwilio am noddwyr ymhlith uchelwyr lleol. Dangoswyd eisoes bod mesur helaeth o ymddigymreigio yn digwydd ymhlith boneddigion Cymru, ond ni lwyddwyd i berswadio holl wŷr bonheddig Dyffryn Teifi i ymadael â'u hymrwymiadau i'w hetifeddiaeth Gymreig. Yn wir, yr oedd nifer ohonynt yn awyddus iawn i arddel cysylltiad agos â ffynhonnau bywiol eu treftadaeth. Elwodd Theophilus Evans yn fawr ar wybodaeth a deunydd llenyddol William Lewes, y llenor a'r hynafiaethydd o Lwynderw, Llangeler. Yr oedd Lewes yn berchen llyfrgell odidog, y mwyaf gwerthfawr a welsai etifedd Penywennallt erioed.[215] Ysgogydd ariannog i lenorion y fro oedd y Capten John Lewis o'r Gernos, Llangynllo, tad Erasmus Lewis, yr offeiriad a'r geiriadurwr o Lanbedr Pont Steffan.[216] Mewn ufudd-dod i orchymyn y Capten Lewis, ac ar ei draul ef hefyd y lluniodd Moses Williams *Cydymmaith i'r Allor* ym 1715.[217] Yn yr un modd, gorchmynnwyd Alban Thomas gan ysweiniaid ei fro—Stephen Parry o Neuaddtrefawr, aelod seneddol Ceredigion, a Walter Llwyd o Goedmor, uchel-siryf Ceredigion—i baratoi a chyhoeddi *Dwysfawr Rym Buchedd Grefyddol* (1722).[218] Bu Harri Llwyd, ysgwier a sersiant o'r gyfraith yn Llanllawddog, yn noddwr ystyriol i Iaco ab Dewi. Yn ôl Moses Williams, fe ymgeleddodd y meudwy llengar 'yn ei Henaint a'i Dlodi a'i Radd isel yn y Byd trafferthus hwn', a phan gyflwynwyd *Meddylieu Neillduol ar Grefydd* (1717) i Llwyd, talwyd teyrnged hael iddo am 'amddiffyn Achosion y Tlodion, a'i cynnorthwyo yn erbyn Cam, Gorthrymder, a Hocced y Cedyrn trawsion camweddus mewn Llys a Gwlad'.[219]

Gwyddai awduron y gallai sicrhau nawdd gŵr o awdurdod a dylanwad, rhyw *talem Maecenatum dignissimum,*[220] chwedl Theophilus Evans, roi gwedd barchus i lyfr, a'u cadw rhag cael eu llarpio gan 'Geccrynnod anfodlonol a Chenawon Momus wenwynllyd'.[221] Cyflwynodd Samuel Williams ei gyfrol *Amser a Diwedd Amser* (1707) i Humphrey Humphreys, esgob Caerfaddon, oherwydd fod Cymru gyfan yn ystyried y noddwr diwylliedig hwnnw yn 'Ben-Colofn ardderchog i gynnal i fynu hen Iaith y Brutaniaid'.[222] Dilynodd Moses Williams batrwm ei dad drwy gyflwyno'i bregeth enwog ym 1717 i Robert Price, y barnwr gwladgarol o Glwyd, a chyfaddefodd ei fod yn awyddus i 'osdegu peth ar y Gabledigaeth a'r Enllib' a dywelltid arno am siarad mor blaen.[223] Bu Theophilus Evans yn ddigon craff i gyflwyno *Drych y Prif Oesoedd* i Adam Ottley, esgob Tyddewi, a sicrhau *imprimatur* Marmaduke Gwynne o'r Garth, un o foneddigion cyfoethocaf sir Frycheiniog, i'w *Gwth i Juddew* (1728).[224] Pur anaml y gwelid Anghydffurfwyr yn dangos y math hwn o barch gerbron mawrion. Edrych yn gilwgus ar yr arfer o 'wenjeithio tan Rith talu Geiriau Moesol' a wnâi Simon Thomas a Jencin Jones.[225] Serch hynny, yr oedd Eglwyswyr ac Anghydffurfwyr fel ei gilydd yn awyddus i weld gwŷr o ddylanwad yn cefnogi eu hymgyrch i ddiwygio moes a buchedd eu cydwladwyr. Credai Samuel Williams y gallai boneddigion ac ynadon 'ag un Warrant weithio amlyccach Diwygiad nag a ellid wneuthur â rhai Cannoedd o Bregethau ar ryw Ddynion. Cymaint o ragoriaeth sy rhwng deisyf ar, a gorchymyn i Bobl ymwrthod â'u Drygioni.'[226] Croesewid pob ymgais gan leygwyr uchel eu parch i *gymell* pobl i fyw yn dda.

Lliniarwyd y broblem o sicrhau noddwyr yn sgil cynnydd y wasg ranbarthol ar ddechrau'r ddeunawfed ganrif. Wedi 1695 rhuthrodd argraffwyr a llyfrwerthwyr o Lundain i'r rhanbarthau i sefydlu gweisg newydd. Dan gyfarwyddyd Thomas Jones yr Almanaciwr, datblygodd gwasg Amwythig yn brif ganolfan i'r fasnach lyfrau Cymraeg.[227] Ond er i'r 'Sywedydd chwyslyd'[228] lwyddo i osod trefn ar ddosbarthu llyfrau yng ngogledd a chanolbarth Cymru, ni fedrai ddiwallu anghenion arbennig Dyffryn Teifi. Erbyn 1718 yr oedd digon o lenorion, diwygwyr a beirdd dawnus yn ne Ceredigion i sicrhau na fyddai gwasg leol yn ddigefnogaeth, a sefydlodd Isaac Carter wasg yn Nhrerhedyn er mwyn cwrdd â'r alwad gynyddol am lyfrau.[229] O fewn tair blynedd yr oedd Nicholas Thomas, y gŵr a roes Isaac Carter ar waith yn Nhrerhedyn, wedi sefydlu ei wasg ei hun yn nhref Caerfyrddin.[230] O ganlyniad, er nad oedd y cyflenwad o weisg Amwythig, Trerhedyn a Chaerfyrddin yn ddigon i ddiwallu pob gofyn, yr oedd modd cynnig gwasanaeth llawnach nag erioed o'r blaen.

Nid gormod yw dweud na fuasai'r wasg Gymraeg wedi cymryd
camau mor freision yn ystod y cyfnod hwn oni bai i awdurdon a
chyhoeddwyr fabwysiadu'r drefn o baratoi argraffiad drwy
danysgrifiad.[231] Mewn gwlad ddigyfalaf a thlawd, yr oedd yn
naturiol i gyhoeddwyr roi ystyriaeth fanwl i oblygiadau ariannol
pob menter. Ni allent wybod i sicrwydd ymlaen llaw faint o alw a
fyddai am lyfr arbennig, ac ychydig yn eu plith a oedd yn barod i
ymhél â chynlluniau na fyddai'n debygol o ddwyn elw. I gwrdd â'r
anhawster hwn, mabwysiadwyd arfer a oedd yn boblogaidd yn
Lloegr, sef casglu tanysgrifiadau ymlaen llaw. Golygai hyn y
gallai'r cyhoeddwr dalu am ei adnoddau crai cyn dechrau paratoi'r
argraffiad. Y cam cyntaf oedd cyhoeddi 'Cynigiadau' neu
'Anogau' drwy hysbyseb mewn llyfr, baled neu almanac. Ceid yn
y rhain grynodeb o gynnwys y gyfrol arfaethedig, amcangyfrif o
faint yr argraffiad a chost pob copi, a chyfarwyddiadau ynglŷn â sut
i dalu'r tanysgrifiad, a pha bryd ac ymhle. Yn amlach na pheidio,
disgwylid i danysgrifiwr dalu hanner y gost ymlaen llaw a'r
gweddill wedi iddo dderbyn ei gyfrol. Weithiau, talai tanysgrifwyr
geiniog yn llai na phrynwyr eraill—er enghraifft, tair ceiniog yn lle
grôt am *Yr Eglwys yn y Tŷ* gan Jencin Jones[232]—a gellid ennill copi
bonws am bob dwsin o lyfrau a archebid ymlaen llaw.

Fel arfer, dibynnai cyhoeddwyr yn drwm ar barodrwydd yr
awdur ei hun i gasglu tanysgrifiadau. Manteisiai awdur ar gymorth
ei deulu, ei berthnasau a chylch ei gydnabod. Rhestrir enw Charles
Evans, tad Theophilus Evans, ymhlith y noddwyr i *Prydferthwch
Sancteiddrwydd yn y Weddi Gyffredin* (1722). Gwelir enwau rhai o
feibion William Gambold yn ei restr ef. Rhwydodd Jencin Jones
gefnogaeth ei dad, ei chwaer a'i frawd-yng-nghyfraith ar gyfer
cyhoeddi *Dydd y Farn Fawr* (1727). Amrywiai natur y tanysgrifwyr
hefyd yn ôl amgylchiadau awdur ar adeg arbennig yn ei yrfa: cyd-
fyfyrwyr Jencin Jones yn athrofa Caerfyrddin yw'r mwyafrif
helaeth o'r tanysgrifwyr i *Llun Agrippa* (1723). Dro arall, byddai
natur y noddwyr yn cyfateb i fwriad yr awdur: at bwrpas boneddig-
ion ac offeiriaid di-Gymraeg y fro y lluniwyd *A Welsh Grammar*
(1727), a thystia enwau megis Ibbot, Lockier, Stokes a Tucker
ymhlith y tanysgrifwyr fod llyfr William Gambold yn mynd i'r
dwylo iawn. Rhwydid mwy o ddarllenwyr wedi'r cyhoeddi drwy
sicrhau bod stoc o lyfrau ar werth yn siopau'r trefi marchnad.
Enillai llyfrwerthwyr fel Thomas Lewis, Caerfyrddin, a Dafydd
Evans, Trerhedyn, geiniog dda,[233] a chrwydrai pacmoniaid a

baledwyr o ffair i ffair, o farchnad i farchnad, ac o fferm i fferm yn gwerthu'r llyfrau diweddaraf. Dosberthid llyfrau wrth y dwsinau gan asiaint lleol y Gymdeithas er Taenu Gwybodaeth Gristnogol, a diau fod awduron eraill heblaw Theophilus Evans a oedd yn rhoi copi o'u gwaith am ddim i bob teulu tlawd yn eu plwyf. [234]

Erys un cwestiwn dreiniog i'w ateb: pwy oedd yn darllen y llyfrau hyn ac i ba raddau yr oedd trigolion y fro yn awyddus i ymddiwyllio? [235] Anodd dweud faint yn union a oedd yn medru darllen, ond y mae lle i gredu bod y cyfartaledd o ddarllenwyr yn Nyffryn Teifi yn uwch na'r hyn a geid mewn unrhyw ardal wledig arall yng Nghymru. [236] Gellir priodoli hyn yn rhannol i'r traddodiad llenyddol a barddol a fu mor hoyw er dyddiau'r penceirddiaid. Nid oes amheuaeth ychwaith nad oedd ymgais Stephen Hughes i ledaenu gwybodaeth achubol yn ne-orllewin Cymru rhwng 1660 a 1688 wedi gadael ei hôl. Ymestynnai corlannau Hughes o Lan-y-bri i Bentre-tŷ-gwyn ac o Lanedi i Landysul, a thrwy gyrchu'r digred a'r annysgedig i'r eglwysi hynny, yn ogystal â'i waith yn paratoi a chyhoeddi llyfrau Cymraeg, dangosodd i ddiwygwyr eraill sut i chwyddo nifer y rhai a oedd yn darllen a throi gwerin Cymru yn geidwaid yr iaith. [237] Drwy ddilyn esiampl Stephen Hughes, aeth Eglwyswyr ac Anghydffurfwyr ati i annog yr annysgedig i ddysgu darllen. Cyhoeddwyd rhai miloedd o lyfrau ABC i gynorthwyo'r anllythrennog, ac ar gychwyn neu ar ddiwedd nifer helaeth o'r llyfrau defosiynol symlaf ceid canllawiau defnyddiol, megis yr wyddor Gymraeg, rhestr o eiriau unsill a deusill, a chyfarwyddyd ynglŷn â sut i rifo. Dysgai plant hefyd drwy feistroli cyfarwyddiadau'r llyfr corn neu drwy ddilyn y llythrennau bras ar gychwyn penodau'r Beibl. Câi'r sawl na fedrai gofio pregeth neu ddarllen llyfr fod gwirioneddau crefyddol yn haws i'w cofio ar gân, a thybiai diwygwyr ei bod hi'n ddyletswydd arnynt i ddefnyddio'r cyfryngau a oedd yn foddion diddanwch i drosglwyddo hanfodion y Grefydd Ddiwygiedig. Diolch i lafur Stephen Hughes, yr oedd cannoedd o enghreifftiau o benillion y Ficer Prichard ar wefusau pawb ac, yn ôl Robert Nelson, medrai Cymry anllythrennog ddyfynnu darnau helaeth o *Canwyll y Cymry* ar dafodleferydd. [238] Tystiai Erasmus Saunders fod gwladwyr syml yn derbyn mwy o fudd drwy ddysgu caneuon sathredig yr Hen Ficer a thrwy lafarganu halsingod na thrwy wrando pregeth neu ddysgu'r catecism. [239] Yr oedd y diwygwyr hyn yn gwybod bod clywed cynnwys llyfr yn cael ei ganu neu ei adrodd yn uchel yn gam pwysig

ar y ffordd i ddysgu darllen, ac nid oeddynt ar ôl yn atgoffa'r gŵr
neu'r plentyn anllythrennog i gymryd y cam hwnnw:

> Anllythrennog Gymro Serchog
> wyt bydd lawen darllen darllen
> Dedwydd ydyw pawb o'r cyfriw
> sydd yn darllen medden medden
> A dedwyddach yw'r mawr a'r bach
> ai canlyno cymro cymro. [240]

Rhydd y rhestri o danysgrifwyr a gynhwysid o flaen prif gynnwys
rhai o'r llyfrau hyn ryw amcan ynglŷn â phwy oedd yn eu darllen.
Apeliai gwaith Theophilus Evans at elfennau cymdeithasol cysurus
iawn eu byd, sef esgobion, offeiriaid, ysweiniaid a masnachwyr. Yr
oedd bron ddwy ran o dair o'r 36 tanysgrifiwr i *Cydymddiddan ynghylch
Bedydd Plant* (1719) yn offeiriaid. Cynheiliaid y gyfundrefn
eglwysig—boneddigion a chlerigwyr—oedd y tanysgrifwyr mwyaf
niferus i *Prydferthwch Sancteiddrwydd yn y Weddi Gyffredin* (1722). Ni
ddylid casglu oddi wrth hyn fod yr eglwys sefydledig wedi methu
ennill serch a theyrngarwch elfennau mwy distadl. Yn ystod yr un
cyfnod yr oedd ffermwyr bach a mawr yng ngogledd Cymru yn
tanysgrifio wrth y degau i lyfrau defosiynol megis *Yr Ymarfer o
Dduwioldeb* a *Threfn Ymarweddiad y Gwir Gristion*. [241] Er mai du yw'r
darlun o'r eglwys a dynnir gan Erasmus Saunders, nid oedd y gŵr
piwis hwnnw yn ddall i'w rhinweddau. Tystiodd fod grym yng
nghrefydd trigolion y fro. Soniodd am ymdrechion dygn offeiriaid
y cylch i oresgyn eu hanawsterau ac i gyflawni eu dyletswyddau
bugeiliol ac ysbrydol hyd eithaf eu gallu. [242] Dangosodd sut a pham
y gafaelodd yr halsingod a'r carolau yn nychymyg y bobl gyffredin,
a thalodd deyrnged nobl iddynt am eu parodrwydd i gerdded tair
neu bedair milltir ar y Sul i fynychu gweddïau cyhoeddus neu
wrando pregeth, gan aros, yn fawr eu hamynedd, mewn eglwysi
llaith ac oer hyd nes y deuai'r offeiriad. Trawiadol iawn yw ei
gyfeiriad at ymdrechion clodwiw yr elfennau distadl hyn, sef
bugeiliaid a gweision, i'w diwyllio'u hunain drwy ddysgu ei gilydd
yn eu cartrefi. [243]
Ceir tystiolaeth bellach i ddangos nad oedd Erasmus Saunders
yn siarad yn ei gyfer. Dengys deisebau a gyflwynwyd gan rai o
frodorion Dyffryn Teifi eu bod yn awyddus i sicrhau gwell darpar-
iaeth addysgol, i godi safonau moesol ymhlith offeiriaid, ac i weld
yr Eglwys yn gweithredu fel rhwyd i gipio eneidiau newydd i Grist

ac i swcro'r dychweledigion. Ym 1688 mynegodd rhai o rydd-
ddeiliaid Maenordeifi eu hanniddigrwydd ynghylch absentiaeth eu
rheithor, David Phillips, ac am foesau drwg y curad a weithredai yn
ei le. Pwysleisient yn daer fod diofalwch ac afradlonedd eu
bugeiliaid ysbrydol yn peri 'mawr ddrwg, dirmyg a chywilydd i'r
grefydd Gristnogol'.[244] Ym mis Ebrill 1699 gyrrwyd llythyr at
esgob Tyddewi gan 38 o blwyfolion eglwys Sain Mihangel, Cwm-
du, yn cwyno'n chwerw am y driniaeth arswydus o greulon a gâi eu
plant gan ysgolfeistr y plwyf, David Williams. Yr oedd y rhieni hyn
yn awyddus iawn i'w plant gael cyfle i ddysgu darllen a chael
hyfforddiant priodol ym mhrif egwyddorion y grefydd Gristnogol,
ond ni fynnent mwyach ymddiried eu plant i ofal Williams. Gan fod
David Williams wedi gwrthod caniatáu i neb arall gynnal ysgol o
fewn cylch o bum milltir, cwynent fod rhieni cefnog yn gorfod gyrru
eu plant i ysgolion pellennig a bod y rhai distadlaf yn dewis cadw'u
plant gartref 'yn hytrach na pheryglu eu hiechyd'. Gwyddent y
gallai ymddygiad gwarthus eu hysgolfeistr brofi'n llestair i
ddatblygiad addysg a chrefydd yn y fro, a gofynnwyd i'r esgob
ganiatáu trwydded i un Edward Williams i gynnig hyfforddiant yn
y tair 'R' i blant y plwyf.[245] Dengys deiseb arall, y tro hwn o
Landysul, fod eglwyswyr y fro honno hefyd yn awyddus i sicrhau
bod llewyrch ar grefydd a moes. Rywbryd yn ystod y 1710au,
lluniodd 31 o drigolion Llandysul betisiwn yn gresynu bod eu
diweddar offeiriad wedi esgeuluso'i ddyletswyddau fel pregethwr a
hyfforddwr, a bod hynny wedi arwain i gynnydd mewn
anwybodaeth a phechod.[246] Yr hyn sy'n drawiadol yw eu hawydd
i sicrhau gwasanaeth un a oedd â chysylltiad agos â'r fro, sef Dafydd
Lewys, curad Llanllawddog. Gwyddent am ei allu fel offeiriad,
bardd a chyfieithydd, ac am ei ddawn i gyfathrebu'n rhwydd ar
lafar ac mewn print. Ac wrth argymell dyn fel Lewys, dangosent
mor effro oeddynt i'r angen am offeiriad dilychwin i ennill serch ac
ymddiriedaeth y bobl ac i ddangos yn glir y rhagoriaeth a berthynai
i'r gyfundrefn eglwysig.

O droi at yr Anghydffurfwyr, dengys y rhestri o danysgrifwyr i
lyfrau Jencin Jones—123 i *Llun Agrippa* (1723) a 212 i *Dydd y Farn
Fawr* (1727)—fod galw cyson am lyfrau buddiol ymhlith eu
dilynwyr hwy. At ei gilydd, prin iawn oedd y gefnogaeth a gaent
gan ysweiniaid a gwŷr bonheddig. Eithriadau yw tanysgrifwyr fel
Daniel Bowen, etifedd Bwlchbychan, a David Jones, ysgwier ac
uchel siryf o Ben-yr-allt, Llangoedmor. Tanysgrifiai gweinidogion

diwylliedig—yn Galfiniaid ac Arminiaid—yn ffyddlon, ac yr oedd nifer ohonynt hwy yn berchenogion eiddo neu'n wŷr busnes llwyddiannus. Ond nid oes amheuaeth nad ffermwyr a chrefftwyr oedd asgwrn cefn yr eglwysi Anghydffurfiol ym mro Teifi, a hwy oedd yn bennaf cyfrifol am ysgogi'r galw am lyfrau. Rhyddddeiliaid neu iwmyn cysurus eu byd oedd y rhan fwyaf o'r tanysgrifwyr i *Dydd y Farn Fawr,* llawer ohonynt yn berchen ffermydd helaeth a glanwedd ym mhlwyf Llandysul. [247] Amrywiai gwerth ardrethol y ffermydd hyn o £3 (Pwll-ffein, Glandŵr, Dan-y-coed) i £8-9 (Gilfach-wen Isa ac Ucha, Blaen-y-than, Pantstrimon, Pant-y-moch a Llanfair) ac ymlaen i £14 (Faerdre Fawr) a £15 (Alltyrodyn). Fel prydleswyr neu rydd-ddeiliaid, yr oedd yr iwmyn hyn yn gyfoethocach ac yn fwy annibynnol eu byd na'r hwsmoniaid a'r llafurwyr. Gan nad oeddynt yn gaeth i ewyllys ysweiniaid, medrent sefyll ar eu sodlau eu hunain. Meddent ar addysg a diwylliant uwch na'r cyffredin a rhoddent le arbennig ar eu haelwydydd i dduwioldeb, moesoldeb a materion yr enaid.

Dangosodd David Jenkins rai blynyddoedd yn ôl gyfraniad allweddol crefftwyr i dwf Anghydffurfiaeth a Methodistiaeth yng Nghymru. [248] Nid oes amheuaeth nad yw bywyd ysbrydol a diwylliannol Dyffryn Teifi wedi elwa'n aruthrol ar ymroddiad a diwydrwydd crefftwyr gwybodus. Y mae'r ffaith iddynt danysgrifio'n gyson i lyfrau Cymraeg yn brawf fod testunau deffrous y Grefydd Ddiwygiedig a lles diwylliannol y fro yn cyfrif cryn dipyn yn eu plith. Llwyddodd Jencin Jones i rwydo cefnogaeth crefftwyr tra disglair i *Llun Agrippa:* gwŷr amryddawn megis Rhys Morgan o Bencraig-nedd, saer, gwehydd, gwneuthurwr telynau, bardd, eisteddfodwr a phregethwr; [249] a John Bradford, lliwydd a phannwr o Fetws Tir Iarll, Morgannwg, un a dyfodd i fod yn Ddëist di-ofn ac, yn ôl Iolo Morganwg, 'y dyn mwyaf dysgedig i ymddangos yn y Dywysogaeth er dau can mlynedd'. [250] Yn yr un modd, yr oedd crefftwyr Dyffryn Teifi yn ddarllenwyr eiddgar ac yn sugno'u hysbrydiaeth o'r Grefydd Ddiwygiedig a'u hetifeddiaeth ddiwylliannol. Yn ôl un o ohebwyr Edward Lhuyd, yr oedd plwyf Cellan yn cynnwys gofaint, seiri, llyfr-rwymwyr, menigwyr, gwehyddion, gwneuthurwyr telynau a chryddion, a chymaint â 300 o bobl a fedrai 'roi cyfrif da iawn o'u ffydd'. [251] Mae'n rhaid fod plwyfi eraill yn y fro a feddai ar hafal cnwd o grefftwyr chwim eu meddwl a phraff eu dirnadaeth. Yr oedd gan gryddion, seiri a gwehyddion y fantais o fedru cadw llyfr yn agored o'u blaen wrth gyflawni eu dyletswyddau beunyddiol. Yn wahanol i hwsmoniaid a llafurwyr, medrent drafod a dadlau ynghylch pynciau ysbrydol a diwylliannol heb flino neu wlychu eu cyrff. Gallent greu awydd ymhlith eraill i ddysgu darllen ac i brynu llyfrau buddiol. Gan hen wehydd o Rydybenneu y dysgodd David Evans, 'bigail egwan' o Lanfihangel-ar-arth, barchu llyfrau:

> Oddiyno i'r cwm uwch Rhyd y Benneu,
> Bûm taith at waudd o ddysc mewn llyfreu
> I ddyscu gwau pob gwaith yn gywrain,
> A duscu llyfreu yn y fargain.

> Ddwy flynedd gyfain mi fûm yno
> Yn dyscu gwau, ac weithie yn studio,
> Llyfreu'r dysc mewn dirfawr fwriad,
> Bod yn 'sclaig o beth cymeriad. [252]

Os oedd crefftwyr yn gyfrifol am lunio'r holl bethau materol a gyfrifid yn angenrheidiol at fyw, yr oeddynt hefyd yn elfen rymus a chreadigol ym mywyd ysbrydol a diwylliannol Dyffryn Teifi.

Afraid disgwyl mesur helaeth o lythrennedd ymhlith llafurwyr, tyddynwyr a thlodion yn ystod y cyfnod hwn. Hunan-gynhaliaeth oedd eu nod pennaf hwy, ac yr oedd eu hincwm mor fychan fel na feiddient wario unrhyw ran ohono ar lyfrau. Pris isel iawn a roddent ar addysg i'w plant. Serch hynny, ceir rhai esiamplau o wŷr distadl, er prinned eu manteision, yn llafurio'n galed i'w diwyllio'u hunain drwy lawn ddefnyddio pob munud o seibiant a thrwy losgi'r gannwyll nos. Yr oedd John Evan, llafurwr o Landysul, yn berchen ystad gwerth £10, yn danysgrifiwr i *Dydd y Farn Fawr* ac yn falch o'i gasgliad o lyfrau gwerth pum swllt. [253] Enghraifft dda o lafurwr yn codi megis o ddim oedd Thomas Dafydd. Yn ôl ei gyffes ef ei hun, ni 'ddaeth neb erioed mewn cost, na thrail im hathrawiaithu i, I ddysgu Darllen, nag i yscrifennu ychwaith ond fy mod i yr hyn ydwyf, yn ôl y Dalent a rodd Duw i mi'. Cymaint oedd awydd Thomas Dafydd i ymddiwyllio fel y mudodd i Lundain a dechrau gohebu â neb llai nag un o wyddon-wyr pennaf Ewrop yn ei ddydd, Edward Lhuyd. Wrth ymddiddan a gohebu 'ynghylch hen scrifeniadau Cymraeg', dysgodd Lhuyd gryn dipyn am lenyddiaeth y gorffennol a'r fasnach lyfrau gyfoes gan y llafurwr distadl hwn o odre Ceredigion. [254]

Nid yw'r bywiogrwydd llenyddol a nodweddai Cymru rhwng y

Ddeddf Goddefiad a Methodistiaeth gynnar wedi cael sylw teilwng gan haneswyr a beirniaid llenyddol. Rhyw fath o fagddu fawr oedd Cymru cyn dyfod gwawr Methodistiaeth, medd haneswyr y Diwygiad Methodistaidd. Diffeithwch oedd Cymru rhwng oes Morgan Llwyd ac oes Williams Pantycelyn, medd arbenigwyr ein llên. Ond wedi llacio'r deddfau trwyddedu llyfrau ym 1695, daeth llyfrau Cymraeg yn genllif llawn o'r wasg. Sylweddolwyd bod y gair printiedig yn rhagori ar yr un llafar fel y rhagora eira ar gawodydd glaw i ddyfrhau a bwydo'r ddaear. Ac nid oedd yr un ardal arall yng Nghymru mor effro i anghenion ysbrydol a diwylliannol y wlad na Dyffryn Teifi. Tystia cynnyrch a diddordebau amrywiol ei llenorion i'r ffaith eu bod yn ymhyfrydu yn eu treftadaeth ddiwylliannol a'u hegwyddorion crefyddol, ac i'w hawydd i'w bywiocáu o'r newydd. Pe ceisiem grynhoi'r hyn a'u hysbrydolodd fel symbyliad i ninnau heddiw, troi at waith Iaco ab Dewi a Moses Williams a wnaem: pennaf ddyletswydd dynion, yn ôl yr Anghydffurfiwr encilgar, yw 'gosod Crist o flaen eu llygaid';[255] 'Cymry ydych chwi', yw anogaeth yr Eglwyswr tanbaid, 'edrychwch gan hynny ar y Graig y'ch naddwyd, ac ar Geudod y Ffos y'ch cloddiwyd o honunt.'[256]

NODIADAU

1 Yr wyf wedi cyfyngu fy newis i'r llenorion pwysicaf a aned yng ngodre sir Aberteifi.

2 *Y Bywgraffiadur;* T. E. Davies, 'Philip Pugh a'i Lafur yn y Cilgwyn,' *Y Cofiadur,* 14 (1937), t. 31.

3 *Athrawiaethau Difinyddawl* (1734); *Remarks upon a small Treatise entitl'd The Beauty of Holiness in the Book of Common Prayer* (1734); *Histori yr Heretic Pelagius* (1735); *Deonglydd yr Ysgrythurau* (1741); *The Arminian Heresy* (1742).

4 Simon Thomas, *Hanes y Byd a'r Amseroedd* (1718), t. 48.

5 John Davies, *Bywyd a Gwaith Moses Williams* 1685-1742 (Caerdydd, 1937), t. 7. Dywed W. J. Davies (*Hanes Plwyf Llandysul,* tt. 211-2) nad oes yna 'Glaslwyn' yng Nghellan ond fod un i'w gael gyferbyn â hen gartref mam Moses Williams, Nantremenyn, ym mhlwyf Llandysul. Gw. Ll.G.C., Llsau. 12359D a 12360D. Efallai y daw mwy o dystiolaeth i law i gloi'r ddadl. Diolchaf i Dr. Evan James, Penrhyn-coch, am dynnu fy sylw at y ddamcaniaeth hon.

6 G. J. Williams, *Agweddau ar Hanes Dysg Gymraeg* (wedi ei olygu gan Aneirin Lewis, Caerdydd, 1969), t. 229.

7 *Cofrestr o'r Holl Lyfrau Printjedig gan mwyaf a gyfansoddwyd yn y Jaith Gymraeg* (1717).

8 *Brittanicae Descriptionis Commentariolum* (1731); *Reliquiae Baxterianae, sive Willielmi Baxteri Opera Posthuma* (1726); *Cyfreithjeu Hywel Dda . . . sef Leges Wallicae* (1730).

9   Mary Clement, *The S.P.C.K. and Wales,* 1699-1740 (Llundain, 1954), tt. 29-32; John Davies, op. cit., tt. 50-77.

10 *Pregeth a barablwyd yn Eglwys Grist yn Llundain* (1718).

11 *Y Bywgraffiadur Cymreig*; R. J. Thomas, 'Jencin Jones, Llwynrhydowen', *Baner ac Amserau Cymru,* 27 Mai 1942.

12 Jencin Jones, *Llun Agrippa* (1723), sig. Alv.

13 Jencin Jones, *Hymnau Cymmwys i Addoliad Duw* (wedi ei olygu gan Evan Thomas, 1768), t. 81.

14 T. O. Williams, *Hanes Cynulleidfaoedd Undodaidd Sir Aberteifi* (d.d.), tt. 58-60.

15 *Hymnau Cymmwys,* t. 79.

16 Gw. Dafydd Llwyd, *Gwaith Prydyddawl* (1785), t. 16.

17 Gw. E. G. Bowen, 'The Teifi Valley as a Religious Frontier', *Ceredigion,* VII (1972), tt. 1-13.

18 G. H. Hughes, *Iaco ab Dewi* 1648-1722 (Caerdydd, 1953).

19 Ibid., tt. 101-129.

20 Iaco ab Dewi, *Llythyr at y Cyfryw o'r Byd* (1716), t. 13.

21 Llyfrgell Genedlaethol Cymru, Lls. Llanstephan 15, t. 126.

22 *Llythyr at y Cyfryw o'r Byd,* tt. 58-9.

23 Iaco ab Dewi, *Yr Ymarfer o Lonyddwch* (1730), tt. 5-6.

24 *Y Bywgraffiadur Cymreig.*

25 Ll.G.C., Lls. 19A, t. 6.

26 Ll.G.C., Lls. 19A, tt. 231-2; Llyfrgell Rydd Caerdydd, Lls. 2. 134, f. 39-40.

27 Ll.G.C., Lls. 19A, tt. 6-9.

28 John Howell, *Blodau Dyfed* (1824), tt. 61-2.

29 Ibid.

30 *Y Bywgraffiadur Cymreig.*

31 Ll.G.C., Llsau. Ottley 126-8.

32 Ibid.

33 Samuel Williams, *Amser a Diwedd Amser* (1707), sig. A3v.

34 Ll.G.C., Lls. 68A, y bregeth gyntaf.

35 Ll.G.C., Llsau. Llanstephan 22, 66, 145-6.

36 Ll.G.C., Lls. 68A. Gw. hefyd Lls. Cwrtmawr 253A.

37 *Pedwar o Ganueu* (1718).

38 Cofysgrifau'r Eglwys yng Nghymru, Ewyllysiau Tyddewi, Samuel Williams, Llandyfrïog, dyddiedig 1722.

39 'Beirdd Cwmdu, ger Emlyn', *Yr Adolygydd,* III (1853), tt. 53-72.

40 Gwynionydd, tt. 227-9.

41 *Blodau Dyfed,* t. 334.

42 Ll.G.C., Lls. 19A, tt. 188-9.

43 *Y Bywgraffiadur Cymreig.*

44 Theophilus Jones, *A History of the County of Brecknock* (3 cyf., 1909-11), 11, t. 248.

45 Theophilus Evans, *Cydwybod y Cyfaill Gorau ar y Ddaear* (1715), sig. A2r.

46 Theophilus Evans, *Galwedigaeth Ddifrifol J'r Crynwyr* (1715); *Cydymddiddan rhwng Dau Wr yn ammau ynghylch bedydd-plant* (1719).

47 Gw. *The History of Modern Enthusiasm from the Reformation to the Present Times* (1752).

48 *Y Bywgraffiadur Cymreig*; G. M. Roberts, 'William Gambold a'i Deulu', *Y Genhinen,* 22 (1972), tt. 194-6.

49 *The Works of the late Rev. John Gambold . . . to which is annexed the Life of the Author* (1789), t. 1.

50 John Walters, *An English-Welsh Dictionary* (1794), t. vi.

51 Ll.G.C., Llsau. Llanstephan 189-190; Cofysgrifau'r Eglwys yng Nghymru, Ewyllysiau Tyddewi, William Gambold, Cas-mael, dyddiedig 1728.

52 Ll.G.C., Lls. Llanstephan 191; *A Welsh Grammar* (1727), sig. A2r-v.

53 *Y Bywgraffiadur Cymreig.*

54 Ll.G.C., Lls. 19A, tt. 268-70.

55 Ibid., tt. 327-8.

56 T. O. Williams, 'Y Mudiad Llenyddol yng Ngorllewin Cymru yn hanner cyntaf y Ddeunawfed Ganrif' (Traethawd M.A. Cymru, 1923), tudalen heb ei rhifo.

57 Gw. *Annogaeth Difrifol Gweinidog iw Blwyfolion i ofalu am eu Heneidiau* (1723); *Llythyr Bugailaidd oddiwrth Weinidog at ei Blwyfolion* (1729).

58 G. Bowen, 'Traddodiad Llenyddol Deau Ceredigion, 1600-1850' (Traethawd M.A. Cymru, 1943), t. 94.

59 Stephen Hughes gol., *Gwaith Rees Prichard,* III (1672), sig. A3r.

60 Gw. C. J. Sommerville, *Popular Religion in Restoration England* (Llundain, 1977), t. 2.

61 Ll.G.C., Lls. Llanstephan 146, rhagymadrodd i 'Gofal Tylwyth'.

62 *Gwaith Rees Prichard,* III (1672), sig. a2v.

63 *Hanes y Byd a'r Amseroedd* (1718), sig. a2v.

64 Jencin Jones, *Llun Agrippa* (1723), sig. A2v.

65 Iaco ab Dewi, *Meddylieu Neillduol ar Grefydd* (1717), t. 253.

66 R. Foster Jones, *The Seventeenth Century. Studies in the History of English Thought and Literature from Bacon to Pope* (Llundain, 1951), tt. 113-121.

67 Samuel Williams, *Amser a Diwedd Amser* (1707), sig. A4r; George Lewis, *Pregeth* (1715), t. 6.

68 Jeremy Owen, *Golwg ar y Beiau,* 1732 (wedi ei olygu gan R. T. Jenkins, Caerdydd, 1950), t. 26.

69 Mary Clement gol., *Correspondence and Minutes of the S.P.C.K. relating to Wales, 1699-1740* (Caerdydd, 1952), t. 18.

70 Geraint H. Jenkins, *Literature, Religion and Society in Wales, 1660-1730* (Caerdydd, 1978), penn. V.

71 Gw. yr hysbyseb yn W.R., *Rhai byrr ac eglur Rhesymau* (1722), t. 14.

72 Ll.G.C., Lls. Llanstephan 146, t. xi.

73 Ibid., tt. 1, 46.

74 *Y Catecism* (1715), wyneb-ddalen.

75 B. F. Roberts, 'Defosiynau Cymraeg', *Astudiaethau Amrywiol* (wedi ei olygu gan Thomas Jones, Aberystwyth, 1968), t. 109.

76 George Bull, *A Companion for the Candidates of Holy Orders* (1714), tt. 56-62.

77 Clement, *Correspondence,* tt. 70, 75, 78, 282.

78 Ibid., t. 103.

79 J. Ballinger, *The Bible in Wales* (Llundain, 1906), t. 42.

80 *Amser a Diwedd Amser,* t. 230.

81 Jencin Jones, *Dydd y Farn Fawr* (1727), t. 220.

82 G. H. Hughes, 'Halsingau Dyffryn Teifi', *Yr Eurgrawn,* CXXXIII (1941), tt. 58-63, 89-91, 126-7; G. Bowen, 'Yr Halsingod', *Traf. Cymmrodorion,* 1945, tt. 83-108.

83 Ll.G.C., Lls. 6900A, t. 102.

84 Abel Morgan, *Cyd-Gordiad Egwyddorawl o'r Scrythurau* (1730), t. vii.

85 *Y Catecism* (1715), t. 4; Clement, op. cit., t. 82.

86 Iaco ab Dewi, *Catechism o'r Scrythur* (wedi ei olygu gan William Evans, 1717), sig. A2r.

87 J. P. a T. J., *Eglurhad o Gatechism Byrraf y Gymanfa* (1719), 'At y Darllenydd.'

88 G. D. Owen, *Ysgolion a Cholegau yr Annibynwyr* (Llandysul, 1939), t. 19; G. H. Hughes, *Iaco ab Dewi,* t. 116.

89 Moses Williams, *Cydymmaith i'r Allor* (1715); Theophilus Evans, *Prydferthwch Sancteiddrwydd yn y Weddi Gyffredin* (1722); Clement, op. cit., t. 113; R. Tudur Jones, *Hanes Annibynwyr Cymru* (Abertawe, 1966), t. 114.

90 *Literature, Religion and Society,* tt. 43-4.

91 Ll.G.C., Lls. 5A, t. 313.

92 Ibid., t. 102; Ll.G.C., Lls. 6900A, tt. 8-11.

93 D. W. R. Bahlman, *The Moral Revolution of 1688* (New Haven, 1957). Am ddarlun ehangach, gw. P. Burke, *Popular Culture in Early Modern Europe* (Llundain, 1978), passim.

94 Ll.G.C., Lls. Llanstephan 21; Lls. Llanstephan 66B; B. F. Roberts, 'Cyfieithiad Samuel Williams o De Excidio Brittaniae Gildas', *Cylchg. Llyfrgell Genedlaethol Cymru*, XIII (1963-4), tt. 269-77.

95 Iaco ab Dewi, *Llythyr y Dr. Well's at Gyfaill* (1714), passim.

96 Ll.G.C., Lls. Cwrtmawr 45A, t. 210.

97 Thomas Williams, *Pregeth o Achos y Dymmestl Ddinistriol* (1705), t. 4.

98 Gw. G. Penrhyn Jones, *Newyn a Haint yng Nghymru* (Caernarfon, 1963).

99 Ll.G.C., Lls. 19B, t. 266.

100 Jencin Jones, *Hymnau Cymmwys*, t. 33.

101 Ll.G.C., Lls. 19B, tt. 31-2.

102 *Amser a Diwedd Amser* (1707).

103 *Dydd y Farn Fawr*, sig. A6v.

104 Ibid., t. 293.

105 Ibid., tt. 156-63.

106 *Hymnau Cymmwys*, t. 72.

107 Alban Thomas, *Dwysfawr Rym Buchedd Grefyddol* (1722), t. 64.

108 *Llythyr at y Cyfryw o'r Byd*, t. 20. Gw. hefyd y disgrifiadau arswydus yn John Morgan, *Bloedd-nad Ofnadwy, Yr udcorn diweddaf* (1704); Anon., *Cadwyn Euraid o Bedair Modrwy* (1706); John Morgan, *Myfyrdodau Bucheddol ar y Pedwar Peth Diweddaf* (1716).

109 Llyfrgell Harold Cohen, Prifysgol Lerpwl, Lls. 2. 69, t. 100.

110 Bahlman, op. cit., t. 12.

111 *Amser a Diwedd Amser*, t. 120.

112 *Pregeth o Achos y Dymmestl Dinistriol*, t. 12.

113 David Rees, *A View of the Divine Conduct in the Government of this Lower World* (1730), t. 30.

114 G. Penrhyn Jones, op. cit., t. 82.

115 *Dydd y Farn Fawr*, t. 163.

116 *Cyngor Difrifol i un ar ôl bod yn Glaf* (1730), t. 18; Clement, op. cit., tt. 155, 306.

117 J. D. Walsh, 'Elie Halévy and the Birth of Methodism', *Trans. Royal Historical Society*, 25 (1975), tt. 5, 10-11; R. Tudur Jones, 'Yr Hen Ymneilltuwyr, 1700-1740', G. M. Roberts gol., *Y Deffroad Mawr* (Caernarfon, 1973), t. 27.

118 *Literature, Religion and Society*, tt. 122-134.

119 *Llun Agrippa*, t. 261.

120 *Cydwybod y Cyfaill Gorau ar y Ddaear*, sig. A2r; t. 43. Gw. hefyd *Cân ar Fesur Triban ynghylch Cydwybod a'i Chynheddfau* (1718).

121 William Williams, *Tarian Crist 'nogrwydd yw Ffydd* (1733).

122 William Lewes ac Evan Pryce, *Maddeuant i'r Edifairiol* (1725-6).

123 *Llun Agrippa*, t. 112.

124 Ll.G.C., Lls. 68A, t. 13.

125 Ll.G.C., Lls. Cwrtmawr 253A, t. 120.

126 *Amser a Diwedd Amser*, t. 112.

127 Stephen Hughes gol., *Taith neu Siwrnai y Pererin* (1688), sig. A2r-v.

128 Iaco ab Dewi, *Tyred a Groesaw at Jesu Grist* (1719), t. 90.

129 T. Beynon gol., *Howell Harris's Visits to Pembrokeshire* (Aberystwyth, 1966), t. 53.

130 Edmund Jones, *A Sermon . . . occasioned by the death of Mr. Evan Williams* (1750), t. 82.

131 G. M. Roberts, 'Letters written by David Jones, Dygoed, Llanlluan, to Howell Harris', *Cylchg. Cymd. Hanes Methodistiaid Calfinaidd Cymru*, XXI (1936), tt. 71-2.

132 Gw. ymdriniaeth safonol Keith Thomas, *Religion and the Decline of Magic* (Llundain, 1971).

133 Benjamin Malkin, *The Scenery, Antiquities and Biography of South Wales* (2 gyf., ail arg., 1807), II, tt. 1-176.

134 John Lewis, *Contemplations upon these Times, or The Parliament explained to Wales* (1646), t. 27.
135 Erasmus Saunders, *A View of the State of Religion in the Diocese of St. David's* 1721 (1949), t. 36.
136 Joshua Thomas, *Hanes y Bedyddwyr* (1778), t. 50.
137 S. R. Meyrick, *The History and Antiquities of the County of Cardigan* (1808), t. cxxii.
138 Evan Isaac, *Coelion Cymru* (Aberystwyth, 1938), tt. 52, 133.
139 Ll.G.C., Lls. Llanstephan 146, t. 12.
140 Robert Jones, *Drych yr Amseroedd* (wedi ei olygu gan G. M. Ashton, Caerdydd, 1958), t. 25.
141 *Hanes y Byd a'r Amseroedd*, t. 88.
142 Francis Jones, 'The Wells of Ceredigion', *Cymdeithas Ceredigion Llundain*, 1951-2, t. 21.
143 James Owen, *Trugaredd a Barn* (1715), sig. A4v.
144 Richard Baxter, *The Certainty of the Worlds of Spirits* (1691), penn. VI; D. E. Jones, *Hanes Plwyfi Llangeler a Phenboyr* (1899), tt. 379-86; W. J. Davies, *Hanes Plwyf Llandysul* (1896), tt. 237-9.
145 J. H. Davies gol., *Morris Letters* (2 gyf. 1907-9), I, tt. 312-3.
146 William Howells, *Cambrian Superstitions* (1831), tt. 136-7.
147 Ll.G.C., Lls. 4563B, penn. 2.
148 Geraint H. Jenkins, 'Popular Beliefs in Wales from the Restoration to Methodism', *Bwletin y Bwrdd Gwybodau Celtaidd*, XXVII (1977), tt. 440-62.
149 Ceir darlun da o'r gweithgarwch hwn yn T. P., *Cas gan Gythraul neu Annogaeth i bawb ochelyd myned i ymgynghori a Dewiniaid, Brudwyr, a Chonsyrwyr* (1711).
150 *Hanes y Byd a'r Amseroedd*, t. 9.
151 Keith Thomas, op. cit., t. 535.
152 D. Elwyn Davies gol., *Llythyrau Anna Beynon* (Llandysul, 1976).
153 Ibid., tt. 30-1.
154 Ll.G.C., *Gaol Files* sir Aberteifi, Cymru 5/886/8.
155 Henry Evans, *Cynghorion Tad i'w Fab* (wedi ei olygu gan Stephen Hughes, 1683), tt. 57-60; *Cas gan Gythraul*, t. 44; *Hanes y Byd a'r Amseroedd*, tt. 9-10.
156 Ll.G.C., Lls. 3B, t. 10.
157 *Hanes y Byd a'r Amseroedd*, t. 12.
158 *Blodau Dyfed*, t. 246.
159 Y mae'n werth sylwi bod gan Dafydd Lewys, awdur *Golwg ar y Byd* (1725), gysylltiad agos â llenorion Ceredigion. Ymdrinir â phwysigrwydd ei lyfr ef gan Aneirin Lewis, 'Llyfrau Cymraeg a'u Darllenwyr, 1696-1740', *Efrydiau Athronyddol*, XXXIV (1971), tt. 46-73.
160 John Miller, *Popery and Politics in England 1660-1688* (Caergrawnt, 1973), tt. 11-13; Ll.G.C., Cofysgrifau'r Eglwys yng Nghymru, SD/RC/1-20.
161 Robin Clifton, 'The Popular Fear of Catholics during the English Revolution', *Past and Present*, 52 (1971), tt. 23-55.
162 *Prydferthwch Sancteiddrwydd yn y Weddi Gyffredin*, t. 8.
163 Simon Thomas, *Histori yr Heretic Pelagius* (1735), t. 134.
164 *Hanes y Byd a'r Amseroedd*, t. 109.
165 *Llythyr at y Cyfryw o'r Byd*, t. 78.
166 Ll.G.C., Lls. 19B, t. 50.
167 Thomas Jones, *Newyddion mawr oddiwrth y Sêr* (1691), sig. A2r.
168 Ll.G.C., Lls. 5A, tt. 99, 327.
169 *Hanes y Byd a'r Amseroedd*, tt. 62, 69, 72, 165.
170 Ll.G.C., Lls. 6900A, t. 22; *Histori yr Heretic Pelagius*, t. 241.
171 Gw. Geraint H. Jenkins, 'Llenyddiaeth, Crefydd a'r Gymdeithas yng Nghymru, 1660-1730', *Efrydiau Athronyddol*, XLI (1978), tt. 40-1.

172 David Lewis, 'A Progress through Wales in the Seventeenth Century', *Y Cymmrodor,* VI (1883), t. 146.

173 Gw. Christopher Hill, *The World turned Upside Down* (Llundain, 1972).

174 *Galwedigaeth Ddifrifol J'r Crynwyr* (1715), passim; *Llythyr-Addysc Esgob Llundain* (1740), tt. 9, 18.

175 Cyfieithiad oedd hwn o waith David Phillips, rheithor Maenordeifi, *Unity recommended to Practice* (1710).

176 Ll.G.C., Lls. Llanstephan 146, 'Gweddiau Teuluoedd'.

177 Gw. Jeremy Owen, *Golwg ar y Beiau* 1732-3 (wedi ei olygu gan R. T. Jenkins, Caerdydd, 1950).

178 *Baner ac Amserau Cymru,* 27 Mai 1942. Gw. hefyd adwaith watwarus arall:
    Mae trwp o adar llawen
    Yn nythu'n Llwyn-rhyd-Owen,
    A'r rheini'n dweud yr ânt yn serth
    I'r nef, yn nerth eu hunain.
    J. Peter a Gweirydd ap Rhys, *Enwogion Cymru* (4 cyf., d.d.), III, t. 94.

179 T. Oswald Williams, op. cit., t. 59.

180 Jencin Jones, *Y Cyfrif Cywir o'r Pechod Gwreiddiol* (1729). Nid oes gopi o'r gwaith hwn ar gael bellach.

181 J. Gwili Jenkins, *Hanfod Duw a Pherson Crist* (Lerpwl, 1931), tt. 37-9.

182 Enoch Francis, *Gair yn ei Bryd* (ail arg., 1839), t. xiv.

183 *Histori yr Heretic Pelagius,* t. vii. Gw. hefyd *Deonglydd yr Ysgrythurau* (1741), passim.

184 *Histori yr Heretic Pelagius,* tt. 221, 228.

185 D. E. Davies, *Hoff Ddysgedig Nyth* (Abertawe, 1976), t. 40.

186 *Amser a Diwedd Amser,* sig. a2r.

187 *Cofrestr,* sig. A2r.

188 G. J. Williams, *Agweddau ar Hanes Dysg Gymraeg,* tt. 116-18.

189 Jencin Jones, *Llawlyfr Plant* (1733), t. xv; *Llun Agrippa,* tt. 7-8.

190 *Prydferthwch Sancteiddrwydd yn y Weddi Gyffredin,* sig. a3v.

191 *Pwyll y Pader* (1733), t. vi.

192 Llyfrgell Bodley, Lls. Ashmole 1820a, ff. 145-6.

193 Clement, op. cit., tt. 34, 42.

194 *Amser a Diwedd Amser,* sig. A2v-A3v.

195 *Cofrestr,* sig. A2r.

196 *Amser a Diwedd Amser,* sig. A3v; *Pregeth a Barablwyd* (1718), t. 14.

197 G. H. Hughes, op. cit., tt. 59-61.

198 G. Bowen, 'Traddodiad Llenyddol Deau Ceredigion', t. 94.

199 G. J. Williams, *Agweddau ar Hanes Dysg Gymraeg,* tt. 97-100.

200 Gw. David Thomas gol., *Drych y Prif Oesoedd* (ail arg., 1960); G. H. Hughes gol., *Drych y Prif Oesoedd* 1716 (1961); B. L. Jones, 'Theophilus Evans', *Y Traddodiad Rhyddiaith* (wedi ei olygu gan Geraint Bowen, Llandysul, 1970), tt. 262-75; D. Ellis Evans, 'Theophilus Evans ar Hanes Cynnar Prydain', *Y Traethodydd,* CXXIII (1973), tt. 92-113.

201 Ll.G.C., Lls. Cwrtmawr 189A, t. 5. Gw. hefyd Ll.G.C., Lls. 5A, t. 25; Ll.G.C., Lls. Cwrtmawr 45A, t. 214.

202 Ll.G.C., Lls. Llanstephan 146, rhagymadrodd.

203 Gwynionydd, tt. 257-9.

204 Moses Williams, *Pregeth a Barablwyd yn Eglwys Grisd* (1721), t. 12.

205 Ibid., t. 13.

206 *Pedwar O Ganueu ar amryw Desdunion* (1718), t. 11.

207 G. M. Roberts, 'Methodistiaeth Gynnar Gwaelod Sir Aberteifi', *Ceredigion,* V (1964), t. 2.

208 Ll.G.C., Lls. 5A, t. 102.

209 *Pedwar o Ganueu*, t. 10.
210 G. H. Hughes, *Yr Eurgrawn*, CXXXIII (1941), t. 91.
211 Llyfrgell Harold Cohen, Prifysgol Lerpwl, Lls. 2. 69, tt. 54-5.
212 *Pregeth a Barablwyd* (1718).
213 Gw., er enghraifft, Ll.G.C., Llsau. Llanstephan 17, 22, 66, 68, 146.
214 John Rhydderch, *The English and Welsh Dictionary* (1725), t. iii.
215 G. Bowen, 'Traddodiad Llenyddol', t. 69.
216 Ibid., t. 70.
217 *Cydymmaith i'r Allor*, wyneb-ddalen.
218 *Dwysfawr Rym Buchedd Grefyddol*, sig. A2r.
219 *Meddylieu Neillduol ar Grefydd*, sig. A3r-A4r.
220 *Drych y Prif Oesoedd* (1716), sig. A3r.
221 Ll.G.C., Lls. Llanstephan 146, rhagymadrodd.
222 *Amser a Diwedd Amser*, sig. A2r-v; E. G. Wright, 'Humphrey Humphreys, Bishop of Bangor and Hereford (1648-1712)', *Trans. Anglesey Antiq. Soc.*, 1949, tt. 61-76.
223 *Pregeth a Barablwyd*, sig. A2r; E. Curll, *The Life of the late Honourable Robert Price* (Llundain, 1934), tt. 11-13.
224 A. H. Williams, 'The Gwynnes of Garth, c. 1712-1809', *Brycheiniog*, XIV (1970), tt. 82-3.
225 Simon Thomas, *The Arminian Heresy*, tt. i-ii; Jencin Jones, *Dydd y Farn Fawr*, t. x.
226 Ll.G.C., Lls. Llanstephan 146, rhagymadrodd.
227 Eiluned Rees, 'Developments in the Book Trade in Eighteenth Century Wales', *The Library*, XXIV (1969), tt. 33-43.
228 Gw. Geraint H. Jenkins, *Thomas Jones yr Almanaciwr* (Caerdydd, 1980).
229 David Jenkins, 'Braslun o Hanes Argraffu yn Sir Aberteifi', *Cylchg. Cymd. Lyfryddol Cymru*, VII (1953), tt. 174-7.
230 Eiluned Rees, op. cit., t. 35.
231 Eiluned Rees, 'Pre-1820 Welsh Subscription Lists', *Cylchg. Cymd. Lyfryddol Cymru*, XI (1973-4), tt. 85-6.
232 W.R., *Rhai byrr ac eglur Rhesymau* (1722), t. 14.
233 *Dwysfawr Rym Buchedd Grefyddol*, wyneb-ddalen; Llyfrgell Bodley, Lls. Ashmole 1814, f. 367.
234 *Gwynionydd*, t. 79.
235 Ceir trafodaeth ehangach yn *Literature, Religion and Society in Wales, 1660-1730*, penn. X.
236 G. J. Williams, 'Daniel Ddu o Geredigion a'i Gyfnod', *Y Llenor*, V (1926), t. 49.
237 G. J. Williams, 'Stephen Hughes a'i Gyfnod', *Y Cofiadur*, 4 (1926), tt. 5-44.
238 *The Life of Dr. George Bull*, t. 475.
239 Erasmus Saunders, tt. 36-7.
240 Ll.G.C., Lls. 6900A, t. 101.
241 *Literature, Religion and Society*, t. 257.
242 Erasmus Saunders, t. 27.
243 Ibid., t 32.
244 Ll.G.C., Cofysgrifau'r Eglwys yng Nghymru, SD/Misc/120.
245 Ibid., SD/Misc/1193.
246 Ibid., SA/Misc/744.
247 W. J. Davies, *Hanes Plwyf Llandysul*, tt. 294-8; J. H. Davies, 'Cardiganshire Freeholders in 1760', *West Wales Hist. Records*, III (1913), tt. 73-116; Ll.G.C., B.R.A. (1955) 898, Lls. 89; Ll.G.C., Cofysgrifau'r Eglwys yng Nghymru, Ewyllysiau John Evan, Llandysul 1730; John Howell, Llandysul 1743; David Morgan, Llandysul 1759; Samuel David, Llandysul 1764; John David, Llandysul 1764.
248 David Jenkins, 'The part played by craftsmen in the religious history of Modern Wales', *Yr Einion*, VI (1954), tt. 90-7.

249 *Y Bywgraffiadur Cymreig*; G. J. Williams, *Traddodiad Llenyddol Morgannwg* (Caerdydd, 1948), tt. 230-1.

250 *Y Bywgraffiadur Cymreig*; G. J. Williams, *Iolo Morganwg* (Caerdydd, 1956), t. 119.

251 *Arch. Camb.*, 1909-11, Rhan 3, t. 68.

252 G. Alban Davies, 'Y Parch. David Evans, Pencader—Ymfudwr Cynnar i Pennsylvania', *Cylchg. Llyfrgell Genedlaethol Cymru*, XIV (1965-6), t. 86.

253 Ll.G.C., Cofysgrifau'r Eglwys yng Nghymru, Ewyllys John Evan, Llandysul 1760.

254 Llyfrgell Bodley, Lls. Ashmole 1814, ff. 361, 368; *Arch. Camb.*, V (1859), t. 251.

255 *Tyred a Groesaw at Jesu Grist*, t. 116.

256 *Pregeth a Barablwyd*, t. 17.

Hen Filwr dros Grist:
Griffith Jones, Llanddowror*

Eleni yr ydym yn dathlu trichanmlwyddiant geni Griffith Jones,
Llanddowror, Cymro mwyaf y ddeunawfed ganrif ac un o
gymwynaswyr pennaf ein cenedl. Dywedodd Aneirin Talfan
Davies wrth grwydro drwy sir Gaerfyrddin ei fod yn synnu nad
oedd neb wedi gweld deunydd cofiant creadigol neu nofel ym
mywyd a gwaith Griffith Jones. Y mae'n rhyfedd nad oes gennym
gofiant modern yn Gymraeg i ŵr a gyflawnodd waith mor aruthrol
fawr yn ei ddydd. Efallai fod gennym ragfarn yn ei erbyn am ei fod
yn ymddangos yn ŵr piwis, dihiwmor a hir ei wep. Rhyw deyrnged
law chwith a gaiff gan haneswyr y Methodistiaid am iddo gystwyo
sêl ysol yr efengylwyr ifainc. Hefyd, y mae rhyw syniad ar led fod
Griffith Jones yn ffigur pellennig, anodd agosáu ato. Yn wahanol i
Howel Harris, er enghraifft, ni adawodd bentwr mawr o lythyrau
a dyddiaduron ar ei ôl. Y mae hyd yn oed y llun y tybiwyd ei fod yn
bortread cywir ohono bellach yn cael ei ystyried yn annilys. Ar hyd
ei oes, gweithiodd Griffith Jones yn ddistaw, heb dynnu sylw ato'i
hun na cheisio unrhyw glod neu ddyrchafiad. Ond cr prinned y
deunydd amdano fel dyn a phersonoliaeth, yr wyf am fentro gosod
cnawd ar esgyrn sychion hanes ei fywyd.

Mab i John ap Gruffydd ac Elinor John o Bantyrefel, ym mhlwyf
Pen-boyr, sir Gaerfyrddin, oedd Griffith Jones. Fe'i ganed
rywbryd ym mis Ebrill 1684. Ymhen blwyddyn yr oedd ei dad wedi
marw, a bu rhaid i'w fam ymroi i fagu ac addysgu ei mab bychan.
Plentyn gwanllyd a bregus ei iechyd oedd Griffith Jones. Ac
yntau'n grwt bach iawn, cafodd y frech wen a bu'n ddall am dair
wythnos. Poenid ef yn dost hefyd gan y fogfa, yn gymaint felly fel
prin y medrai ymlusgo ar draws ystafell. Bu'r anhwylder hwn yn
gydymaith creulon iddo ar hyd ei oes, a chodai'n aml gyda'r wawr
am fod peswch yn ei rwystro rhag cysgu. Y mae'n ddiddorol nodi,
gyda llaw, fod tri o gymwynaswyr pennaf Cymru yn y ddeunawfed
ganrif—Griffith Jones, Lewis Morris ac Iolo Morganwg—wedi
gorfod ymladd am eu gwynt am y rhan fwyaf o'u hoes. Yr oedd
Griffith Jones yn byw mewn gwlad lle'r oedd afiechyd yn rhan

* Darlith flynyddol Llyfrgell Dyfed, 1983. Er pan draddodwyd y ddarlith dangosodd
Emlyn Dole (*Y Traethodydd*, Hydref 1984) fod lle cryf i gredu mai ym 1684 y ganed Griffith
Jones.

annatod o fywyd beunyddiol gwerinwyr. Fel cynifer o'i gyfoeswyr, gwyddai ei fod yn byw mewn byd o drueni a thrallod. 'Y mae'r byd yn ofid blin', meddai, wrth gladdu Elizabeth Lewis, Llwynpiod, ar 11 Awst 1742. Gŵr mewnblyg a phruddglwyfus oedd Griffith Jones, a rhoddai'r argraff yn bur aml fod holl feichiau'r byd ar ei ysgwyddau. 'Y mae'r felan yn fy mhoeni'n aml', meddai ym mis Hydref 1737, ac y mae ei lythyrau at Madam Bevan yn llawn ebychiadau cwynfanllyd a dolurus. Er iddo gael byw i oedran teg, proffwydai'n aml ar dudalennau'r *Welch Piety* y byddai angau yn ei gipio ymaith cyn cyhoeddi'r adroddiad blynyddol nesaf. Cafodd bwl drwg iawn o salwch ym 1737-8. Nid yw'n eglur beth oedd natur ei afiechyd, ond mae'n fwy na thebyg mai'r maen tostedd a oedd yn ei boeni. Archebai boteli o feddyginiaeth enwog Mrs. Joanna Stephens (sef cymysgedd ryfedd o blisgyn ŵy, malwod, llysiau, mêl a sebon) at glefyd y garreg, a dibynnai'n helaeth ar lysiau'r maes. Byddai'n casglu gwreiddiau radys poeth, llysiau'r llwg a berw'r dŵr er mwyn paratoi meddyginiaethau i leddfu'r boen. Ymborth syml iawn a geid ar ei fwrdd bwyd yn Llanddowror. 'Y mae eich gwin a'ch siwgr yn rhy fras i mi', cwynai wrth Madam Bevan, 'mae'n well gennyf fwyd plaen.' Yr oedd ganddo wybodaeth eang am natur a rhinweddau llysiau'r maes, ond pan fyddai'r rhain yn methu âi i Gaerfaddon i geisio adfer ei iechyd drwy drochi yn y baddonau. Fe'i cysurai ei hun yn aml drwy ddweud fod ei anhwyl-derau'n rhan o'r arfaeth fawr. Y mae'n haws, meddai wrth Howel Harris, i mi ddygymod ag afiechyd na phechod.

Gŵr o argyhoeddiadau cryfion a gwelediad clir oedd Griffith Jones. Traethai ei farn heb ofni gwg na gofyn gwên. Pan fyddai'r fogfa gaethiwus yn mynd yn drech nag ef, câi byliau o ddrwgdymer enbyd. Ac o'i gythruddo, gallai ferwi trosodd mewn dicter. Gwelir y duedd hon yn amlwg yn ei berthynas â'r awdurdodau eglwysig a'r Methodistiaid. Yr oedd gwendidau a llygredd y gyfundrefn eglwysig yn boen enaid iddo. Pan oedd yn ei amddiffyn ei hun gerbron Adam Ottley, esgob Tyddewi, melltithiodd ei gyd-offeiriaid am eu diogi a'u hanfoesoldeb. Ceryddodd yr offeiriaid 'a glyttiant i fynu Bregeth gymmysgiaith lygredig, anghydlais, ac annyallus a thywyll'. Yn ôl John Evans, Eglwys Gymyn, dywedai Griffith Jones fod offeiriaid eglwysig yn rhoi 'gormod o uwd a rhy fach o gig' wrth bregethu i'w plwyfolion. Nid un ydoedd i ddioddef ffyliaid ac oferwyr yn llawen. Honnodd un tro mai dim ond 'diota ac ysmygu' a wnâi darpar-offeiriaid ym mhrifysgolion Rhydychen

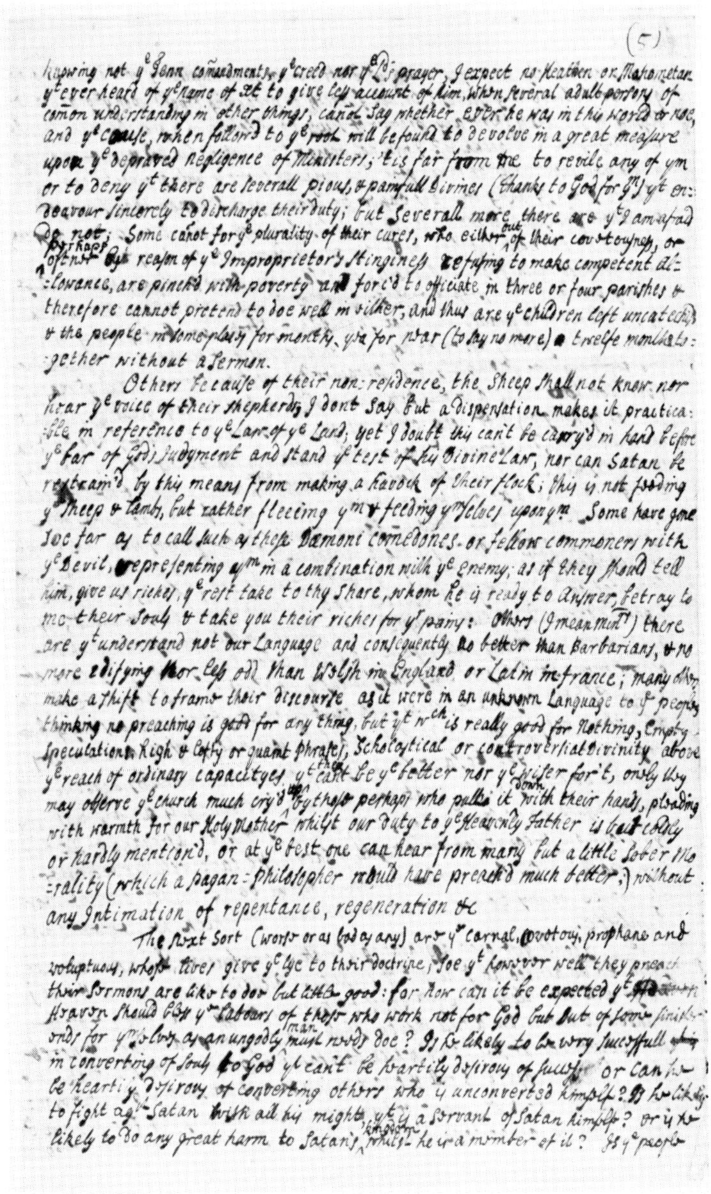

(5)

knowing not ye Ten comandments, ye creed nor ye Ld's prayer, I expect no Heathen or Mahometan
yt ever heard of ye Name of Xt to give less account of him, when several adult persons of
comon understanding in other things, canot say whether ever he was in this world or noe,
and ye cause, when follow'd to ye root will be found to devolve in a great measure
upon ye depraved negligence of Ministers; 'tis far from me to revile any of ym
or to deny yt there are severall pious & painfull Divines (thanks to God for ym) yt en:
deavour sincerely to discharge their duty; but Severall more there are yt I am afraid
do not; Some canot for ye plurality of their cures, who either out of their covetousness, or
perhaps oftner by reason of ye Impropriator's Stinginess refusing to make competent al:
:lowance, are pinch'd with poverty and forc'd to officiate in three or four parishes &
therefore cannot pretend to doe well in either, and thus are ye children left uncatechis'd
& the people in some places for months, yea for near (to say no more) a twelfe month to:
:gether without a Sermon.

Others because of their non:residence, the Sheep shall not know nor
hear ye voice of their shepherds, I dont say but a dispensation makes it practica:
:ble in reference to ye Law of ye Land; yet I doubt this can't be carry'd in hand before
ye bar of God's Judgment and stand ye test of his Divine Law, nor can Satan be
restrain'd by this means from making a havock of their flock; this is not feeding
ye sheep & lambs, but rather fleecing ym & feeding ymselves upon ym. Some have gone
soe far as to call such as these Dæmoni comedones or fellow commoners with
ye Devil, representing ym in a combination with ye enemy; as if they should tell
him, give us riches, ye rest take to thy share, whom he is ready to answer, betray to
me their souls & take you their riches for yr pains: Others (I mean min.rs) there
are yt understand not our Language and consequently no better than Barbarians, & no
more edifying nor less odd than Welsh in England or Latin in France; many also
make a shift to frame their discourse as it were in an unknown Language to ye people
thinking no preaching is good for any thing, but yt wch is really good for Nothing, Empty
speculations, high & lofty or quaint phrases, Scholastical or controversial divinity above
ye reach of ordinary capacityes yt they can't be ye better nor ye wiser for't, only they
may observe ye church much cry'd up by those perhaps who pull it down with their hands, pleading
with warmth for our Holy Mother whilst our duty to ye Heavenly Father is but coldly
or hardly mention'd, or at ye best one can hear from many but a little sober Mo
:rality (which a pagan philosopher would have preach'd much better,) without
any intimation of repentance, regeneration &c

The next sort (worse or as bad as any) are ye carnal, covetous, prophane and
voluptuous, whose lives give ye lye to their doctrine, soe yt however well they preach
their sermons are like to doe but little good: for how can it be expected yt ...
Heaven should bless ye labours of those who work not for God but out of some sinister
ends for ymselves as an ungodly man must needs doe? Is he likely to be very successfull
in converting of souls to God yt can't be heartily desirous of success or can he
be heartily desirous of converting others who is unconverted himself? Is he likely
to fight agst Satan with all his might, yt is a servant of Satan himself? or is he
likely to do any great harm to Satan's kingdom whilst he is a member of it? Is ye people

Llythyr Griffith Jones at yr Esgob Adam Ottley

Llun: Llyfrgell Genedlaethol Cymru

a Chaergrawnt, ac mae'n siŵr iddo golli cefnogaeth nifer o'i gyd-offeiriaid drwy siarad yn rhy blaen ar adegau. Deuai pob pechadur dan ei lach. Ceryddai bechaduriaid yn y pulpud ac yn y stryd. Cystwyai'r goludog a'r hunangyfiawn, y gormeswr a'r cybydd i'w hwynebau, a hynny mewn iaith ddi-flewyn-ar-dafod. Cyfaddefodd ei hun nad oedd wedi 'dad-ddysgu gonestrwydd a gerwindeb iaith fy mam, nac ychwaith wedi meistroli llyfndra seimlyd yr iaith Saesneg'.

Bu Griffith Jones yn ddigon brathog hefyd wrth geisio dwyn perswâd ar yr arweinwyr Methodistaidd i ymostwng i drefn a disgyblaeth yr Eglwys Sefydledig. Eglwyswr uniongred oedd Griffith Jones a bu'n ffyddlon i ddysgeidiaeth yr Eglwys drwy gydol ei oes. Yn ei dyb ef, 'Zelotiaid byrbwyll fflamboeth' oedd yr arweinwyr Methodistaidd. Ni allai ddygymod â'u hunan-dyb a'u heithafiaeth, a gwnâi ei orau glas i ffrwyno'u sêl. Credai fod sêl Howel Harris yn drech na'i wybodaeth a phwysai arno'n gyson i rwymo wrth ryw alwedigaeth ac i sobri. Dywedodd ym mis Mai 1741 fod Harris a'i gyd-weithwyr yn euog o 'enthusiastical and incredible fooleries'. Pan honnai'r Methodistiaid fod pwyslais Griffith Jones ar gateceisio a dysgu darllen yn 'sychu'r teimlad' ac yn diffodd gwres y fflam, atebai Griffith Jones na fedrai'r efengylwyr rhyfygus wahaniaethu rhwng y gwir a'r gau am eu bod yn ymgolli mewn boddfa deimladol. 'Peryglus yw gyrru ar farch gwyllt a dall', meddai, 'heb lygaid yn ei ben, na ffrwyn yn ei safn; ni wyddys i ba ffos a cheulan na serthallt y rhed yn ei flaen, i daflu i lawr ei farchogwr.' Cafwyd sawl dadl boeth (weithiau hyd at saith awr o drafod) rhwng Griffith Jones a'r Methodistiaid ar yr aelwyd yn Llanddowror, a'r penteulu oedd un o'r ychydig rai a fedrai osod gŵr mor benstiff ac afrywiog â Howel Harris yn ei le. Yn ddieithriad, bron, Griffith Jones a fyddai'n mynnu cael y gair olaf. Ym mis Mai 1741 ceryddodd Herbert Jenkins, y cynghorwr Methodistaidd, mor hallt nes ei fod yn crynu drwyddo a heb fedru yngan gair. Ond er ei fod yn gallu dwrdio gyda'r gorau, ni fyddai Griffith Jones byth yn dal dig. Gwyddai'n dda fod ganddo elynion lawer. 'Y mae gennyf fwy o feirniaid a cheryddwyr nag o wrandawyr gonest', meddai ym mis Tachwedd 1736. Ond ni thrafferthodd ateb cyhuddiadau enllibus ei gymydog, John Evans, Eglwys Gymyn. 'A ddylai teithiwr boeni', meddai, 'oherwydd fod anifeiliaid bach yn cyfarth ato ar ei ffordd, neu aros i'w ceryddu am eu hanfoesgarwch?'

Droeon cyfeiriai cyfeillion Griffith Jones ato fel milwr da dros
Grist. Yr oedd y disgrifiad yn gwbl briodol oherwydd syniai
Griffith Jones am fywyd fel brwydr, brwydr rhwng y da a'r drwg,
rhwng dilynwyr Crist a dilynwyr Satan. Yn ei bregethau cyfeiriai'n
aml at fywyd fel ymdrech daer, fel prawf neu filwriaeth. 'Yr ydym
yma . . . ar faes y gad', dywedodd wrth Madam Bevan, 'ac mae
gennym lawer o elynion i'w hymladd; ond cofiwch am Dywysog a
Chapten ein hiechydwriaeth; yr ydym yn ymladd dan faner ei
gariad ef, ac nac anghofiwch y wobr yr ydym yn ymladd amdani.'
Rhyfel Cristnogol oedd bywyd yn erbyn Tywysog y Tywyllwch a'i
lengoedd anfad. Un o'r adnodau amlaf ar ei wefusau oedd: 'Gwrth-
wynebwch ddiafol, ac efe a ffy oddi wrthych' (Iago IV.7). Hoffai
adrodd stori am ymgais Satan i'w flino. Un noson dywyll yr oedd
yn dychwelyd o dŷ ei fam. Ac yntau'n marchogaeth ar hyd llwybr
cul, neidiodd y Diafol ar gefn ei geffyl ac eistedd y tu ôl iddo. 'Pwy
sy' 'na?' meddai Griffith Jones. 'Dy elyn pennaf, fel yr wyt ti i
minne, y Diafol', oedd yr ateb. 'Beth wyt ti eisiau?' holodd Griffith
Jones. 'I'th rwygo'n ddarnau â'r crafangau yma', atebodd y
Diafol, gan daflu ei freichiau dros ysgwyddau Griffith Jones er
mwyn dangos ei grafangau milain. Ond ei wfftio a wnaeth Griffith
Jones, a phan fyddai'n adrodd ac yn ailadrodd y stori honno wrth
ei gynulleidfaoedd pwysleisiai bob tro na fedrai'r Diafol drechu un
o weision Duw. Eto, fe'u rhybuddiai fod yn rhaid iddynt fod ar eu
gwyliadwriaeth er mwyn gwrthsefyll dichellion Satan, oherwydd
creadur cyfrwys ydoedd a chanddo 'biccellau tanllyd i wanu trwy
galonnau dynion'. Wrth annog pobl Llandeilo ym mis Hydref 1722
i 'wisgo holl arfogaeth Duw', darluniodd Satan fel un a allai
ymddangos megis 'llew rhuadwy', 'megis blaidd' a 'megis sarph'.
Nid oedd lle yn y byd hwn, meddai, i'r Sioni-bob-ochr neu'r
hanner-Cristion. Rhaid oedd gwneud safiad a brwydro'n ddewr yn
erbyn y byd, y cnawd a'r cythraul. Fel cynifer o weinidogion yr oes,
gwnâi Griffith Jones ddefnydd helaeth o ddelweddau milwrol,
lawer ohonynt yn seiliedig ar waith John Bunyan. 'Nertha ni â'th
ras', oedd ei weddi'n bur aml, 'i ddioddef cystudd, fel milwyr da i
Iesu Grist.' Un o'i hoff benillion yng ngwaith y Ficer Prichard
oedd:

> Bydd gan hynny, megis milwr,
> Yn dy gylch bob awr a'th armwr,
> Ym mhob man yn dyfal-wilio,
> Rhag i Satan dy andwyo.

ıawıı y disgrifiwyd Griffith Jones gan Howel Harris ym 1742 fel 'hen filwr ymdrechgar' a'i fryd ar 'ddyrnodio cadarnleoedd Satan'.

Gŵr digon pryderus ac ofnus oedd Griffith Jones; fe'i poenid yn aml gan ysbrydion dieflig ac arswydau dychrynllyd. Pwysai'r bygythiad o du Anghydffurfiaeth yn drwm ar ei enaid a thestun gofid iddo ef oedd gweld 'ugeiniau o fân sectau' yn codi eu 'pennau corniog'. Nid peth i'w groesawu oedd twf crefyddau anuniongred ac anffyddiaeth. Ond, yn anad dim arall, arswydai rhag Pabydd-iaeth. Yn ei dyb ef, crefydd a luniwyd yn uffern oedd crefydd Rhufain. Casái'r 'locustiaid Pabyddol' â chas cyflawn. Credai mai Pabyddiaeth oedd y gallu mwyaf dieflig yn y byd; ffydd satanaidd ydoedd, yn twyllo'r diniwed ac yn gormesu'r gwan. Ac yn union fel y mae Comiwnyddiaeth yn ddychryn i bawb yn y Tŷ Gwyn ac yn 10 Stryd Downing heddiw, felly yr oedd y bygythiad o du Pabyddiaeth yn fferru gwaed Griffith Jones yng Nghymru'r ddeunawfed ganrif. Gweddïai'n daer ar ran yr Hanoferiaid a'r Sefydliad Protestannaidd. Ar adegau o argyfwng cenedlaethol, megis ym 1745 a 1756, credai fod y gelyn Pabyddol ar gyfandir Ewrop yn paratoi i oresgyn ac anrheithio gwledydd Prydain ac i 'orchuddio'r meysydd â gwaed'. Oni fyddai pobl Cymru'n ymroi i amddiffyn y Grefyddol Ddiwygiedig, meddai, byddai barn Duw yn disgyn fel mellt a tharanau am eu pennau. Droeon fe'u rhybuddiai fod 'llid digofaint a dydd soriant yr Arglwydd ymron dyfod'. Proffwydai fod Dydd y Farn yn nesáu ac y deuai'n ddisymwth 'fel y dilyw ar yr hen fyd'. Ym mis Hydref 1757 yr oedd ei wewyr yn amlwg ar dudalennau'r *Welch Piety:*

> Y mae rhyfeloedd a hanes rhyfeloedd yn seinio yn ein clustiau. Y mae ofnau, trallodion a thrafferthion yn cau amdanom ac yn nesáu at ein tir. Ffurfir peiriannau distryw yn ein herbyn. Dim ond un cyfle y mae ein gelyn diflino a gwaedlyd yn disgwyl amdano i daenu ein meysydd â gwaed a dwyn oddi arnom bopeth sy'n ymwneud â Christnogaeth.

Ofnai, pe na bai'r bobl yn deffro ac yn sylweddoli fod dinistr gerllaw, y byddai Duw yn eu cosbi drwy ddwyn y grefydd Brotestannaidd oddi arnynt.

Ar lawer ystyr, hen Biwritan oedd Griffith Jones. Pan oedd yn blentyn nid oedd ganddo ddim diddordeb mewn chwaraeon nac adloniannau ysgafn. Pan fyddai bechgyn eraill o'i oed yn ymddifyrru, myfyrio a gweddïo a wnäi Griffith Jones. Nid oedd ynddo fawr o hiwmor ac mae'n anodd ei ddychmygu'n tynnu coes neb nac ychwaith yn chwarae tric diniwed. Yn ofer y chwiliwn yn ei lythyrau a'i bregethau am gyffyrddiad ysgafn neu winc ddireidus. Gŵr difrifol ydoedd, yn casáu ysgafnder a gwamalrwydd. 'Tyn ymaith fy serch oddi wrth bob digrifwch ffôl a maswedd', oedd ei weddi, 'tro fy nghalon rhag hoffi gwagedd.' Anogai blant ac oedolion fel ei gilydd i beidio ag ymboeni ynghylch pethau'r byd hwn, i ymwrthod â phob maswedd ac i roi eu serch ar bethau uwch. Lloffai'n gyson am wersi buddiol yng ngherddi'r hen Ficer o Lanymddyfri. 'Nid yw pleser a mwyniant pechod onid twyll tost', meddai, 'ag a dry, cyn bo hir, yn wenwyn.' Ceryddai wŷr bonheddig barus heb flewyn ar ei dafod. 'Cyfoeth yw eilun y byd', rhuai, 'mamaeth gwanc a moethusrwydd.' Yr oedd *dolce vita* Caerfaddon yn atgas ganddo. Caerfaddon oedd y dref fwyaf ffasiynol yn Lloegr y pryd hwnnw a byddai boneddigion a masnachwyr yn heidio yno i chwilio am bleserau rhywiol. Er bod Griffith Jones yn mwynhau cwmnïaeth y gwŷr a'r gwragedd duwiol a ddeuai ynghyd yn nhŷ Madam Bevan, credai mai pencadlys Satan oedd tref Beau Nash a'i bod yn llawn o 'ddyfeisiadau uffernol i galedu calonnau dynion yn erbyn Duw'.

Eglwys Llandeilo Abercywyn

Llun: Llyfrgell Genedlaethol Cymru

Y mae'n bwysig inni gofio bod Griffith Jones yn cael ei gyfrif ymhlith pregethwyr gorau Prydain. Nid ocdd Howel Harris wedi ei eni pan oedd Griffith Jones yn cyfareddu cynulleidfaoedd mawrion yn Nhalacharn a Llandeilo Abercywyn o 1709 hyd ei benodi'n rheithor Llanddowror ym 1716. A deugain mlynedd yn ddiweddarach yr oedd ei awydd i argyhoeddi pobl o'u cyflwr pechadurus yn dal mor gryf ag erioed. Rhywbryd yn ystod ei lencyndod profodd weledigaeth ysgytwol. Clywodd lais Duw yn galw arno i achub Cymru o'i chyflwr truenus ac ni bu ei fywyd byth yn un fath wedi hynny. Gryfed oedd ei awydd i ennill eneidiau fel na ellid ei gadw o fewn ffiniau ei blwyf. Âi i bregethu yn yr awyr agored adeg y gwyliau eglwysig, yn enwedig Ddydd Llun y Pasg a'r Sulgwyn. Yn aml iawn traddodai ar ben beddrod neu dan ryw ywen, yn null yr hen Biwritaniaid teithiol. Mentrai i'r ffeiriau a'r marchnadoedd i bregethu'r efengyl. Tyrrai pobl wrth eu cannoedd o'r siroedd cyfagos, o Ogledd Cymru a'r Gororau i wrando arno'n traethu. Honnodd John Dalton, Clog-y-frân, ei fod yn medru denu cymaint â mil o wrandawyr, a Phantycelyn ei hun a ddywedodd ei fod yn 'stwffio'r Llannau mawr yn llawn'. Pan aeth John Evans, Eglwys Gymyn, i wrando ar Griffith Jones yn pregethu yn eglwys Talacharn methodd gyrraedd drws yr eglwys gan mor niferus y dorf. Ar ddydd Iau cyntaf Ebrill 1714 yr oedd eglwys Llanwenog mor llawn fel y torrodd y drysau. Yn ôl Benjamin Simon, yr oedd yr Anghydffurfwyr hwythau'n tyrru i'w gyfarfodydd i flasu ei genadwri:

Byddai'n fynych yn ei ddilyn
Dair neu bedair mil o werin,
Ni chodsai o'r blaen yng Nghamber fro
'R fath athro idd eu meithrin.

Ac eithrio Daniel Rowland, nid oedd hafal i Griffith Jones yn y pulpud. Yr oedd yn bregethwr grymus a gwir boblogaidd. Diwallai syched y Cymry am bregethu gwefreiddiol a huawdl. Tystiodd Erasmus Saunders i barodrwydd gwerin-bobl i gerdded tair neu bedair milltir yng nghanol y gaeaf i eglwysi llaith ac oer er mwyn cael cyfle i wrando pregeth. A gallai Griffith Jones ysgwyd y gwrandawyr hyn i'r gwraidd. Taranai yn erbyn pechod. 'O! bobl druenus', bloeddiai, 'wedi eich twyllo gan eich twptra ac yn ymdrybaeddu'n farus ym mudreddi pechod.' 'O bechadur! bechadur!' meddai wrth drigolion Llansteffan ym mis Mawrth 1713, 'nid peth i gellwair ag ef yw pechod. Peth ofnadwy yw syrthio yn nwylaw y Duw byw.' Atgoffai feddwon, tyngwyr, halogwyr y Sul, yr anhrugarog a'r 'rhai llidiog digofus' mai 'fel ag y mae eu pechod y bydded barn'. Rhan bwysig o'i neges oedd sôn am y gosbedigaeth dragwyddol a oedd yn disgwyl pechaduriaid. Yr oedd ei ddisgrifiadau o uffern yn ddigon i beri i'r dewraf grynu: 'Ystyriwch beth yw cael eich berwi yngherwn fawr digofaint Duw, beth yw bod yn llosgi yn y tân anniffoddadwy, yn y ffwrn danllyd, yn y llyn sy'n llosgi o dân a brwmstan'. Ni fedrai ddeall paham yr oedd pobl mor ddi-hid ynglŷn â'u tynged. Credai y byddai'n esmwythach ar drigolion Sodom a Gomora yn Nydd y Farn nag i'r sawl a ddemnir dan broffes o Efengyl Crist. Pan losgwyd tŷ yn ulw yn ei gymdogaeth ym mis Ionawr 1736, ei sylw cyntaf oedd: 'beth am y tân mawr ar y Dydd Olaf?'

'Ffowch at Grist' oedd ei anogaeth wrth ei breiddiau, 'ffowch at eich ffrind anwylaf.' Yn ôl ei gofiannydd cynharaf, 'yr oedd Crist yn bopeth iddo ef'. Honnodd Morgan Rhys y byddai dagrau'n llifo dros ei ruddiau wrth alw ar bechaduriaid i droi at Dduw:

> A'r dagrau yn brudd dros ei rudd,
> Trwy Ffydd y cyhoeddau,
> Waredigaeth rhag y poenau,
> Yng Ngwaed yr Oen i Bawb a gredau.

Wrth bregethu a chynghori o dŷ i dŷ soniai'n aml am yr 'alwad nefol' a gawsai tra oedd yn bugeilio defaid ar lechweddau Cilrhedyn. Dywedai wrth ei blwyfolion fod pobl heb eu haileni 'yn ymborthi ar gibau gyda'r moch'. Pwysai cyflwr anwybodus ac annuwiol gwerin-bobl yn drwm ar ei feddwl ac fe'u hanogai'n gyson i gofio bod Crist wedi dod i'r byd hwn i achub eneidiau dynion. Soniai lawer am 'yr Iechydwriaeth fawr', am Grist fel Gwaredwr, a'r ffordd y gellid troi dyn 'o dywyllwch i oleuni'. Yn ôl Howel Harris, un o'i hoff ymadroddion oedd 'Neb ond Crist, neb ond Gwaed Crist'. Pregethai'n syml, mewn dull agos-atoch. Holai gwestiynau yn ystod pregeth er mwyn sicrhau bod ei neges yn ddealladwy i bawb. Gwisgai'r gwirioneddau mawr mewn brethyn cartref ac yr oedd ei lais soniarus, ynghyd â'i daerineb, yn cadw ei wrandawyr rhag hepian. Drwy amneidio neu newid goslef gallai beri i unigolyn deimlo ei fod yn llefaru wrtho ef, ac ef yn unig. Dyma oedd ei neges i'r gŵr difreintiedig yn Eglwys Cilgerran ar Ddydd Calan 1733:

Ti elli fod yn llwm, a pharhau felly, ac etto myned i'r Nefoedd yn y diwedd; ti elli fod mewn clefyd a charchar, a pharhau felly, a myned i'r Nefoedd gwedi angau; ti elli fod heb fawr o wybodaeth nac yscolheicaeth, ac etto cael myned i'r Nefoedd pan eloch o'r byd: Ond heb y cyfnewidiad hwn, a bod yn greadur newydd, y mae yn amhossibl i ti gael mynd i'r Nefoedd byth.

Yr oedd dylanwad Griffith Jones fel pregethwr ar dwf y mudiad Methodistaidd yn aruthrol. Er bod ei gyhuddo o fod yn 'Bab Methodistaidd' yn dân ar ei groen, y gwir yw iddo ddylanwadu'n drwm iawn ar yr efengylwyr ifainc. Ef oedd tad ysbrydol Daniel Rowland. 'I'm golwg i, chwychwi yw goruchwyliwr fy Meistr', meddai Howel Harris wrtho. Bu Howel Davies yn gurad iddo. Tystiai Mali Francis, gwraig Williams Pantycelyn, fod Griffith Jones yn 'ben cynghorwr iddi mewn pob peth perthynol i fater ei henaid'. Deuai Elizabeth Williams a'i mab, Peter, i wrando arno'n pregethu yn Llanddowror. Yr oedd Rhys Hugh, tad ysbrydol Thomas Charles, yn aelod o'i gynulleidfa. Hawdd deall paham y dywedodd y Pêr Ganiedydd mai yn Llanddowror y braenarwyd y tir ar gyfer y Diwygiad Methodistaidd. Dan aden Griffith Jones y dysgodd yr efengylwyr Methodistaidd sut i draddodi yn y pulpud. Yr oedd arddull ac angerdd yr hen sant o Landdowror yn ysbryd-

Eglwys Llanddowror

Llun: Llyfrgell Genedlaethol Cymru

oliaeth iddynt. Trysorent ei berlau. Gan Griffith Jones y dysgodd Howel Harris beidio â'i ailadrodd ei hun wrth bregethu ac i sôn am 'edifeirwch' pan fyddai gair fel 'aileni' yn peri tramgwydd i wrandawyr. Mor ddiweddar â mis Mai 1770 yr oedd Harris yn dal i adrodd hanes y pum morwyn ffôl yn unol â'r cyfarwyddyd a gawsai gan Griffith Jones 34 mlynedd ynghynt. Hyd yn oed ym 1748, ac yntau'n 65 oed, nid oedd pregethau Griffith Jones wedi colli mymryn o'u min na'u dylanwad. Ym mis Mai y flwyddyn honno aeth ar daith bregethu drwy Gymru yng nghwmni'r Arglwyddes Huntingdon, Howel Harris, Daniel Rowland a Howel Davies. Dyma, yn wir, hoelion wyth y dydd. Yn ystod y daith traddododd Griffith Jones bregeth eithriadol o rymus mewn cae mawr yn Nhrefeca. Ei destun oedd 'Beth a waeddaf?' (Eseia XL. 6). Rhwygwyd calonnau llawer o'r gwrandawyr gan ei genadwri rymus. Ni allent beidio â gweiddi allan, gymaint oedd eu heuogrwydd. Pan holwyd hwy yn ddiweddarach gan yr Arglwyddes Huntingdon, honnent eu bod 'wedi eu hargyhoeddi mor ddwfn ac mor rymus o'u stad bechadurus a'u cyflwr truenus yng ngolwg Duw fel yr ofnent na fyddai Ef byth yn trugarhau wrthynt'. Nid Thomas Morgan, Henllan, oedd yr unig un a gredai fod geiriau Griffith Jones yn y pulpud yn dod 'â grym megis dyn o Dduw'.

Yr oedd dysgu a hyfforddi ym mêr esgyrn Griffith Jones. Ei nod oedd creu Cymru dduwiol a llythrennog, ac ofnai na fyddai unrhyw barhad i'w lafur fel pregethwr oni ellid gwrciddio'r werin-bobl yn hanfodion y grefydd Gristnogol. Fel John Wesley, yr oedd ganddo ddiddordeb arbennig yn y tlawd a'r difreintiedig. Mynnai 'godi ei lef dros y Tlawd'. Ac yntau'n byw yng nghefn gwlad gorllewin Cymru, gwyddai o'r gorau fod cyfran helaeth o'r boblogaeth yn rhygnu byw ar gyflogau pitw ac ymborth sâl. Yr oedd ganddo air o gysur ac anogaeth bob amser i'r tlawd ac fe'u holai yn fanwl nid yn unig am stad eu heneidiau ond hefyd am gyflwr ei hiechyd a'u hamodau byw. Byddai'n bwydo a dilladu'r rhai mwyaf anghenus yn ei blwyf ac yn rhannu cyffuriau ymhlith yr afiach. Synnai wrth glywed offeiriaid yn cyfeirio at yr haenau tlotaf fel 'pryfetach', a phenderfynodd ymroi i hyfforddi ac efengylu ymhlith pobl ddifreintiedig. Fe'i hysgogwyd yn arbennig i estyn cymorth i'r tlawd pan drawyd ei ardal gan haint y teiffws rhwng 1727 a 1731. Gwelodd blant a phobl yn marw heb adnabyddiaeth o Grist. Ymboenai ynghylch tynged y di-fraint a'r anwybodus, ac er mwyn eu denu at orseddfainc gras dechreuodd rannu bara yn eu plith ar y Sadwrn cyn y Cymun, gan fanteisio ar y cyfle i holi pobl dlodion a'u hannog yn garedig i ddysgu adnodau o'r Ysgrythur. Un o'i hoff ymadroddion oedd 'anwybodaeth yw mam a mamaeth annuwioldeb', ac er mwyn porthi'r tlodion â'r Efengyl dosbarthai filoedd o lyfrau da yn eu plith yn rhad ac am ddim. Nid oedd yn fwriad ganddo i wneud y tlawd yn gyfoethog nac i chwyldroi'r fframwaith cymdeithasol. Ei nod pennaf oedd achub eu heneidiau, eu meithrin yn ofn yr Arglwydd, a'u dysgu i fod yn ufudd, yn wylaidd ac yn rhinweddol.

Erbyn y 1730au yr oedd Griffith Jones wedi sylweddoli nad oedd modd gwireddu ei freuddwyd dan amodau cynllun addysgol y Gymdeithas er Taenu Gwybodaeth Gristnogol. Yr oedd cyfundrefn addysg Seisnig yn gwbl amhriodol mewn gwlad lle'r oedd lliaws y bobl yn Gymry uniaith. Gwyddai drwy brofiad mai dim ond plant y breintiedig rai a fedrai fforddio mynychu ysgolion yr S.P.C.K. a bod y Cymry Cymraeg yn eu plith yn treulio tair neu bedair, os nad pum mlynedd i ddysgu darllen rhannau o'r Ysgrythur ac i lefaru'r Catecism yn Saesneg. O ganlyniad, ac yntau dros ei hanner can mlwydd oed, sefydlodd Griffith Jones gyfundrefn o ysgolion teithiol ar gyfer pobl nad oedd ganddynt y geiniog-dros-ben i'w gwario ar addysg. Nid syniad newydd oedd hwn, ond Griffith Jones oedd y cyntaf i afael ynddo o ddifrif a'i osod ar waith. Tan ei gynllun ef, anfonid athro i ardal a ddymunai gael ysgol am gyfnod o dri neu bedwar mis. Yr oedd pob ysgol yn rhad ac yn rhydd i bawb o bob oed ac amgylchiadau i'w mynychu. Fe'u cynhelid yn ystod misoedd y gaeaf ac aent o blwyf i blwyf ar gais offeiriaid. Drwy gynnal ysgolion nos hefyd, rhoddid cyfle i denantiaid, crefftwyr, llafurwyr, gweision a morwynion i dderbyn addysg wedi oriau gwaith. Anogid oedolion yn aml gan Griffith Jones mai gwell oedd dysgu'n hen na marw'n golledig. Yn debyg i Luther o'i flaen, nid oedd gan Griffith Jones lawer i'w ddweud dros ddysgu plant ac oedolion i ysgrifennu. Gwastraff egni ac amser, yn ei dyb ef, oedd ceisio dysgu'r tair 'R'. Felly, dim ond darllen a ddysgid yn ei ysgolion ef, a'r Beibl a'r Catecism oedd prif seiliau'r maes llafur. Credai mai cateceisio trwyadl oedd y ffordd orau i blannu gwybodaeth ym mhennau disgyblion ac i fraenaru'r tir ar gyfer diwygiad crefyddol. 'Fe ŵyr pawb', meddai, 'y gellir dysgu i'r werin anneallus fwy o wybodaeth mewn mis yn y ffordd hon na thrwy bregethu iddynt dros eu holl fywyd.'

Lledodd dylanwad ysgolion cylchynol Griffith Jones drwy

Gymru benbaladr, a thros gyfnod o ugain mlynedd derbyniodd pensaer y mudiad dros ddwy fil o lythyrau oddi wrth offeiriaid yn tystio i lwyddiant ysgubol y fenter. Y mae'n werth nodi rhai enghreifftiau hynod. Ceir sôn am hen wragedd yn mynychu'r ysgolion yn rheolaidd ac yn wylo'n hidl am na chawsent y fath gyfle ddeugain mlynedd ynghynt. Yr oedd un wraig ifanc ddall wedi dysgu'r catecism a rhannau helaeth o'r Ysgrythur mor dda ar ei chof fel y gallai hyfforddi pobl ifainc dlawd. Ceir portread byw iawn yn *Welch Piety* o blentyn chwech oed yn codi cywilydd ar ei rieni drwy eu cymell i beidio â dechrau bwyta wrth y bwrdd bwyd heb ddweud gras yn gyntaf ac i weddïo bob nos wrth erchwyn y gwely. Trist i'w ryfeddu yw'r disgrifiadau am blant a oedd yn dioddef o'r frech wen yn adrodd eu catecism, yn gweddïo'n daer ac yn dyheu am gael bod gyda Christ. Yr oedd deigryn yn llygad John Kenrick, ficer Llangernyw, pan glywodd blant tlawd ei ardal yn gweddïo yn yr ysgol: 'yr oeddynt mor hardd yn eu carpiau tra oeddynt yn dysgu gwisgo Iesu Grist'. Ni ellid bod wedi cael y fath lwyddiant oni bai i Griffith Jones fynnu cael y safon uchaf posib o wasanaeth ac ymroddiad gan ei athrawon.

Dengys hyn i gyd fod Griffith Jones yn drefnydd penigamp. Rhaid cofio bob amser mai anturiaeth a oedd yn ddibynnol ar gyfraniadau elusennol oedd ei gynllun addysg ef. Ac er i'w waith dderbyn sêl bendith y rhan fwyaf o'i gyd-offeiriaid, ychydig iawn o gefnogaeth a gafodd gan esgobion Cymru. Yn ystod ei yrfa fel offeiriad gwelodd naw esgob yn mynd a dod i esgobaeth Dewi, ac ni welodd yr un ohonynt yn dda i gydnabod, heb sôn am gefnogi a chanmol, ei lafur. 'Wala, wfft i'r fath esgobion', meddai William Morris, 'O! na bai Ddewi yn gwybod par fath gymdeithion sydd yn eistedd yn ei drŵn.' Er mai Jehova Jireh ('yr Arglwydd a ddarpara') oedd arwyddair y mudiad, gwyddai Griffith Jones na fyddai arian yn disgyn fel manna o'r nefoedd i dalu am lyfrau rhad, i gyflogi athrawon, ac i logi arolygwyr ac ystafelloedd. Yn ffodus, yr oedd yn mwynhau 'ymrwbbio yn y bobl fawr', chwedl Lewis Morris. Er bod ganddo gydymdeimlad mawr â'r gwan a'r difreintiedig ac wrth ei fodd yn gweini i'w rheidiau, ni theimlai'n anghyff-orddus yng nghwmni boneddigion duwiol ac elusengar. Nid oedd uwchlaw cynffonna am gymwynas ymhlith pobl ddethol Caerfaddon a Llundain. Honnai John Evans, Eglwys Gymyn, ei fod yn fêl ac yn fefus i gyd yng ngŵydd gwŷr a gwragedd bonheddig. Ond, a barnu yn ôl y llythyrau a cyhoeddai yn *Welch*

Piety, gwyddai Griffith Jones hefyd sut i bigo cydwybod gwŷr goludog. Fe'u hatgoffai ei bod yn haws i gamel fynd drwy grai nodwydd nag i ddyn cyfoethog crintachlyd fyned i mewn i deyrnas nefoedd. Gyrrai iasau o ofn drwyddynt pan soniai am y 'barnedig-aethau enbyd' a oedd yn 'hongian uwch eu pennau'. Ac yn yr un modd, yr oedd yn hen law ar ddwysbigo calonnau rhieni a oedd yn gwarafun i'w plant y cyfle i gael crap ar y llythrennau:

> Oni bydd achos i fyrddiynau o Blant dystiolaethu'n alaethus yn erbyn eu Rhieni, a chodi yn eu brig i'w rhwygo'n ddarnau, pe gallent, gan blethu eu dwylaw, a chrochlefain yn chwerwder eu

Syr John Philipps

Llun: Llyfrgell Genedlaethol Cymru

Madam Bridget Bevan

Llun: Llyfrgell Genedlaethol Cymru

heneidiau, a bytheirio allan regau dychrynllyd yn eu herbyn ger
bron y Barnwr, a llais hyll ofnadwy, gan ddywedud: 'Melldigedig
fyddo'r groth a esgorodd arnom, a'r dydd y'n ganed o'r fath Rieni
anrasus! Buont yn offerynnau i'n gwneuthur yn bechaduriaid, ac
yn blant y diafol . . .'

Drwy ei gysylltiadau â Syr John Philipps, Castell Pictwn, a
Madam Bridget Bevan, yr oedd modd i Griffith Jones symud mewn
cylchoedd dethol iawn. Wedi marwolaeth Syr John ym 1737, bu
Madam Bevan yn gefn ariannol i'r ysgolion cylchynol ac yn
ysbrydiaeth bersonol i Griffith Jones am weddill ei oes. Dotiai
Griffith Jones arni. 'Diolch, annwyl Fadam', ysgrifennai ati ym

mis Gorffennaf 1736, 'am fanteision eich cyfeillgarwch. Nid braint fechan yw cael cyfaill duwiol a doeth fel chwi i rannu fy ngofidiau.' Un enciliol wrth natur oedd ei wraig, Margaret, ac yr oedd yn dda ganddo wrth gwmni a chlust gwraig mor olygus a hunanfeddiannol â Bridget Bevan. Rhannai ei gyfrinachau â hi, gan gyffesu un tro mai hi yn unig a'i deallai. Treuliai oriau yn meddwl amdani a darllenai ei llythyrau drosodd a throsodd. Lluniai lythyrau mor faith ati hi nes bod ei fysedd yn aml wedi cyffio'n llwyr erbyn iddo selio'r amlen. Ond nid Madam Bevan oedd ei unig noddwr. Dywed ym 1740 ei fod wedi derbyn £100 yr un gan ddau ŵr bonheddig, ynghyd â £30 yr un gan ddwy wraig fonheddig. Ymrwymodd Syr John Thorold i roi ugain gini bob blwyddyn, a chyfrannai gwyddonwyr a meddygon disglair fel Stephen Hales, David Hartley a James Stonehouse yn hael. Ym 1751 derbyniodd Griffith Jones 36 darn o aur gan wraig fonheddig o Edern yn Llŷn. Pwysai'n drwm hefyd ar geiniogau prin y werin. Anfonodd Joshua Jones, ficer Llanfihangel-ar-arth, gini, 'sef fy hatling tlawd i', a mynnodd rhyw forwyn anhysbys hepgor ei chyflog am flwyddyn er mwyn hybu gwaith ei harwr. Ym mis Chwefror 1757 casglodd pobl ddyngarol Aber-nant y swm o £6.2s.4½c. i gefnogi'r gwaith addysgol, ac ym 1758 daeth £5.18s.7c. i law o blwyf Cynwil Elfed. Ni wastraffodd Griffith Jones gymaint â cheiniog o'r arian prin a gesglid a mantais fawr i'r mudiad oedd y ffaith fod anian y cyfrifydd ynddo. Pan lansiwyd cynllun yr ysgolion teithiol yr oedd prin ddeugain swllt ganddo yn ei boced. Ond drwy ddarbwyllo a swyno a phrocio pobl ariannog llwyddodd i chwyddo'r gronfa ac i osgoi mynd i ddyled. Ar ôl ei farwolaeth cedwid ei arian mewn cist dderw yn nhŷ Madam Bevan yn Nhalacharn. Pan agorwyd y gist gan y Parchedig James Edwards o Dalacharn cafwyd bod ynddi sawl pwrs yn cynnwys symiau o 600 gini, a 191 gini, ynghyd â bond gwerth £3,000.

Un o'r penderfyniadau mwyaf tyngedfennol a wnaed gan Griffith Jones oedd mynnu mai'r Gymraeg fyddai prif gyfrwng y dysgu yn ei ysgolion. Nid oedd yn genedlaetholwr, ond deuai ei wladgarwch i'r golwg yn aml yn ei waith. Yr oedd ganddo barch mawr at iaith a diwylliant Cymru, a hynny mewn cyfnod pan oedd traddodiadau llenyddol y genedl yn ddigon di-bris yng ngolwg llawer. Fel y mwyafrif o'i gyd-wladwyr, brogarwr oedd Griffith Jones. Griffith Jones *Llanddowror* a ddywedwn bob amser. Llafuriodd yn ddiflino yn ei filltir sgwâr yn yr hen sir Gâr am dros hanner can mlynedd. Dyma'r fro a garai yn anad un; hon oedd ei gartref ysbrydol. Nid oedd ynddo'r un anian grwydrol a gaed, er enghraifft, yn Howel Harris, ac ysai am gael dychwelyd o Gaerfaddon neu Fryste i'w gynefin yn Nyffryn Taf. Ac wrth hyfforddi, swcro a bugeilio'i braidd, Cymraeg oedd ei iaith-bob-dydd. Nid wyf yn derbyn y ddadl nad oedd a fynno Griffith Jones â chadwraeth yr iaith Gymraeg. Y mae'n wir fod ganddo resymau pragmatig dros ddefnyddio'r iaith fel cyfrwng yn ei ysgolion, ond go brin y gellir amau ei serch at y Gymraeg na'i awydd i ofalu mai gwerin Cymru fyddai ceidwaid yr iaith. Yr oedd yn ymwybodol o hynafiaeth ac urddas ei famiaith ac nid oedd yn swil i ganu ei chlodydd yng ngŵydd ei gelynion. 'Parcher hi, atolwg', meddai, 'er mwyn ei hoed a'i defnyddioldeb cynhenid fel na ddifwyner ei bri hir ei barhad gan gamfeirniadaeth. Caffed fyw nes dyfod ei hawr benodedig, a hyderwn na ddaw hon nes gweld cyflawniad pob peth, pan fydd holl ieithoedd y ddaear eto'n un.' Ar wahân i hybu'r Gymraeg yn ei ysgolion, lluniodd Griffith Jones dros ddeg ar hugain o lyfrau Cymraeg. Er nad yw'r un ohonynt yn gampwaith llenyddol, yr oedd Griffith Jones yn medru llunio brawddegau cynnil a britho'i destunau ar brydiau â diarhebion fel 'Digrif gan bob aderyn ei lais' a 'Ni cheir gwlân rhywiog ar glun gafr'.

Yr oedd agwedd iach Griffith Jones at y Gymraeg yn hollbwysig mewn oes pan dybiai llawer o foneddigion ac eglwyswyr mai'r gorau peth i Gymru fyddai i'r Gymraeg ddiflannu'n llwyr. Gorfoleddai noddwyr y Gymdeithas er Taenu Gwybodaeth Gristnogol yn y ffaith fod Saesneg yn disodli'r Wyddeleg a'r Gaeleg, ac yr oeddynt yn awyddus i brysuro tranc y Gymraeg yn ogystal. Er mwyn gwrthweithio'r dylanwadau hyn, ni chollai Griffith Jones unrhyw gyfle i bledio rhinweddau'r iaith Gymraeg. Yn wahanol i'r Saesneg, meddai, iaith bur a dilychwin oedd y Gymraeg. Yr oedd ysgolheigion fel Edward Lhuyd, Paul Pezron a Theophilus Evans wedi dangos y tu hwnt i bob amheuaeth mai chwaer i'r Hebraeg oedd yr iaith Gymraeg a bod Duw ei Hun wedi ei bendithio. A chan fod trwch y boblogaeth yn Gymry uniaith ni chawsent eu llygru gan 'haint a gwenwyn marwol Anffyddiaeth, Dëistiaeth, Anghrediniaeth, Ariaeth, Pabyddiaeth, Dramâu anllad, Rhamantau aflednais a Chynllwynion Cariad'. Tybiai fod rheswm economaidd cryf hefyd dros gadw'r Gymraeg. Pe dysgid llafurwyr a hwsmoniaid, sef asgwrn-cefn y gymdeithas fugeiliol, drwy gyfrwng y Saesneg ni fyddent fawr o dro cyn hel eu pac am Loegr neu

America. A thrwy chwilio am fan gwyn man draw byddent yn sicr o dlodi eu mamwlad yn aruthrol. Ond ei brif ofn oedd y byddai gwerinwyr cyffredin yn disgyn i waelodion uffern oni ddefnyddid y Gymraeg mewn pulpud ac ysgol. 'Cymro ydwyf', meddai'n herfeiddiol, 'a Chymraeg, nid Saesneg, yw iaith y lliaws.' Buasai'n well ganddo weld y Cymry'n parhau i fod yn anghyfarwydd â'r iaith fain na'u gweld yn marw heb eu trwytho'n llawn yn hanfodion y ffydd Gristnogol. O'u haddysgu yn eu mamiaith, meddai, haws o lawer wedyn fyddai'r dasg o'u harwain at ieithoedd eraill. 'A fyddwn ni yn fwy awyddus i ledaenu'r iaith Saesneg nag i achub ein pobl?' oedd ei gri. Ac y mae'r ffaith i Griffith Jones ddyfynnu ateb honedig yr hen ŵr o Bencader wrth Harri II, brenin Lloegr, sef y byddai rhai hyd byth i ateb dros y cornelyn hwn o'r ddaear, yn dangos fod ganddo ffydd yn nyfodol y genedl.

Fel pregethwr, hyfforddwr, athro, awdur ac emynydd, cyflawn-odd Griffith Jones waith aruthrol fawr. Hyd yn oed mewn canrif nodedig am ei llafurwyr diflino yr oedd egni ac ymroddiad Griffith Jones yn ddigon o ryfeddod. Ei orchest bennaf oedd sefydlu cyfundrefn addysg lwyddiannus. Rhwng 1737 a 1761, sefydlwyd 3,325 o ysgolion mewn 1,600 o wahanol leoedd yng Nghymru. Amcangyfrifir bod o leiaf 200,000 o blant ac oedolion wedi dysgu darllen yn yr ysgolion hyn (a hynny mewn cyfnod pan oedd poblog-aeth Cymru oddeutu 450,000). 'O radd i radd', llawenychai Robert Jones, Rhos-lan, 'ymdaenodd yr ysgolion rhad dros y rhan fwyaf o holl ardaloedd Cymru, a rhyfedd fendithion a'u dilynodd.' Eisoes yr oedd y ffrwd o lyfrau Cymraeg a gyhoeddwyd cyn sefydlu ei ysgolion wedi cynyddu'r cyfran llythrennog ymhlith pobl annibynnol eu byd, sef ffermwyr a chrefftwyr, a chymwynas fawr Griffith Jones o'r 1730au ymlaen oedd rhoi cyfle i bobl ddi-fraint dderbyn addysg rad. Creodd gorff o ddarllenwyr Cymraeg a wyddai sut i ddarllen y Beibl, i roi cyfrif llawn o'u ffydd ac i lefaru'n ystyrlon a gwybodus. Yn sgil twf ei ysgolion, cafwyd cynnydd enfawr yn nifer y gwerinwyr a danysgrifiai i lyfrau Cymraeg. Drwy roi addysg yn eu mamiaith i bobl na chawsent addysg o fath yn y byd erioed o'r blaen, achubodd Griffith Jones yr iaith Gymraeg. Ac mae dyn yn arswydo braidd wrth feddwl beth fyddai wedi digwydd i'r iaith Gymraeg pe na bai Griffith Jones wedi anghytuno â pholisi iaith mudiadau elusengar ei oes. Camp fawr Griffith Jones oedd creu corff o ddarllenwyr Cymraeg ar adeg pan oedd mwy na 90% o boblogaeth y byd yn anllythrennog.

WELCH PIETY:

OR,

A FARTHER ACCOUNT

Of the Circulating

Welch Charity Schools,

FROM

Michaelmas 1756, *to* Michaelmas 1757,

To which are annexed,

TESTIMONIALS

Relating to the MASTERS and SCHOLARS
of the faid SCHOOLS.

In a LETTER to a FRIEND.

---

2 CORINTHIANS ix. 7, 8.

Every Man according as he purpofeth in his Heart, *fo let him give* ; not grudgingly, or of Neceffity : for God loveth a chearful Giver.

And God is able to make all Grace abound towards you ; that ye always having all Sufficiency in all Things, may abound to every good Work.

LONDON:

Printed by J. OLIVER, in *Bartholomew Clofe.*
MDCCLVII.

Wyneb-ddalen *Welch Piety* (1756-57)
Llun: Llyfrgell Hugh Owen, Coleg Prifysgol Cymru, Aberystwyth

Drwy blannu hanfodion y ffydd Gristnogol yng nghalonnau'r werin-bobl, llwyddodd Griffith Jones i adfywio bywyd eglwysig. Ei brif nod, er ei dröedigaeth ef ei hun, oedd cipio eneidiau i Grist, a llonnai drwyddo wrth glywed offeiriaid yn tystio bod eglwysi gwag yn llenwi, bod cynulleidfaoedd yn gwrando'n fwy astud, yn canu salmau ac emynau'n llawen, ac yn gweddïo'n daer. At hynny, yr oedd moesau plant ac oedolion wedi gwella'n rhyfeddol. Ac er i Griffith Jones ofalu rhag arddel unrhyw gysylltiad swyddogol â'r Diwygiad Methodistaidd, y mae'n wir dweud na fuasai gan yr efengylwyr ifainc ddim i afael ynddo oni bai am ei lafur ef. Honnodd neb llai na Williams Pantycelyn mai Griffith Jones a oedd yn bennaf cyfrifol am baratoi'r ffordd ar gyfer profiadau ysbrydol y ddeunawfed ganrif:

> Yn Llanddowror gyntaf torrodd
> Y goleuni hwn i ma's

Ac os Llanddowror oedd aelwyd gyntaf Methodistiaeth, bu'r ffermdai lle cynhelid y seiadau efengylaidd hefyd yn gartrefi i rai cannoedd o ysgolion cylchynol. Mewn llawer ardal yr oedd Methodistiaeth gryfaf yn yr ardaloedd hynny lle'r oedd cyrchu mawr i ysgolion Griffith Jones. Bwydodd Methodistiaeth—ac Anghydffurfiaeth hefyd—yn awchus ar ffrwyth llafur Griffith Jones.

Dim ond gŵr o anian anghyffredin iawn a allai fod wedi dylanwadu mor drwm ar grefydd, addysg, iaith a moesau'r Cymry. Bu'n gyfaill ac yn gynghorwr i ddiwygwyr crefyddol pennaf yr oes, a thystient hwy fod ganddo ryw apêl gyfrin. Yr oedd rhywbeth patriarchaidd yn ei wisg a'i drem. Cyfareddid dynion gan ei bersonoliaeth gref. Hyd y gwn i, dim ond John Evans, ei gymydog yn Eglwys Gymyn, na fedrai ddweud dim byd da amdano. Ond rhagfarn ac eiddigedd a barodd iddo ef bortreadu Griffith Jones fel rhagrithiwr a chelwyddgi. Â pharch ac anwyldeb y soniai Lewis Morris o Fôn am 'yr hen Ruffydd Siôn, Llanddowror'. Er mai cyflogau pitw iawn a gâi'r athrawon a gydweithiai ag ef, y mae'n arwyddocaol mai braint i'r mwyafrif ohonynt oedd cael ei wasanaethu. Llwyddodd Griffith Jones i ddenu llenorion a beirdd fel Morgan Rhys, Dafydd Wiliam a Ioan Siencyn i hyfforddi plant ac oedolion. Gymaint oedd ei ddylanwad fel yr oedd Anghydffurfwyr pybyr fel Jencin Morgan, Richard Tibbott ac Evan Williams yn barod i gymuno yn Eglwys Loegr er mwyn sicrhau bod cynorthwywyr rheithor Llanddowror yn gymunwyr eglwysig. Yr oedd Llanddowror yn Feca i bererinion ifainc sychedig. Cerddodd John Thomas, Rhaeadr Gwy, 35 milltir i gwrdd â Griffith Jones, a chael ei gyfareddu gan ei bersonoliaeth: 'ei ymadroddion ynghyda'r olwg arno a enillodd fy nghalon fel pe gwelswn angel Duw'. Yr oedd cael bod yn was ar aelwyd eglwyswr enwocaf Cymru fel bod mewn 'nefoedd fechan ar y ddaear', a daeth John Thomas i barchu, onid i hanner-addoli ei arwr. Agorai Griffith Jones ei ddrws led y pen i efengylwyr ifainc a byddai'n ymddiddan ac yn dadlau â hwy hyd oriau mân y bore. Âi Howel Harris i Landdowror yn rheolaidd i rannu ei gyfrinachau ac i ymorol am gyngor. Yr oedd sgwrsio â rheithor Llanddowror yn hyfrydwch pur i Harris. 'Dyn mawr' oedd Griffith Jones, yn ei dyb ef, ac nid anghofiodd byth y cyngor a'r cerydd a gawsai dan gronglwyd yr hen batriarch. Pur anaml y ffarweliai â Griffith Jones heb fod dagrau ar ei ruddiau. Er amled y geiriau croes a fu rhyngddynt, ni allai Howel Harris lai nag anrhydeddu ei gynghorwr doeth fel 'hen ŵr, hen sant, hen weinidog a thad yn Israel'. A phan gâi Harris bwl drwg o'r pruddglwyf, fe'i cysurai ei hun drwy adrodd ac ailadrodd geiriau Griffith Jones: 'Bydded Duw yn Dduw i ti am byth'.

Wedi i'w wraig, Margaret, farw, yn 80 mlwydd oed, ar 5 Ionawr 1755, ymgartrefodd Griffith Jones yn nhŷ Madam Bevan yn Nhalacharn. Blinid ef fwyfwy gan y fogfa ac nid oedd hyd yn oed awelon balmaidd Cefnsidan yn ddigon i lonni ei galon. Nid oedd gan weision a morwynion y tŷ fawr o feddwl o'r 'Hen Gecryn' a oedd yn tuchan ac yn gwenwyno byth a beunydd. Er ei fod yn gaeth i'r tŷ, yr oedd yr awydd i wneud daioni i'w gyd-ddyn mor gryf ag erioed. 'Rhaid i mi ddwyn tystiolaeth i ddaioni Duw', meddai wrth gyfaill pan oedd yn glaf yn ei wely. Pa ryfedd iddo deimlo'n rhwystredig? Yr oedd y gŵr hynod hwn wedi arfer â phregethu a hyfforddi, ysgrifennu llythyrau a chyfansoddi, a hynny ag egni ac ymroddiad di-ben-draw. Ar hyd ei oes brwydrodd er lles ei gydwladwyr ac er gogoniant Duw. Wedi llafur dyfal fel offeiriad eglwysig am 52 o flynyddoedd, bu Griffith Jones farw, yn 77 mlwydd oed, ar 8 Ebrill 1761. Fe'i claddwyd yng nghangell eglwys Llanddowror. A dymuniad olaf Madam Bevan, pan fu hithau farw ym 1779, oedd cael gorwedd wrth ei ymyl. Yr oedd lwmp mawr yng ngwddf Howel Harris pan glywodd am farwolaeth ei hen gynghorwr, a thalwyd y deyrnged uchaf iddo gan Forgan Rhys:

Trwm yw'r galar ar ochneidio,
Sy trwy Frudain Dir a'm dano;
Gwr mawr yn Israel a 'madawodd,
O'r hen Ddaear oer i'r Nefoedd,
Ei waith fydd glod-fawr tra bo Seren,
Yn teithio wyneb y Ffurfafen
Ei Lyfrau sydd a'r ol ei Ddydd
A'm wir ffydd yn tystio;
Tra bo'r Haul-wen yn goleuo,
   Byth ni phydra ei Enw Efo.

'Dyn Glew Iawn':
Dafydd Jones o Drefriw, 1703-1785*

Union ddau gan mlynedd i heddiw—ar 26 Hydref 1785—ymlwyb-
rodd gwerinwyr Dyffryn Conwy i fynwent Eglwys Trefriw i dalu'r
gymwynas olaf i hen ŵr a fu'n wasanaethwr gwiw i fywyd diwyll-
iannol a chrefyddol Gogledd Cymru yn ystod y ddeunawfed ganrif.
'Dyn glew iawn',[1] chwedl Goronwy Owen, oedd Dafydd Jones o
Drefriw, a byddai'n beth trist iawn pe bai'r Gymdeithas Hanes
hon, o bawb, yn colli'r cyfle eleni i gofio am yr hen wron. Tua
chanrif yn ôl, honnodd Iolo Caernarfon: 'nid yw Cymru heddiw yn
gwybod ei dyled i Ddafydd Jones',[2] ac y mae lle i gredu fod y
sefyllfa'n waeth erbyn heddiw oherwydd, er mawr syndod, ni
cheir cofnod amdano yn y *Cydymaith i Lenyddiaeth Cymru.* Y mae
perygl, felly, i'w enw fynd yn angof ac i'w gyfraniad aruthrol
bwysig i fwrlwm diwylliannol ei oes gael ei ddibrisio. Rwy'n mawr
obeithio yr aiff rhywun mwy cymwys na mi ati i baratoi astudiaeth
lawn o'i fywyd a'i waith, ac yn y cyfamser fe garwn i y prynhawn
hwn gynnig portread bras o'r dyn ei hun.

Efallai mai'r peth cyntaf i'w ddweud am Dafydd Jones yw ei fod
ef, ac eraill ymhlith ei gyfoedion, wedi amrywio ei enw yn amlach
na'r enwog Arglwydd Lucan. Fe'i galwai ei hun yn David Jones,
Dafydd Jones antiquary, Dafydd Siôn Dafydd, Dewi ap Ioan, a
Dewi Fardd. At hynny, byddai llenorion uchel-ael (fel Lewis
Morris) yn cyfeirio'n wawdlyd ato fel 'Dewi Fardd y Blawd', 'a dull
dog', ac 'a bumpkin'.[3] Fe'i ganed, yn ôl ei dystiolaeth ef ei hun, am
un ar ddeg y bore ar ddydd Mawrth, 4 Mai 1703, yn fab i Siôn
Dafydd a'i wraig Jane.[4] Ymhyfrydai Dafydd yn ei ach—Dafydd ap
Siôn ap Dafydd ap Siôn ap Rhydderch ap Lewis ab Ieuan—ac yr
oedd yn falch i'w ryfeddu o'i etifeddiaeth ddiwylliannol. 'Nid o
wreng y mae dy wraidd',[5] meddai ei gyfaill, Siôn Powell o
Lansannan, wrtho ac ymddengys fod Dafydd yn perthyn i'r enwog
Thomas Wiliems o Drefriw a'i fod hefyd yn nai i Siôn Dafydd Las,
bardd teulu Nannau a'r olaf o'r hen feirdd teulu traddodiadol. Ni
wyddom ai brodor o Drefriw oedd Dafydd ai peidio, ond yr oedd yn
sicr wedi ymgartrefu yno erbyn 1738 ac wedi priodi ei wraig Gwen.
Ac yn ystod ei yrfa faith a thrallodus fe droes ei law at sawl galwed-

---

* Traddodwyd y ddarlith hon yn ystod Cyfarfod Blynyddol Cymdeithas Hanes Sir
Gaernarfon ar 26 Hydref 1985.

igaeth: fe fu, yn ei dro, yn glochydd, yn athro mewn ysgol elusennol, yn felinydd, yn gwnstabl, yn brisiwr ac yn gasglwr trethi, yn faledwr, yn llyfrwerthwr, yn gyhoeddwr ac yn argraffwr. Oes y *dilettante* a'r amatur amlochrog oedd y ddeunawfed ganrif yng Nghymru, ac y mae Dafydd Jones yn enghraifft deg o'r Sioni-bob-gwaith diwylliedig a geid mewn ardaloedd lle'r oedd gan bobl barch at eu treftadaeth ddiwylliannol a chariad at eu gwlad.

Fel cynifer o'i gyd-wladwyr y pryd hwnnw, gwerinwr digon tlawd a helbulus ei fyd oedd Dafydd Jones. Am ran helaeth o'i oes bu'n rhaid iddo frwydro'n ddygn i gadw'r blaidd o'r drws. Trigai yn nhyddyn Tan-yr-yw, gyferbyn ag Eglwys Fair, tŷ bach bregus wedi ei lunio o fwd a cherrig, a tho gwellt iddo. Pan fyddai'r gwynt yn chwythu'n stormus a'r glaw yn pistyllio, byddai Dafydd a'i deulu'n swatio'n ofnus o flaen y tân ac yn gweddïo am dywydd teg. Yr ydym yn gyfarwydd â sylwadau teithwyr am yr 'habitations of wretchedness' a geid yn Arfon, ond nid yw eu disgrifiadau hwy mor fyw a dirdynnol â'r darlun a dynnwyd gan Dafydd Jones o'i gartref ef ei hun:

> Rwy fi fal y gwyddiad yn dda am danaf yn Trefad mewn Cuddigl amharus ac o'm hamgylch aml ddychrynfau gan mo'r anrhefnus yw'r lle. Yr Adeiladaeth sydd yn ôl yr hen ddull; Anniddos yw gan ollwng gwlybaniaeth iw fewn, ac felly allan. Nid oes ond dwy golofn grynnedig yssigedig yn i gynnal fal i bydd arnaf grynn ofn ar amserau temhestlog iddo gwympo ar fy mhenn: yr hyn a ddigwydd fal i mae'n debyg ryw bryd pan ddel yr ystorm fawr.[6]

Yn wir, pentref digon tlodaidd ei olwg oedd Trefriw ac yn dra gwahanol i'r hyn a fyddai erbyn diwedd oes Victoria pan elwid ef yn 'Llandrindod' Gogledd Cymru. Ffermwyr bach, tyddynwyr, llafurwyr a chrefftwyr oedd y rhan fwyaf o drigolion yr ardal, a'r rhan fwyaf ohonynt yn ddibynnol, mewn rhyw ffordd neu'i gilydd, ar deulu stad Gwedir a oedd bellach yn nwylo dug Ancaster o Swydd Lincoln. 'We have in this parish', meddai Robert Conway, rheithor Trefriw ym 1768, 'several families very low in circumstances.'[7] Yn eu plith, mae'n sicr, yr oedd teulu Dafydd Jones. Ymborth syml iawn a geid ar fwrdd bwyd Tan-yr-yw—bara ceirch, llaeth a llymru, fel arfer, a hwnnw'n ferfaidd ac undonog hyd ddiflastod. Nid oedd unrhyw arian wrth gefn: ym mis Rhagfyr 1760 dywedodd Ieuan Fardd fod Dafydd a'i deulu 'mewn mawr eisiau cael y peth i mae'r byd hwn yn unfryd yn ymewino am danynt, sef arian'.[8] Disgwyl peth o'r elw ar werthiant *Blodeu-gerdd*

Cymry (1759) yr oedd Dafydd ar y pryd, ond troi'n glustfyddar i'w apêl a wnâi'r Cymmrodorion, a bu raid i Ieuan Fardd atgoffa Richard Morris unwaith yn rhagor fod gan hen glochydd Trefriw 'rhawd o blant bychain . . . sef chwech neu saith. I mae yn achwyn bod arno ddyled, ac eisieu modd i dalu ei ardreth'.[9] Yn ôl cofnodion y dreth ar dir ym 1761 yr oedd Dafydd Jones yn gorfod talu 5s. 5½ d. o 'arian y nenbren',[10] ac ar adegau o gyni mawr mae'n rhaid ei fod ef, fel cynifer o rieni distadl ardal Trefriw, Llan-rhychwyn a Betws-y-coed, yn anfon ei blant i hel cardod o ddrws i ddrws.[11] Gwisgai'n dlodaidd ac yn siabi, a byddai'n aml yn cyfnewid dillad â'i gyfaill carpiog, Ieuan Fardd.

Bregus a thrallodus iawn, felly, oedd ei fyd, ac fe'i gwelai ei hun yn cloffi rhwng Scylla a Charybdis: 'mynd yn ôl ni wiw, morio ymlaen sydd enbyd'.[12] Yn ffodus, fel y tystia Thomas Pennant, 'yr oedd haelioni yn ail natur bryd hynny'[13] ac yr oedd cymdogion yn barod i gynnal beichiau ei gilydd. O bryd i'w gilydd, felly, fe gâi Dafydd a'i deulu ffafr gan ryw gymwynaswr lleol—ambell bunt, ychydig sylltau, peth bwyd. Brwydr barhaus oedd ceisio magu a bwydo tyaid o blant. Rhwng 1739 a 1757 ganwyd iddo dri mab (dau John neu Siôn, ac Ismael) a phedair merch (Elizabeth, Jane, Ann a Catrin),[14] a chanfu ef a'i wraig mai tasg drybeilig o anodd oedd cadw'r ddeupen ynghyd. 'O mor ddaionus a fyddai yn Seion', oedd ei gŵyn ym 1764, 'o'm llwch bywiol, a'm tŷ darfodedig.'[15] Mae'n siŵr ei fod wedi adrodd geiriau ei gyfaill, Twm o'r Nant, lawer gwaith:

> Mewn amryw boen 'ry'm ni yma'n byw,
> P'le, p'le bydd dyn yn esmwyth dan y ne.[16]

Ond er ei fod yn barod i ymfodloni ar ei stad a hyd yn oed i weld rhinwedd mewn tlodi, daliai ar bob cyfle i ymosod ar foneddigion balch a chybyddlyd. Nid da ganddo oedd y ffasiwn newydd yn eu plith o yfed te ('berw'r merched') a choffi ('crasddadrwydd') ac ymosododd yn chwyrn ar y 'sothach afiach afreidiol alltudaidd pellenig' hyn.[17] Yn ei gerddi, ei faledi a'i lyfrau anogai ei ddarllen-wyr i beidio â rhoi eu bryd ar bethau bydol: 'na cherwch y byd na'r pethau sy'n y byd' a 'ni chyfrifir yn gyfiawn yr hwn a hoffo aur'.[18] Câi flas arbennig ar ddyfynnu ymadrodd John Kettlewell, sef mai 'agoriadau pyrth uffern'[19] yw cyfoeth. Brithir ei gasgliadau o ddywediadau Saesneg ag ymadroddion fel hyn: 'dally not with money, nor women' a 'happy is he that oweth nothing'.[20]

Gwyddom fod afiechyd, poen a marwolaethau disyfyd yn rhan annatod o fywyd beunyddiol cyffredin-bobl yn y ddeunawfed ganrif, ac fe brofodd Dafydd Jones fwy na'i siâr o drallodion a gofidiau. Gwyddai yn well na neb ei fod yn byw mewn byd o dristwch, dagrau a thrueni. Am gyfnodau helaeth o'i oes bu'n ŵr afiach a churiedig; yr oedd rhyw anhwylder mawr neu fach yn ei boeni bron yn wastadol ac nid yw'n rhyfedd fod natur a chynnwys ei farddoniaeth a'i ragymadroddion i'w lyfrau mor gwynfanus a thrist. Pan oedd yn casglu deunydd ar gyfer ei *Flodeu-gerdd* gwnaeth hynny 'drwy rynn ag anwyd, gwatwar a dirmyg, diystyrwch a choegni'.[21] Ceisiai drin ei amryfal anhwylderau â meddyginiaethau traddodiadol a llysiau llesol, ac y mae rhai o'i gynghorion yn y maes hwn yn bur drawiadol. Hwn oedd ei gyngor i'r sawl a fynnai dynnu dant poenus: 'cymer lyffant melyn o'r dŵr fis Mawrth neu fis Mai, a berw mewn dŵr, a dod dy fys yn y dŵr hwnnw. Cyffwrdd y daint a fynnech, ac ef a syrth o'ch pen'.[22] Ond mân lwch y cloriannau, yn ei olwg ef, oedd ei afiechydon o'u cymharu â'i golledion teuluol. Gŵr a oedd yn meddwl y byd o'i wraig a'i blant oedd Dafydd Jones a gofidiai'n fawr amdanynt pan fyddai raid iddo ffarwelio â hwy er mwyn teithio'r wlad i werthu llyfrau. 'Fy anwyl Gywelu', meddai mewn llythyr at ei wraig a luniwyd tra oedd yn cynorthwyo'r argraffwr Richard Lathrop yn Amwythig ym mis Hydref 1758, 'rwy'n meddwl mai tebyg a fydd fy mywoliaeth i yma i gaethiwed Israel yn yr Aipht.' Ac wrth gau pen y mwdwl, yr oedd ei hiraeth amdanynt yn fawr: 'Nos da i chwi, fy Nheulu heno, a rhagllaw. Duw fo gyda chwi a minne Amen'.[23] Ergyd dost iddo, felly, oedd colli ei wraig rywbryd rhwng 1765 a 1770, a bu'n ddagreuol am gyfnod maith:

> Y mae fy nghalon i cyn drymed
> Ac na fedrai brofi tamed
> Nag yfed chwaith un math ar ddiod
> O wir alar am fy mhriod.[24]

Bu'r frech wen hefyd yn cynaeafu yn Nhan-yr-yw, gan ddwyn ymaith ei ddau fab hynaf. Wyth oed oedd ei ail fab—Siôn Dafydd—pan fu farw ar 29 Hydref 1762, a chwe mis ar ôl ei farwolaeth fe welodd ei chwaer Siân (Jane), mewn breuddwyd, dri blodeuyn lili mewn rhes a basged o ddail a elwid yn flodau'r gŵr ifanc yn gorwedd ar fedd ei brawd.[25] Clwyfwyd Dafydd i'r byw gan y colledion hyn a dyheai am gael ymuno â'i feibion 'yngwlad y seintie':

O! na fyddwn i mor lwcus
A chael mynd ir nefoedd nwyfus
Rhwng dwy enaid fy nau fachgen
Yn fy lle yn fyw a llawen. [26]

Daeth rhagor o drallodion eto i'w luddias: ar 21 Tachwedd 1764 bu farw un o'i gyfeillion mynwesol, Hugh Williams ('Hywel Gwaederw' neu 'Hywel ap Gwilym'), swyddog trethi a gŵr a gâi flas mawr ar gerdd a chân. O'i golli, teimlai Dafydd yn unig a digwmni:

Ni welaf un oi ol fo
Am gymar i mi 'mgomio,
Rwy wedi'n edwi adwedd,
Ochr oer fi oruwch i fedd. [27]

Bum mlynedd yn ddiweddarach bu farw ei dad barddol—yr hen glocsiwr diwylliedig, Siôn Dafydd Berson o Bentrefoelas, gŵr a fu nid yn unig yn athro ond yn ysbrydoliaeth i nythaid o feirdd adnabyddus fel Elis y Cowper, Hugh Jones a Thwm o'r Nant. Lluniodd Dafydd Jones farwnad hael i'r hen ŵr:

'Mddifad wyf am addfed wr
Gweledig oedd gu wladwr.
A chyfaill i mi difri doeth,
Iawn enwog nid un annoeth. [28]

Yng nghanol yr holl loes a'r trybini hyn, fe'i cysurai ei hun drwy gofio fod pob adfyd, afiechyd a blinder yn rhan o'r arfaeth fawr:

Paham y bydd rhai da yn dylodion, yn weiniaid, ac yn anafus, neu'n glwyfus yn y Byd? Rhag ymddigrifo o honynt mewn pechodau daearol, o achos a gaffo ddialedd yn y byd yma, ef a gaiff Nef yn y byd arall. [29]

Plygu i'r drefn a wnâi Dafydd Jones, gan ddioddef pob ergyd ac anffawd yn dawel ac ymroi i'r dasg o baratoi ar gyfer dydd ei farwolaeth ef ei hun.

Siom ar ôl siom fu hanes Dafydd Jones hefyd wrth geisio sicrhau swydd sefydlog a fyddai'n caniatáu iddo gynnal ei deulu ac ymhél â'i hoff bethau, sef llyfrau, llawysgrifau ac addysg. Rhoes ei fryd ar gael ei benodi'n athro ar ysgol gylchynol Griffith Jones a sefydlwyd ym mhlwyf Trefriw ym 1750. [30] Bu'n cynnig pwt o addysg i blant y fro mewn ysgol fach answyddogol er deuddeng mlynedd ac yr oedd yn awyddus iawn i hybu gwaith rheithor Llanddowror yng Ngwynedd. Ond ni chafodd y swydd, ac aeth y siom fel gwayw i'w fynwes. Credai iddo gael ei wrthod oherwydd iddo fynychu oedfaon yng ngwersyll y Methodistiaid. Yn sgil cenhadu dygn gan bregethwyr teithiol, sefydlwyd achos gan y Methodistiaid yng nghartref gwraig weddw yng Nghrafnant ym 1747. Allan o'r naw deg teulu a drigai ym mhlwyfi Trefriw a Llanrhychwyn, dewisodd wyth teulu fynychu cyfarfodydd 'gwŷr y tân dieithr'.[31] Yn eu plith yr oedd Dafydd Jones ac ymddengys ei fod, dros dro beth bynnag, wedi gwerthfawrogi'r cyfle i arllwys ei gyffes ac i drafod ei ofidiau. Yn wahanol iawn i'r rhan fwyaf o eglwyswyr esgobaeth Bangor, credai mai pobl foneddigaidd, addfwyn a dymunol oedd y Methodistiaid a'u bod â'u bryd ar fywiocáu'r gyfundrefn eglwysig:

> Bum am ryw flynyddoedd yn gwrando ar y bobloedd
> Mewn tai a mynyddoedd yn gyhoedd dan go',
> Ni welais gamwedde, mewn tywyll na gole
> Na bai ar eu geirie rwy'n gwirio.[32]

Ond nid felly y syniai offeiriaid Dyffryn Conwy am y 'Cradockiaid' a'r 'Pengrynion' a oedd yn ceisio 'gwirioni gwerinos' ac, fel mae'n digwydd, yr oedd Thomas Jones, rheithor Trefriw, yn casáu'r Methodistiaid â chas cyflawn. 'I am for my part', broliai ym 1749, 'an enemy to Enthusiasm, an Enemy to hypocrisy and Imposture; but a Friend to true Religion piety and virtue.'[33] Eto i gyd, ymddengys na fu i'r rheithor ddal dig yn hir yn erbyn Dafydd Jones am fentro'n achlysurol i'r seiadau yng Nghrafnant. Serch hynny, honnai Dafydd ym 1751 fod gŵr dylanwadol yn y fro yn ei gasáu ac yn chwilio am gyfle i'w gosbi am fflyrtan â'r 'Cradockiaid':

> Ond i mae rhyw un mewn cas i mi, ac or achos hwnnw, ni fedra fi mor dyfod ir Eglwys i wrando Gwasanaeth, nag i Gymmuno, rhag ofn bod fy nghas Ddyn yno, ac nid wyf yn bwriadu chwaith ddyfod yno fawr, hyd oni wyppwyf pwy ydyw, ond i'r wyf yn meddwl fod y Gynfigen gan ryw rai i mi.[34]

Ni wyddom am ba hyd y bu Dafydd yn llyncu mul na phwy oedd yn ei erlid, ond mae'n bosib fod a wnelo perchennog stad Gwedir rywbeth â'r helynt. Eglwyswr a Thori rhonc o Grimesthorpe yn Swydd Lincoln oedd dug Ancaster, perchennog y stad, ac yr oedd yn cael y gair o fod yn feistr tir cwbl ddigymrodedd. Mae'n rhaid ei fod wedi erlid y Methodistiaid yn llwyddiannus oherwydd erbyn 1776 yr oedd John Royle, curad Trefriw, yn ymffrostio yn y ffaith nad oedd yr un Anghydffurfiwr yn byw yn ei blwyf. 'There were many Methodists a few years ago', meddai, 'but they have been

William Hogarth yn difrïo Brwdaniaeth

Llun: Ymddiriedolwyr Yr Amgueddfa Brydeinig

persuaded to leave them and have done so some years ago. This Parish belongs to the Duke of Ancaster and I can command them to quit the Methodists ... they dare not follow them now.'[35] O ganlyniad i'r pwysau hyn, felly, llwyddwyd i ddirwyn gyrfa Dafydd fel athro i ben ac i'w berswadio i gefnu ar selogion 'y Method newydd'.

Pan droes Dafydd Jones i fyd cyhoeddi a gwerthu llyfrau Cymraeg a cheisio ennill bywoliaeth drwy weithredu ar ran perchenogion gweisg Amwythig yr oedd siom a thorcalon yn ei ddisgwyl unwaith eto. Nychwyd llawer o'i hoff gynlluniau gan argraffwyr di-sut ac esgeulus Amwythig. Er dyddiau Thomas Jones yr Almanaciwr bu cwyno mawr, yn enwedig o du llenorion hunandybus, ynglŷn â blerwch gwaith cysodwyr yn Amwythig. Yn ôl William Wynn, Llangynhafal, ni ellid disgwyl cael 'unrhyw gywirdeb' ganddynt,[36] a chystwyid hwy yn aml gan Forrisiaid Môn am eu diofalwch a'u twyll. Arswydent rhag 'dwylo budron' Thomas Durston; 'argraffwyr meddwon didoraeth', taranai Lewis Morris, 'pobl dost ydynt ymhob gwlad.'[37] Siomwyd Dafydd Jones, yntau, gan fwnglerwaith y 'cnaf budr' Stafford Prys yn Amwythig. Er iddo dreulio cyfnod yn goruchwylio'r gwaith o argraffu *Blodeugerdd Cymry* (1759) yn Amwythig, daliai'r argraffwyr i dynnu'n groes ac 'ni argraffai moi lyfr modd ag ir oedd ef yn ewyllysio'.[38] Mae'n rhaid fod Dafydd wedi disgwyl cawod o gollfarn o blith ei ddarllenwyr oherwydd fe'u rhybuddiodd yn ei ragymadrodd i beidio â disgwyl gwyrthiau: 'na ddisgwilied neb fod mo hwn heb ei wahanglwyf'.[39] Ond bu cythraul y wasg yn fwy diwyd nag erioed a phan gyhoeddwyd y flodeugerdd cafwyd ei bod yn frith o wallau argraffu. Rhoddai hynny ddigon o esgus i aelodau crintach o Gymdeithas y Cymmrodorion yn Llundain beidio â'i phrynu. 'Gresyn na fuasent yn well eu trefn, a'r orgraph yn gywirach', oedd cwyn Richard Morris mewn llythyr at Ieuan Fardd, 'mae'r fath fwngleriaeth yn dwyn y gnofa yn fy mol i, a'r dincod ar fy nannedd: ffei ffei rhag cywilydd.'[40]

O hynny ymlaen taflwyd dŵr oer ar lawer o gynlluniau Dafydd Jones gan Lewis a Richard Morris. Bu'n fwriad ganddo tua 1767-8 i gyhoeddi gwaith o'r enw 'Drych i'r Cymro', cyfrol yn cynnwys Gramadeg Cymraeg, ond ni chafodd unrhyw anogaeth gan Richard Morris. Yn wir, chwalodd freuddwyd y gwerinwr o Drefriw mewn ffordd ddigon creulon: 'na chymmerwch yn angharedig arnaf ddywedyd i chwi nad ydych yn ddigon dysgedig i gyhoeddi Gramadeg ... Fe ddylai Gramadegydd fod yn ddyn penigamp'.[41] Brifwyd teimladau Dafydd Jones yn ddirfawr a rhoes bob cynllun uchelgeisiol o'r neilltu. Fe'i twyllwyd yn gwbl ddigywilydd gan Lewis Morris yntau. Er 1757 bu Dafydd Jones yn awyddus i brynu argraffwasg er mwyn gallu cyhoeddi ar ei liwt ei hun yn hytrach na gorfod mynd ar ofyn cyhoeddwyr yn Amwythig neu Lundain. Gofynnodd i Lewis Morris a fyddai'n fodlon ystyried gwerthu'r argraffwasg a sefydlwyd ganddo ym Môn ym 1732. Cau'r drws yn ei wyneb a wnaeth Lewis Morris: 'mae f'argraphwasg i yn dippiau ar Gyfyrgoll ers llawer dydd, a'r Llythrennau hyd wyneb sir fon cyn hyn mi wrantaf—felly ni wiw sôn amdano'.[42] Ond celwydd noeth oedd hynny; y gwir amdani yw fod gwasg Lewis Morris yn ddiogel ym meddiant ei frawd William yng Nghaergybi. A bu raid i Dafydd, druan, aros am yn agos i ugain mlynedd cyn cael cyfle arall i brynu'r wasg.

Yr oedd ymddygiad Lewis Morris yn nodweddiadol o agwedd beirniaid llenyddol tuag at ymdrechion 'tila' beirdd ac awduron gwerinol i ailddeffro diddordeb yn nhraddodiadau diwylliannol y genedl. Ysgwyd eu pennau'n anobeithiol a wnaent wrth ddarllen y 'gibberish à la mode' a'r 'sorry stuff'[43] a oedd yn denu bryd y werin-bobl ac yn gwerthu'n rhyfeddol o dda. Yr oedd safonau a chwaeth cylch y Morrisiaid yn bur wahanol i eiddo beirdd gwlad a geisiai foddio archwaeth gwerin-bobl am ganeuon diddan a chanadwy. Rhoes Goronwy Owen ei lach ar Ellis Roberts, y cowper o Landdoged: 'sach gwlân ydyw Elis', meddai, 'nid oes dim a eill gyrraedd ei groen ef oddigerth haearn poeth.'[44] Ac fe

Lewis Morris
Llun: Amgueddfa Genedlaethol Cymru, Caerdydd

bwniwyd Dafydd Jones, yntau, gan ddysgedigion uchel-ael, yn
enwedig ar ôl iddo fod mor annoeth â thynnu'n groes i'w dymun-
iadau. Aeth yn ymrafael tost rhyngddo ef a Lewis Morris ar ôl i
Blodeu-gerdd Cymry ymddangos ym 1759. Yr oedd Morris wedi
rhybuddio Dafydd Jones i hepgor y cyfeiriadau at ffynonellau
clasurol yn ei ragymadrodd rhag i hynny 'edrych fal gwag
ymffrost'[45] ac i fwrw allan waith salw y beirdd bol clawdd. Ond
wfftio at y cyngor hwn a wnaeth Dafydd, a mawr fu cynddaredd
Llywelyn Ddu o Fôn. Bu Lewis yn edliw bwnglerwaith Dafydd yn
ei gefn am fisoedd: fe'i galwyd yn 'Dewi Fardd y Blawd', yn 'dull
dog', 'that conceited Coxcomb' ac yn 'ffŵl'.[46] Gwae'r sawl a godai
wrychyn y Llew, yn enwedig pan oedd hwnnw eisoes yn ddrwg ei
hwyl oherwydd y boen a achosid gan y fogfa, peswch a gowt.

Mewn cyfres o lythyrau at ei gyfeillion troes Lewis du min ar
glochydd Trefriw. Ar 8 Tachwedd 1759 hysbyswyd Edward
Richard mai 'a cursed lame piece of work'[47] oedd *Blodeu-gerdd
Cymry,* ac ymhen deng niwrnod daeth llythyr eto yn datgan bod y
prydyddion a gyfrannodd at gyfrol Dafydd Jones mor anwybodus
a di-glem â Mathew Wirion ac Angau'r Trawsgoed. Fis yn
ddiweddarach anfonodd lythyr at Ieuan Fardd yn condemnio
Dafydd am gynnwys gwaith rhimynnwyr di-raen: 'He has
murdered a good book by inserting in it the works of the greatest
blockheads in the Creation, and the most illiterate Creatures that
bear Human Shapes'.[48] Ni wnaeth awelon tyner y gwanwyn ddim
i leddfu cynddaredd Lewis Morris ychwaith: ym misoedd Mawrth
ac Ebrill 1760 daliai i frygawthan yn erbyn 'erthyliaid basdardaidd'
Dafydd Jones. 'I shall never be reconciled to David Jones', meddai
wrth Edward Richard, 'while I am on this side of the grave, and I
hope I shall not meet with such people on the other side.'[49] Pan
ddaeth Dafydd Jones i wybod bod Lewis Morris yn pentyrru
gwawd am ben ei gyfrol ac yn ei sarhau ef yn bersonol fe'i brifwyd
yn arw. Honnai mai ei nod ef oedd ceisio diddanu'r werin ddarllen-
gar ac nad oedd yn fwriad ganddo fentro i faes llenyddiaeth gain ac
urddasol. Â'i ben yn ei blu, mynegodd ei ddiflastod fel hyn:

> Gelynion om deutu sydd yn fy nirmygu
> Gan fynych lefaru neu daeru mewn dig
> Fy mod i'n rhyw huttan brwnt hynod fy hunan
> Cas anian nid diddan na diddig.[50]

O gofio'r holl brofiadau trist a chythryblus hyn, nid yw'n

rhyfedd yn y byd fod y felan yn cydio ynddo'n bur aml. Gŵr prudd-glwyfus oedd Dafydd Jones a châi byliau enbyd o iselder ysbryd. Pan fyddai ei amgylchiadau teuluol truenus yn pwyso arno, ac afiechyd yn ei luddias, byddai'n suddo i bwll o ddiflastod am gyfnod maith. 'Canu bydd', meddai Lewis Morris amdano, 'a chwyno ei anferth drafferth a'i dro.'[51] Er iddo gael byw i oedran teg iawn (bu farw yn 82 mlwydd oed) credai mai prin iawn oedd y gobaith o gael byw bywyd hir. Mawr oedd ei gŵyn:

> Nychdod beunydd sy im poeni—yn gwbl
>   A gwybod Tylodi
>   Mae henaint im dihoeni
>   Och Dduw mor flin yw trin tri.[52]

Mae'n arwyddocaol ei fod yn hoff iawn o bori yn llyfr Robert Burton, *The Anatomy of Melancholy* (1621),[53] gwaith a oedd yn honni bod y felan yn rhan annatod o gyfansoddiad pob copa walltog. Myfyriai'n aml hefyd uwchben y llyfr brawychus hwnnw, *Ystyriaethau Drexelius ar Dragywyddoldeb* (1661). 'I wept when I was born', cyfaddefodd Dafydd ryw dro, 'and every day shows why.'[54] Ac wrth heneiddio, dyheai am gael mynd i deyrnas nefoedd i fyw yn dragywydd 'gyda'm bendigedig Arglwydd'.[55] Mewn llawysgrif o'i eiddo yng nghasgliad Cwrtmawr, ceir tudalen wedi ei rwygo allan o'i gopi o'r Llyfr Gweddi Gyffredin: gweddi sydd arno, sef 'Gweddi am Ymadawiad dedwyddawl or Byd hwn'. Oddi tani fe gopïodd yr unig bennill Saesneg, am a wn i, a luniwyd erioed gan Edward Morris, Perthillwydion:

> Awake, arise, behould thou hast
> Thy life a Leave thy breath a blast
> At Night lie down prepare to have
> Thy Sleep thy death thy bed thy grave.[56]

Fel cynifer o wŷr amlwg Cymru yn y ddeunawfed ganrif, yr oedd Dafydd Jones yn ymwybodol iawn o freuder bywyd.

Ar lawer ystyr, gwerinwr syml a diymhongar oedd Dafydd Jones; yr oedd ei wreiddiau yn ddwfn ym mywyd cymdeithasol a diwylliannol Dyffryn Conwy. Mae'n wir ei fod yn hoffi arddel cysylltiad â Chymdeithas y Cymmrodorion ac â gwŷr dysgedig fel y brodyr Morris (a dylid sylwi ei fod yn arfer nodi â balchder ei fod yn Gyfaill i'r Cymmrodorion drwy argraffu'r llythrennau C.C. ar ôl ei enw), ond teimlai'n fwy cartrefol a dedwydd yng nghwmni ei gyd-werinwyr yn Nhrefriw, Llanrhychwyn a Llanrwst; gwŷr digon distadl fel William Thomas, teiliwr o Lanrwst, Thomas Williams, crydd o Lanrwst ac Ellis Roberts, y cowper o Landdoged, oedd ei ffrindiau pennaf. Er iddo deithio milltiroedd lawer er mwyn prynu llawysgrifau neu werthu llyfrau, un o wŷr y filltir sgwâr ydoedd yn y bôn. Dafydd Jones *Trefriw* a ddywedid bob amser yn y ddeunawfed ganrif (ac eithrio yn shir Gâr lle'r oedd yr emynydd Dafydd Jones o Gaeo yn cynrychioli diwylliant tra gwahanol). Adwaenai Dafydd Jones ei ardal fel cledr ei law a chyn iddynt ffraeo anfonodd stôr o wybodaeth fanwl, ynghyd â mapiau a lluniau, am nentydd, cornentydd, llynnoedd, pysgod, bryniau a chwedlau Dyffryn Conwy at Lewis Morris ar gyfer ei gyfrol arfaethedig 'Celtic Remains'. Yn wir, synnwyd Lewis Morris yn fawr gan fanylder llafur y clochydd: 'The poor fellow hath taken a great deal of pains for me in drawing me the shape of Conway river and all its branches and lakes, and all their names and their fish, etc. which he hath done surprisingly, according to the directions I gave him'.[57]

Dengys parodrwydd Dafydd Jones i gynorthwyo Lewis Morris gyda'i ymchwil ei natur gymwynasgar a charedig. Cyn i'r ddau ymbellhau yn sgil yr helynt a fu ynglŷn â chynnwys *Blodeu-gerdd Cymry* yr oedd hyd yn oed Lewis Morris yn barod i dystio i onestrwydd a didwylledd y clochydd diwyd:

> Dewi onest, diweniaith
> gywrain ŵr a gâr ein iaith.[58]

Ac er i nifer o ddysgedigion yr oes fwrw Dafydd i'r un sach â Hugh Jones o Langwm a'u labelu'n 'feirdd y Blawd', yr oedd y ddau, o ran cymeriad, yn dra gwahanol i'w gilydd. Y mae'n wir fod y ddau yn cwmnïa'n rheolaidd ond, yn wahanol i fardd Llangwm, gŵr difrifol ac o ddifrif oedd Dafydd Jones. Yn ôl un stori, cyfarfu'r ddau, ynghyd ag Elis y Cowper, mewn tafarn yn Llanrwst ryw fore Nadolig. Cytunwyd i lunio carol ar y cyd a gwahoddwyd Dafydd i wthio'r cwch i'r dŵr. Wedi hir fyfyrio, dyma oedd ei gynnig: 'Wel, dyma'r boreuddydd y ganwyd ein Harglwydd'. Daeth y llinell nesaf oddi wrth Elis y Cowper mewn chwinciad: 'Daeth Dafydd Siôn Dafydd â'r newydd i ni!', ac wrth weld ei ddau gymar yn cymryd y mater yn ysgafn fe bwdodd Dafydd, gan adael i Hugh Jones orffen y pennill:

> Ni chawn yn rhesymol yn gywrain o garol
> Ond hyn yn olynol eleni.[59]

At hynny, os oes coel ar air y Morrisiaid, twyllwr a lleidr oedd bardd Llangwm: fe'i galwyd yn 'geryn llyswenaidd', yn 'llymgi' ac yn 'dylluan ddól' gan Lewis Morris,[60] a blinid ei frodyr hefyd gan ei wamalrwydd a'i dwyll. 'Ow Llangwm', meddai William Morris, 'pa beth sydd arnat na ddeui a llyfrau i'r wlad cyn marw o'r holl subscrifwyr? Llawer aeth i laith er pan gafed yr arian.'[61] Arferai Ieuan Fardd ddweud bod hunan-dyb Hugh Jones hyd yn oed yn fwy na'i anwybodaeth. Ond gŵr geirwir a dibynadwy oedd Dafydd, ac efallai mai hynny, ynghyd â'i wybodaeth ryfeddol am hen lawysgrifau, a barodd i Ieuan Fardd gynhesu ato. Pan benodwyd Ieuan yn gurad Trefriw a Llanrhychwyn ym 1759 proffwydodd Lewis Morris y byddai'r ddau benben â'i gilydd: 'a hundred to one but they will drive one another mad'.[62] Ond ymhen fawr o dro yr oedd y ddau yn gyfeillion mynwesol.

Edmygai Ieuan Fardd onestrwydd ac addfwynder y clochydd o Dan-yr-yw, ac fel 'fy hen gyfaill' a 'fy hen gydymaith addfwyn' y byddai yn ei gyfarch yn ei lythyrau.[63] Y mae'n debyg mai Dafydd Jones oedd yr unig gasglwr tanysgrifiadau a dosbarthwr llyfrau y gallai Ieuan lwyr ymddiried ynddo. Adar brith iawn oedd rhai o'r llyfrwerthwyr a gyflogid gan argraffwyr Amwythig: un o hoff ystrywiau'r meddwyn dichellgar Evan James oedd crafu enwau tanysgrifwyr allan o'i lyfr â'i gyllell boced ar ôl derbyn eu blaendal! Os rhywbeth, efallai, yr oedd Dafydd Jones yn rhy onest ac yn rhy ddiniwed. Fe'i cystwywyd lawer gwaith gan Ieuan Fardd am ymddiried mewn pobl yn rhy rwydd ac am gymryd eu gair wrth gasglu addewidion am danysgrifiadau. Dichon ei bod yn deg i ddweud hefyd fod Ieuan ei hun wedi manteisio ar gymwynasgarwch ei gyfaill wrth geisio casglu trysorau llenyddol. 'Byddai'n dda gennyf', meddai ym 1783, 'pe deuech â hên lyfr Thomas Williams y Physygwr, a Gramadeg Symwnt Fychan gennych, a phei rhoddech hwynt i mi yn gydnabyddiaeth o'n hên gyfeilliach.'[64]

Deilliai gonestrwydd a moesgarwch Dafydd Jones o'i ffydd gref: er iddo ddweud yn dda am y Methodistiaid glynodd wrth ei eglwysyddiaeth ar hyd ei oes. Yr oedd y gyfundrefn eglwysig yn rhan annatod o wead y gymdeithas a thystia cnwd helaeth o gerddi clochydd Eglwys Fair i'w gariad angerddol ati:

> Gwir Famaeth odiaeth ydi—yr Eglwys
> Oreuglod haelioni
> Mam o Nef mae'n Em i ni
> A'r hynaf o'n Rhieni.[65]

Gwasanaethodd fel clochydd Trefriw am bum mlynedd a deugain, gan ymroi am ychydig sylltau i dorri a glanhau beddau, canu'r clychau, cyfeilio, a chyflawni nifer o orchwylion eraill yn Llanrhychwyn yn ogystal. Fe wyddom am gymwynasau'r 'hen offeiriaid llengar' i fywyd ysbrydol a diwylliannol ein cenedl, ond mae'n hen bryd i ni hefyd werthfawrogi cyfraniad yr hen glochyddion. Yn Nyffryn Conwy a'r cyffiniau, er enghraifft, yr oedd nythaid o feirdd a llenorion—Dafydd Jones, Elis y Cowper, Siôn Powell o Lansannan, Siôn Dafydd Berson o Bentrefoelas a Robert Thomas, Llanfair Talhaearn—a oedd yn ystyried yr iaith Gymraeg a'r traddodiad barddol yn drysorau i'w coleddu a'u meithrin.

Tân ar groen Dafydd Jones oedd ymgais yr Esgyb-Eingl i ddefnyddio'r Eglwys fel offeryn i seisnigo Cymru. Pan oedd ef yn dair ar ddeg oed dechreuodd y ffasiwn o benodi Sais i gadair esgob Bangor, ac er mai ychydig iawn a welwyd ar wŷr megis Reynolds, Sherlock, Hutton, Pearce ac Egerton yng Ngwynedd, yr oedd eu rhagfarn yn erbyn yr iaith Gymraeg yn bur hysbys. Eu tuedd oedd penodi cynffonwyr gwenieithus—llawer ohonynt yn elyniaethus i'r Gymraeg—a throi ymaith ymgeiswyr a oedd yn frwd dros eu hiaith a'u gwlad. Tua 1764-5 cwblhaodd Ieuan Fardd draethawd tanbaid yn ymosod yn ffyrnig ar y 'gwancwn diffaith' a oedd yn diffodd cannwyll Gair Duw drwy ddwyn estroniaith i mewn i eglwysi Cymru. Cythruddwyd ef i'r byw pan benodwyd Dr. Thomas Bowles, Sais uniaith ac oedrannus, yn offeiriad Trefdraeth a Llangwyfan yn Ynys Môn ym mis Ebrill 1766.[66] Nid oedd ond pump allan o'r pum cant o bobl a drigai yn y ddau blwyf yn medru siarad a deall Saesneg. Aeth ias o arswyd drwy Wynedd pan daenwyd y newyddion, a threfnwyd ymgyrch genedlaethol, dan nawdd y Cymmrodorion, i ddisodli Bowles. Ac wrth i'r frwydr ddechrau poethi lluniodd Dafydd Jones sylwadau digon coeglyd am arweinwyr ysbrydol ei esgobaeth a'u cyhoeddi yn *Cydymaith Diddan* (1766):

> Pa ddaioni a wna ef yn ei Esgobaeth pan ddêl ef iddi? Conffirmio Plant, a phregethu. Mewn pa iaith? Saesonaeg a Lladin. Pwy sy'n i ddeall e? Y Deon, a'r Ficeriaid, ac ymbell Wr bonheddig. Oh! mi welaf nad yw'r lleill ond fel y Coed ar Cerrig, fal i'r oeddynt cyn y Refformasion neu'r Diwygiad ... Mae'n Salw fod y Brython a fu gynt mo'r enwog a meddu'r holl ynys Y rwan heb un Esgub o Gymro ganddo, o fewn ei 4 Esgobaeth.[67]

Corlan y Defaid Gwlanog
Llun: Ymddiriedolwyr Yr Amgueddfa Brydeinig

Brwydrodd Dafydd Jones nid yn unig dros hawl y Cymro i addoli yn ei famiaith ond hefyd dros ei hawl i gael deunydd darllen yn y Gymraeg. Llafuriodd yn ddiflino i werthu a dosbarthu llyfrau megis *Histori Nicodemus* (1745), *Gwaedd Ynghymru* (1750), *Histori yr Iesu Sanctaidd* (1776) a *Goruchafiaeth a Llawenydd y Gwir Gristion* (1777) er mwyn trosglwyddo newyddion da yr Efengyl ac ennill eneidiau i Grist.

Yn wyneb y dystiolaeth hon, y mae'n anodd coelio'r hen gred fod Dafydd Jones yn ymbleseru yn y ddiod gadarn. Yn ôl Gwilym Lleyn, hen feddwyn a oedd yn rhy chwannog o lawer i godi'i fys bach yng nghwmni rôgs digywilydd fel Elis y Cowper a Hugh Jones, Llangwm, ydoedd. Ond ni welais unrhyw dystiolaeth i brofi hynny. I'r gwrthwyneb, brithir llyfrau a cherddi Dafydd Jones ag ymosodiadau miniog yn erbyn meddwdod. Yn *Cydymaith Diddan* (1766) cyhoeddodd aralleiriad yn Gymraeg o bregeth enwog John Dod, *An Extempore Sermon on Malt,* a honnai fod meddwdod yn drysu synnwyr, dileu'r cof, cyffroi chwantau cnawdol, nychu ymadrodd, llygru'r gwaed, tywyllu'r golwg a chynhyrfu'r ymysgaroedd. 'Meddwdod', meddai, 'sydd bechod yn gwneuthur gwenwyn yn felus.'[68]

Er ei fod yn Gristion cywir, yr oedd Dafydd Jones, fel cynifer o bobl ddysgedig ac annysgedig ei oes, yn ŵr hygoelus iawn. Dotiai ar storïau iasol ac arswydus, gwyddai'n dda am ystrywiau'r diafol a'i lengoedd, a chredai'n ffyddiog fod gan y planedau reolaeth ar weithredoedd a thynged pobl. Yn null almanacwyr a sêr-ddewiniaid ei ddydd, byddai Dafydd Jones yn gwylio symudiadau tebygol y cyrff nefol ac, adeg genedigaeth ei blant, byddai'n nodi union safle yr haul a'r lleuad. Fel hyn y cofnododd enedigaeth ei ferch Ann:

> Ann a anwyd fis Rhagfyr, y 7 Dydd, am 10 o'r boreu Ddydd Llun, Oed y Lleuad 17; Yr Haul yn Arwydd y Saethydd, 26. Y Flwyddyn 1747.[69]

Yr oedd hefyd yn freuddwydiwr mawr: ar 29 Mawrth 1769 breuddwydiodd fod rhyw ŵr wedi dweud wrtho fod arian wedi ei guddio mewn lle o'r enw Cwm Moel neu Moelwg.[70] Dro arall, ar 2 Gorffennaf 1755, breuddwydiodd iddo weld cyfaill a fu farw, Richard Ellis, clochydd Llanrwst. Y mae'r sgwrs a fu rhyngddynt yn hynod ddiddorol:

Mi a ofynwn pa fodd y byddai, Ef a ddywedai (hyd y mae im cof) i
fod yn rhesymol, mi a ofynwn iddo a gawn i siarad mwy ag ef, mi a
wyddwn i fod ef wedi marw ac yr oedd arnaf ofn mynd or tŷ llei
gwelwn ef. Efe a ddue i le arall ir Ty; Mi a ofynwn iddo, a ydych
chwi yn y Nef? Nag wyf, meddai ef. Ymhale yr ydych meddwn i? Ni
wn i meddai ef. A oes y fath beth a Nef ag Uffern meddwn i; A ydych
chwi yn ame meddai ef? Nag wyf meddwn inne; ond cael o honof
sicrwydd oi bod hwy. Wele pe deue blentyn o uffern ni ddwedai ond
yr un peth. Pa bryd meddwn i y Cewch fynd at Dduw? Yr wyf at ben
y ddeuddydd yn cael mynd im Testament, meddai ef. A oes y fath
le ach bod yn cael Llyfre iw darllen? meddwn i? Efe a edrychai arnaf
yn o ddigllon, am i mi amae nad oedd lle a llyfre iw darllen. Yna
meddwn inne Testament Testamentwr, gan feddwl am Grist. Ag ar
hynny o Siarad mi a ddeffrois.[71]

Yr oedd yn gwbl nodweddiadol i Ddafydd, gyda llaw, holi a oedd
llyfrau i'w cael y tu hwnt i'r bedd! Credai hefyd yn ddiysgog ym
modolaeth ysbrydion da a drwg, bwcïod a thylwyth teg, a chofnod-
odd nifer o hanesion lliwgar amdanynt. Ymhlith ei lawysgrifau a'i
faledi ceir nifer o goelion am lynnoedd Eryri, hanes ysbrydion yn
Gamfa Hwfa, ger Ysbyty Ifan, ac yn Eglwys Llanbeblig, a stori am
angel a ymddangosodd gerbron gweinidog yn Rugby am saith y
bore ar ddydd Nadolig 1782.

Nodwedd amlwg arall o gymeriad Dafydd Jones oedd ei ddiwyd-
rwydd. Pan yw dyn yn meddwl am rai o gewri'r ddeunawfed
ganrif—Howel Harris, Griffith Jones, Edmund Jones, Ieuan
Fardd, Iolo Morganwg—yr hyn sy'n rhyfeddod yw eu hegni
dihysbydd. Felly hefyd Dafydd Jones; nid oedd cymal diog yn ei
gorff. Er iddo gael achos lawer gwaith i ddigalonni ni phallodd ei
ffydd na'i awydd i fod o wasanaeth i'w gyd-Gymry. 'Ni cheir lles o
ddiogi', meddai ym 1750; 'think of ease', dywedodd ryw dro arall,
'but work on.'[72] Treuliai oriau hirfaith yn copïo barddoniaeth, a
hynny mewn llawysgrifen ddestlus a phrydferth tu hwnt. Y mae
Llawysgrif rhif 84 yn Llyfrgell Gyhoeddus Caerdydd yn dyst i'w
lafur manwl ac i'r parch a roddai i'n treftadaeth farddol; ynddi
cofnodir cynnyrch dau gant o brifeirdd Cymru mewn dwy gyfrol
drwchus o 1,286 o ddudalennau, hynny yw, tua 94,450 o linellau
cywydd. Yr oedd wrth ei fodd yn darganfod a chopïo 'cuddiedig
dlysau'[73]—hen lawysgrifau prin—a bron na ddywedwn ei fod yn
eu hanwesu beunydd beunos. Yn briodol iawn, fe'i galwai ei hun
yn 'Fyfyriwr ar hen bethau'[74] ac mae'n deg ei ystyried yn etifedd
yr hen ddysg farddol. Yr oedd yn hyddysg iawn yng nghynnwys y

Llawysgrifen Dafydd Jones

Llun: Llyfrgell Genedlaethol Cymru

llawysgrifau Cymraeg pwysicaf, yr oedd yn arbenigwr ar waith Huw Morys ac Edward Morris, ac yr oedd ei gasgliad o ramadegau printiedig a llyfrau crefyddol yn tynnu dŵr o ddannedd ei gyfeillion dysgedig. Digon salw oedd ei gynnyrch barddol ef ei hun, ac fe wyddai hynny'n iawn: 'Dewi Fardd', meddai'n ddiymhongar, 'prin cael yr enw o fod yn fardd.'[75] Ond yr oedd ganddo, fel y tystiodd Ieuan Fardd, fwy o wybodaeth am y Gymraeg 'na nemmor o'i radd a'i alwad'.[76] Mynnai ysgrifennu ei lythyrau yn Gymraeg ac nid oedd ganddo ddim amynedd â gwŷr bonheddig a oedd yn dwyn gwarth ar y genedl drwy ddiystyru iaith eu teidiau a'u cyn-deidiau. 'Ow'r Cymro glân bonheddig', ochneidiai, 'na âd i'th Gymraeg farw.'[77]

Oherwydd ei egni a'i ddyfalbarhad daliodd yr ysfa i gyhoeddi toreth o lyfrau a baledi yn gryf ynddo hyd ddiwedd ei oes. Yr oedd dros ei ddeg a thrigain oed erbyn iddo wireddu ei uchelgais o brynu argraffwasg, ac nid heb lawer o betrusder ac aberth y llwyddodd i ddwyn y maen i'r wal. Ym 1775 bu raid iddo fenthyg arian oddi wrth ei gyfeillion a gwystlo'i lyfrau er mwyn codi digon o arian i brynu hen wasg Lewis Morris. Fe ddywedir yn aml bod Dafydd wedi cario'r hen wasg law bren ar gefn ceffyl yr holl ffordd o Gaergybi i Drefriw. Nid yw hynny'n amhosibl, ond mae'n haws credu ei fod wedi ei chario mewn cwch a bod crefftwyr Trefriw wedi trwsio'r sgriw fawr a oedd yn gweithio plât y wasg. Beth bynnag yw'r gwir, Dafydd Jones o Drefriw oedd y Cymro cyntaf i ennill bywoliaeth fel argraffwr a chyhoeddwr (a hynny'n llwyddiannus) yng Ngwynedd. Nid oedd fawr o raen ar gynnyrch ei wasg, mae'n wir, ond rhaid cofio na dderbyniasai unrhyw hyfforddiant ynglŷn â gosod a chywiro teip. Daeth hepgor diweddnod yn nodwedd amlwg o'i lyfrau ac, yn ôl Gaianydd Williams, yr oedd llawer o'i atalnodau 'fel pe heuasai dyn hwynt gan eu gadael lle'r syrthiasant ar ddamwain'.[78] Cysodwr pur anfedrus ydoedd ac yr oedd ei dlodi yn ei rwystro rhag codi safon ei gynnyrch. Dyma a ddywedodd yn ei ragymadrodd i lyfr Dafydd Ellis, *Histori yr Iesu Sanctaidd* (1776):

> Gobeithio nad oes llawer o Feiau niweidiol yn yr Argraphiad; oddieithr bod *v* lle dylai bod *y* mewn rhai mannau, ac weithiau *u*: Yr unig Achos o hynny oedd, am nad oedd digon o'r Llythyren *y*.[79]

Er mai nod Dafydd Jones, wrth gyhoeddi a dosbarthu llyfrau, oedd cynorthwyo'r ymgyrch i greu cymdeithas dduwiol a llythrennog ac adfer bri yr iaith Gymraeg, yr oedd hefyd yn ymwybodol o'r

angen i 'adferu rhyw ddiddanwch i'm bro'.[80] Fe'i magwyd yn sŵn
englyn, cywydd, baled a charol, ac yr oedd yn benderfynol o
ddarparu deunydd a fyddai'n apelio at 'bobl wladaidd ddiniwed'.
Ni fynnai omedd i'r werin ei hwyl a'i hysgafnder a chyhoeddodd,
felly, liaws o faledi a chaneuon syml, gafaelgar a diddanus. Ymhlith
y testunau a drafodwyd yn y baledi hyn yr oedd hanes Gaenor
Hughes o Landderfel (Sarah Jacob y Gogledd), gwraig a fu byw ar
ddŵr a siwgwr yn unig am dros bum mlynedd; hanes sibedu
llofrudd melinydd Cochwillan ar Y Dalar Hir; hanes claddu erthyl
mewn gardd yn sir Fôn; a hanes gŵr o Gaer a dorrodd gorff ei wraig
yn ddarnau mân a'u gosod mewn potes i'w bwyta. Yn ei *chapbooks*
hefyd, cynhwysai ddarnau difyr megis 'Achau'r Cwrw', araith
ysgafn o eiddo Dr. John Davies, Mallwyd, lle'r adroddid am
gampau cyffrous cymeriadau fel 'Madog mynych gwymp',
'Ysgwyddgam ap Deudrip' a 'Gwargrwm ap Tywallteg'.[81] A theg
nodi hefyd pa mor effro ydoedd i arwyddocâd digwyddiadau
cynhyrfus ymhell o'i gynefin: ei gyhoeddiadau annibynnol cyntaf
yn Nhrefriw oedd dau argraffiad o waith yn dwyn y teitl *Dechreuad,
Cynnydd, a Chyflwr Presenol, Y Dadl rhwng Pobl America a'r Llywodraeth*
(1776), sef yr ymgais gyntaf i drafod yr argyfwng yn America yn
Gymraeg.[82] Nid yw'n rhyfedd, felly, fod ei gynnyrch yn gwerthu
fel tân gwyllt ymhlith gwerin-bobl. Llwyddodd i rwydo 738 o
danysgrifwyr cyn cyhoeddi *Blodeu-gerdd Cymry* ym 1759, ac yn eu
plith yr oedd teilwriaid, seiri, melinyddion, cigyddion, cryddion,
gwneuthurwyr telynau, hetwyr, tafarnwyr, porthmyn, gwehydd-
ion, ffermwyr, gofaint, cyfreithwyr, meddygon ac offeiriaid. Ac er
saled ei faledi bu gwerthu mawr arnynt hwy hefyd. Nid y lleiaf o
gymwynasau Dafydd Jones oedd iddo roi cyfle i werin-bobl brynu
llyfrau Cymraeg a diwallu eu hangen am ddeunydd adeiladol a
difyr.

I grynhoi. Gŵr tlawd a thrallodus oedd Dafydd Jones a geisiodd
godi uwchlaw ei adfyd er mwyn bod o wasanaeth i'w gyd-Gymry.
Fe'i magwyd mewn cyfnod pan oedd boneddigion Cymru yn
fodlon gadael i etifeddiaeth ddiwylliannol y genedl fynd rhwng y
cŵn a'r brain a phan oedd esgobion Cymru yn ymdrechu'n daer i
ddigymreigio'r fam eglwys. Nid oedd gan y genedl unrhyw
sefydliadau cenedlaethol megis llyfrgell, prifysgol, llys neu
amgueddfa i gynorthwyo'r dasg o adfer bri yr iaith Gymraeg
ynghyd â'r bywyd diwylliannol ac ysbrydol a oedd ynghlwm wrthi.
Mewn cyfnod o argyfwng fe wnaeth Cymdeithas y Cymmrodorion

a Chylch y Morrisiaid ddiwrnod da o waith, a bywiocawyd y gyfun-
drefn eglwysig gan dwf Methodistiaeth a'r ysgolion cylchynol. Ond
nac anghofiwn am gymwynas Dafydd Jones a'i gyfeillion: hwy
oedd etifeddion yr hen benceirddiaid a'r ysgolheigion a hwy hefyd
a sicrhaodd mai'r werin-bobl fyddai ceidwaid yr iaith. Flwyddyn
cyn ei farwolaeth, yn 82 mlwydd oed, ar 20 Hydref 1785, lluniodd
Dafydd Jones o Drefriw un o'i gerddi olaf:

> O Dduw dod ronyn i mi o ras
> I fod yn was ir Iesu,
> Ai bur wasnaethu yn glaf ag iach,
> Dal fy Enaid bach i fynu.
>
> Duw madde meie fawr a mân,
> Glanha fy anian inne,
> A gwna fi wael ddaearol Ddyn,
> Yn sanctaidd un oth seinctiau.
>
> O Arglwydd anfon dy yspryd Glân,
> Im calon wiwlan oleu,
> Yn ôl na chymer ef tros fyth,
> Tra byddo chwyth im genau. [83]

Ni allwn lai na gobeithio i'r hen frawd addfwyn a diwyd gael ei
ddymuniad.

NODIADAU

1 J. H. Davies gol., *The Letters of Goronwy Owen (1723-1769)* (Caerdydd, 1924), t. 143.

2 *Cymru*, XLIX (1915), t. 124.

3 Hugh Owen gol., *Additional Letters of the Morrises of Anglesey (1735-1786)*, Rhan 2, (Llundain, 1949), tt. 401-2, 417-20.

4 J. Ifano Jones, *A History of Printing and Printers in Wales* (Caerdydd, 1925), t. 63.

5 G. J. Williams gol., Llythyrau at Ddafydd Jones o Drefriw, *Cylchgrawn Llyfrgell Genedlaethol Cymru*, Atodiad, III (1943), t. viii; G. M. Griffiths, 'Teulu Dafydd Jones o Drefriw', ibid., 7 (1951-2), tt. 73-4.

6 Ll(yfrgell) G(enedlaethol) C(ymru), Cwrtmawr 98E, f. 1.

7 *Welch Piety* (1767-8), tt. 14-15.

8 *Additional Letters*, II, tt. 501-2.

9 Ibid., tt. 505-7.

10 Archifdy Gwynedd, Cofnodion Treth ar Dir, 13 Gorffennaf 1761.

11 Gweler *Welch Piety* (1756-7), t. 35.

12 Ll.G.C., Cwrtmawr 98E, t. 1.

13 Thomas Pennant, *The History of the Parishes of Whiteford and Holywell* (1796), t. 100.
14 Ll.G.C., Adysgrifau'r Esgob, plwyf Trefriw. Gw. hefyd Ll.G.C., Lls. 12005C, t. 37.
15 Dafydd Jones, *Diferion Gwybodaeth* (Llundain, 1764), sig. A2v.
16 Geraint H. Jenkins, *Hanes Cymru yn y Cyfnod Modern Cynnar 1530-1760* (Caerdydd, 1988), t. 10.
17 Dafydd Jones, *Blodeu-gerdd Cymry* (Amwythig, 1759), t. ix.
18 Ll.G.C., Cwrtmawr 98E, t. 1.
19 Ibid., (Y) Ll(yfrgell) B(rydeinig) Lls. 14989, f. 30-1.
20 Ll.G.C., Lls. 175A, tt. 1, 7.
21 *Blodeu-gerdd Cymry*, t. viii.
22 *Cymru*, XXV (1903), t. 143.
23 Ll.G.C., Cwrtmawr 98E, t. 8.
24 *Cymru*, XXXIII (1907), t. 142.
25 Ll.B., Lls. 14973, nodiadau ar ymyl y ddalen.
26 Ibid., t. 25.
27 Ll.G.C., Cwrtmawr 98E, t. 27b.
28 G. J. Williams, op. cit., tt. 28-9; Emyr Wyn Jones, 'Twm o'r Nant and Siôn Dafydd Berson', *Traf. Cymdeithas Hanes Sir Ddinbych*, 30 (1981), t. 53.
29 *Diferion Gwybodaeth*, t. 13.
30 *Welch Piety* (1750-1), passim.
31 Ll.G.C., Cofysgrifau'r Eglwys yng Nghymru, B/QA/2.
32 Ll.G.C., Cwrtmawr 98E, t. 326.
33 Gomer M. Roberts gol., *Selected Trevecka Letters (1747-1794)* (Caernarfon, 1962), tt. 30-1.
34 Ll.G.C., Cwrtmawr 98E, tt. 2-3.
35 Ll.G.C., Cofysgrifau'r Eglwys yng Nghymru, B/QA/5, tt. 104-116.
36 J. H. Davies gol., *The Letters of Lewis, Richard, William and John Morris of Anglesey, 1728-65* (2 gyf., Aberystwyth, 1907), I, t. 82.
37 G. J. Williams, op. cit., tt. 15-16.
38 *Additional Letters*, II, tt. 627-9.
39 *Blodeu-gerdd Cymry*, t. x.
40 *Additional Letters*, II, tt. 440-2.
41 Ibid., II, tt. 692-4.
42 Ibid., I, t. 310.
43 *The Letters of Goronwy Owen*, t. 140; *Morris Letters*, I, t. 81.
44 *The Letters of Goronwy Owen*, t. 138.
45 *Additional Letters*, I, tt. 343-5.
46 Ibid., II, tt. 400-7, 417-20, 442-3.
47 Ibid., II, tt. 414-5.
48 Ibid., II, t. 432.
49 Ibid., II, t. 444.
50 Ll.G.C., Cwrtmawr 117B, t. 272.
51 *Additional Letters*, I, tt. 328-30.
52 Ll.B., Lls. 14973, nodiadau ar ymyl y ddalen.
53 Ll.G.C., Lls. 256A, t. 3.
54 Ll.G.C., Lls. 175A, t. 1.
55 Ll.B., Lls. 14973.
56 Ll.G.C., Cwrtmawr 98E, t. 24.
57 *Morris Letters*, II, t. 48.
58 *Additional Letters*, I, tt. 316-8.
59 T. Jones, 'Beirdd Uwchaled', *Cymru*, 36 (1909), tt. 267-8.
60 Tom Parry, *Baledi'r Ddeunawfed Ganrif* (Caerdydd, 1935), t. 4.
61 G. J. Williams, op. cit., t. 38.
62 *Additional Letters*, II, t. 394.

63 Aneirin Lewis, 'Llythyrau Evan Evans (Ieuan Fardd) at Ddafydd Jones o Drefriw', *Cylchgrawn Llyfrgell Genedlaethol Cymru*, I (1951), tt. 239-58.
64 Ibid., tt. 257-8.
65 Ll.G.C., Cwrtmawr 117B, t. 322.
66 Gweler pennod VIII.
67 Dafydd Jones, *Cydymaith Diddan* (Llundain, 1766), tt. v-vii.
68 Ibid., tt. 14-18.
69 Ll.G.C., Lls. 12005C, t. 37.
70 Ll.B., Lls. 14973.
71 Ll.G.C., Lls. 3107B, t. 45.
72 Dafydd Jones, *Egluryn Rhyfedd* (Amwythig, 1750), t. 3; Ll.G.C., Lls. 175A, t. 1.
73 *Blodeu-gerdd Cymry*, t.x; W. Gerallt Harries, 'Un Arall o Lawysgrifau Dewi Fardd', *Bwletin y Bwrdd Gwybodau Celtaidd*, XXVI (1975), tt. 161-8.
74 Dafydd Jones, *Histori Nicodemus* (Amwythig, 1745), wyneb-ddalen.
75 Aneirin Lewis, op. cit., t. 255.
76 *Additional Letters*, II, tt. 627-9.
77 *Cydymaith Diddan*, t. vi.
78 O. Gaianydd Williams, *Dafydd Jones o Drefriw (1708-1785)* (Caernarfon, 1907), t. 109.
79 Dafydd Ellis, *Histori yr Iesu Sanctaidd* (Trefriw, 1776), t. 4.
80 *Blodeu-gerdd Cymry*, t. vii.
81 *Cydymaith Diddan*, tt. 10-13.
82 S. I. Wicklen, 'Editions of *Y Dadl* (1776) of Dafydd Jones of Trefriw', *Traf. Cymd. Hanes Sir Gaernarfon*, 46 (1985), tt. 15-21.
83 *Dwy o Gerddi Newyddion* (Trefriw, 1784), t. 8.

Y Sais Brych

Yn ystod achos cyffrous mewn llys eglwysig ym 1773 daliodd sbrigyn o gyfreithiwr ar ei gyfle i leisio ei ragfarnau. O enau Sais, wrth gwrs, y daeth y perlau hyn:

> Wales is a conquered country, it is proper to introduce the English language, and it is the duty of the bishops to promote the English, in order to introduce the language.

Y mae'n werth adrodd hanes helynt yr achos hwn nid yn unig am ei bod yn bennod bwysig yn rhawd sir Fôn ond hefyd oherwydd fod rhai o'r egwyddorion a ddaeth i'r wyneb y pryd hwnnw yn berthnasol iawn i'r argyfwng sy'n wynebu'r Eglwys yn esgobaeth Bangor heddiw. Ymddengys mai un o wendidau pennaf yr Eglwys yng Ngwynedd erbyn hyn yw nifer cynyddol y plwyfi gweigion, ynghyd â phrinder bugeiliaid Cymraeg i borthi'r defaid. Mor ddwys yw'r argyfwng fel y mentrodd yr Esgob Cledan Mears ofyn y cwestiwn hwn yn *Y Ddolen*, taflen chwarterol esgobaeth Bangor, ym mis Hydref 1984: 'Onid yw yn well i blwyf gael periglor uniaith Saesneg, na phalu ymlaen heb neb i ofalu am eneidiau?' Byddai angen dyn dewrach na fi i ateb y cwestiwn hwnnw, ond nid drwg o beth fyddai i awdurdodau'r Eglwys yng Nghymru fyfyrio uwchben arwyddocâd y stori a ganlyn.

Ym mis Ebrill 1766 gwelodd Dr. John Egerton, esgob Bangor, yn dda i benodi Dr. Thomas Bowles, Sais uniaith ac oedrannus, yn offeiriad Trefdraeth a Llangwyfan yn Ynys Môn. Ar yr adeg honno Cymry uniaith oedd y mwyafrif llethol o drigolion y ddau blwyf. Yn wir, dim ond pump allan o'r pum cant o bobl a oedd yn byw yno oedd yn medru siarad a deall Saesneg.

Pwy oedd 'Y Sais Brych' hwn, chwedl Ieuan Fardd? Thomas Bowles oedd yr hynaf o wyth o blant a aned i Matthew ac Anne Bowles. Fe'i ganed Ddydd Calan 1695. Brodor o Corfe Castle yn Dorset oedd ei dad a buasai'n rheithor plwyf Donhead St. Andrew yn Swydd Wiltshire er 1683. Prin iawn yw'r ffeithiau am Thomas Bowles ym mlynyddoedd cynnar ei oes ond mae'n amlwg iddo dderbyn pob braint addysgol. Fe'i haddysgwyd yng Ngholeg Winchester cyn mynd yn ei flaen i Goleg Magdalen, Rhydychen, lle'r enillodd raddau B.A. ac M.A. cyn 1720. Etholwyd ef yn gymrawd ym 1723 ac enillodd y graddau B.D. ym 1729 a D.D. ym

1735. Ar 30 Mai 1729 fe'i cyflwynwyd i fywoliaeth Brackley yn Swydd Northampton gan ysgwier o'r enw Fermor Lisle. Gwta ddwy flynedd cyn hynny, ar 6 Gorffennaf 1727, yr oedd Bowles wedi priodi Elizabeth, merch William Lisle o Evenley. Ganed iddynt fab, William—a fu hefyd yn offeiriad—a phedair merch. Tra oedd yn ficer Brackley cadwai Bowles ysgol breifat ar gyfer bechgyn bonheddig a oedd yn dymuno derbyn addysg glasurol. Yr oedd yn gryn feistr ar glasuron Groeg a Rhufain ac ym 1748 cyhoeddodd ramadeg enwog, *Aristarchus: or a Compendious and Rational Institution of the Latin Tongue; with a Critical Dissertation on the Roman Classics.* Yr oedd cryn alw am Bowles fel pregethwr ac awdur, a chyhoeddwyd sawl argraffiad o'i lyfr, *The Gradual Advances and Distinct Periods of Divine Revelation,* pregeth a draddodwyd yn y lle cyntaf yng Ngholeg Magdalen yn Rhydychen Ddydd Nadolig 1728.

Ar 9 Awst 1762 bu farw Elizabeth, gwraig Bowles. Bu'r golled, mae'n siŵr, yn gryn loes iddo, oherwydd penderfynodd ffarwelio â Swydd Northampton a chynnig am swydd newydd. Ar 17 Gorffennaf 1764, ac yntau'n 70 mlwydd oed, penodwyd Thomas Bowles yn brifathro ysgol ramadeg enwog Biwmares yn Ynys Môn. Ni wyddys sut na pham y cafodd Bowles ei hun yn y fath swydd, a hithau mor bell o'i gylchoedd dysgedig arferol, ond ni allai neb amau am eiliad nad oedd ganddo gymwysterau rhagorol. Yr oedd sylfaenydd ysgol Biwmares wedi gorchymyn fod yn rhaid i bob prifathro fod yn ŵr dibriod ac yn berchen ar M.A. Rhydychen. At hynny, fel y gwelsom, yr oedd Bowles yn ysgolhaig ac yn ddiwinydd profiadol. Ni bu fawr o dro yn ymgartrefu ym Miwmares. Er dyddiau'r Goncwest Edwardaidd ym 1282-3 yr oedd yr iaith Saesneg wedi hen ennill ei phlwyf yn y dref. Yno y deuai boneddigion a boneddigesau'r sir ynghyd i drafod y ffasiynau diweddaraf a helyntion gwleidyddol a gweinyddol y dydd. Iddynt hwy a'u bath, yr oedd atyniadau Biwmares yn anhraethol felysach na bywyd undonog a llwyd cefn gwlad Môn. Ni chollodd Thomas Bowles yr un cyfle i gymysgu â phobl o dras fonheddig ac i'w swyno â'i eirfa goeth a chlasurol. Ym 1766 ymbriododd ag Anne Lewis o blas Cichle, Llanfaes, ger Biwmares. Ni wyddom pam y bu i'r Gymraes hon ddewis cymryd hynafgwr brithlwyd yn ŵr iddi, ond hawdd credu bod Bowles ei hun wedi dilyn cyngor Matthew Boulton: 'Don't marry for money, but marry where money is.'

Beth bynnag oedd y cymhelliad yr oedd Bowles, drwy gymryd gwraig, wedi torri rheolau'r ysgol a bu'n rhaid iddo ymddiswyddo.

Hyd yn oed cyn iddo briodi mae'n fwy na thebyg fod Thomas Bowles wedi bod wrthi'n dawnsio tendans ar esgob Bangor ers rhai misoedd. Yn wir, mae'n ddigon posib fod Bowles yn adnabod John Egerton, esgob Bangor, cyn iddo symud i Fiwmares. Ŵyr Iarll Bridgewater oedd Egerton ac, fel mae'n digwydd, noddwr Bowles tra oedd yn ficer Brackley oedd neb llai na Francis, Dug Bridgewater! Gellir yn hawdd ddychmygu esgob Bangor—dros wydraid o *port* neu yn ystod gêm o chwist efallai—yn gafael ym mraich Bowles ac yn addo neilltuo segurswydd esmwyth ar ei gyfer. Y tebyg yw, hefyd, fod dyrchafiad Dr. George Harris, Sais a benodwyd yn ganghellor Bangor ar 6 Mawrth 1766, wedi profi'n fanteisiol iawn i Bowles. Gwyddai ef fod bywoliaeth Trefdraeth yn wag yn sgil marwolaeth Robert Lewis, a chan ei bod yn werth £200 y flwyddyn, y byddai'n ofalaeth ddelfrydol i ŵr a oedd yn gynefin â chysuron bywyd. Anodd peidio â chredu nad yw'r dyfyniad deifiol hwn o eiddo'r bardd Robert Lloyd yn cyfleu'r hyn a ddigwyddodd yn yr achos hwn i'r dim:

> Think you 'twas zeal or virtue's care
> That placed the smirking Doctor there?
> No—'twas connections formed at school
> With some rich wit, or noble fool,
> Obsequious flattery, and attendance,
> A wilful, useful, base dependence.

Ar 5 Ebrill 1766 sefydlwyd Thomas Bowles yn rheithor eglwys Sant Beuno yn Nhrefdraeth. Ef hefyd oedd yn gyfrifol am eglwys Llangwyfan, hen eglwys ramantus yr olwg yn dyddio o'r ddeuddegfed ganrif sy'n dal i sefyll ar ynys yng nghwr y môr ryw bedair milltir o Drefdraeth. Trigai Bowles yn rheithordy Siamber Wen, tŷ gwyngalchog ger afon Gwna, ryw filltir o eglwys Trefdraeth a phedair milltir o eglwys Llangwyfan. Teulu Bodorgan oedd pen-ceiliogod yr ardal hon ac yr oedd y rhan fwyaf o ffermwyr, tyddynwyr a llafurwyr y ddau blwyf yn ddibynnol, mewn rhyw ffordd neu'i gilydd, ar deulu Meyrick. Yr oedd yr elw a ddaeth drwy godi rhent, i goffrau Bodorgan yn £148.19s.11d. ym 1770. Yn nesaf at deulu Meyrick, o ran cyfoeth a statws, oedd Charles Evans, ysgwier Trefeilyr a gŵr y bu cryn ymdderu rhyngddo a Bowles. Prif iwmon plwyf Trefdraeth oedd Richard Williams, un

Eglwys Llangwyfan
Llun: Gwasanaeth Archifau ac Amgueddfeydd Gwynedd

arall a dramgwyddwyd gan Bowles. Gŵr canol oed (yr oedd yn 52 oed pan benodwyd Bowles) tirion a chymwynasgar oedd Williams. Trigai gyda'i wraig Jane a'i deulu yn Nhreddafydd Ucha, a thalai rent blynyddol o £57.5s.0d. i deulu Meyrick am yr hawl i ffermio tua 266 o erwau. Yn ôl rhestr o'i eiddo a wnaed ym 1779 cadwai wartheg, defaid, ceffylau a moch, tyfai wair ac ŷd, ac yr oedd ei ystad yn werth £850.1s.0d. Yr oedd Williams yn un o bileri'r eglwys. Cyfrannai'n rheolaidd at achosion da. Ym 1761 rhoes gini i goffrau'r ymgyrch i godi oriel ym mhen gorllewinol yr eglwys lle byddai'r côr yn canu, a phum mlynedd yn ddiweddarach dygodd y baich ariannol o godi carreg i ddynodi enwau a chymynroddion noddwyr y tlawd yn y plwyf. Pan fu farw ym 1791 rhoes dŷ a gardd, ger eglwys Niwbwrch, i dlodion plwyfi Trefdraeth a Niwbwrch i fod yn eiddo iddynt hyd byth.

Nid oedd gan Hugh Morris, cymydog agosaf Richard Williams, air da i'w ddweud am Bowles ychwaith. Tenant Trefddafydd Isa oedd Morris a thalai rent blynyddol o £15 i deulu Meyrick. Ymhlith y ffermwyr eraill a dystiodd yn erbyn Bowles mewn llys yr oedd Henry Jones, tenant fferm 91 erw Glan-y-traeth, a William Jones, tenant fferm 54 erw Glan-y-morfa, ill dau yn talu rhent blynyddol o £16. Iwmyn bychain, tyddynwyr, crefftwyr a llafurwyr oedd asgwrn cefn y gymdeithas. Talai Evan Lloyd, Tyddyn Falent, un o'r plwyfolion a ddygodd yr achos yn erbyn Bowles, ddeg gini o rent yn flynyddol, ynghyd ag 'anrhegion' o naill ai wyth cywen neu ddeuswllt mewn arian i deulu Bodorgan.

Os oedd Llannerch-y-medd yn hynod am ei chryddion nid oedd plwyf Trefdraeth ychwaith heb ei chrefftwyr a oedd yn gallu torri lledr gyda'r gorau. Crydd a bardd oedd Richard Jones ac ato ef yr âi stiward Bodorgan am ei esgidiau trymion. Fel y cawn weld, defnyddiodd Richard Jones, yntau, ei allu fel bardd gwlad i fwrw dirmyg ar y 'Pursais' a wthiwyd arno ef a'i gymdogion. Ond hwyrach mai'r gwrthdystiwr croywaf yn erbyn Bowles oedd Hugh Williams, crydd arall a drigai gyda'i wraig Elizabeth yn nhyddyn Carreg Ceiliog. Er mai prin yw'r manylion amdano, hawdd synhwyro, o ddarllen rhwng y llinellau, ei fod yn ŵr llythrennog a chan fod ganddo gyfle i ddarllen, sgwrsio a dadlau yn ei weithdy y mae'n fwy na thebyg ei fod yn fwy diwylliedig a chwim ei feddwl na'r rhan fwyaf o werinwyr Trefdraeth. Pan etholwyd ef yn warden eglwys ym 1768 daeth ei gyfle mawr i fynd i gyfraith yn erbyn Thomas Bowles.

Gellir dychmygu ymateb trigolion Trefdraeth a Llangwyfan pan daenwyd y newyddion yng ngwanwyn 1766 fod y person newydd yn Sais o waed coch cyfan a'i fod eisoes wedi cyrraedd oed yr addewid. Onid oedd angen berwi pen yr esgob Egerton? Sut yn y byd y gellid disgwyl i estron di-Gymraeg ddarllen gair Duw yn y pulpud, bedyddio plant, gweini'r Cymun, ceryddu pechaduriaid, ymweld â chleifion, a chynghori a chysuro'i braidd? Pa ddiddordeb a fyddai gan Sais dysgedig yn hanes gwerinwyr cyffredin a drigai mewn tyddynnod yn dwyn enwau swynol (amhosib iddo ef eu hynganu!) megis Tŷ Pigyn, Tyddyn Falent, Cefn-y-gwynt, Dryll-y-neidr a Twll-y-mwg? Cadarnhawyd eu hofnau a'u hamheuon ymhen fawr o dro. Pan ymgasglodd plwyfolion Trefdraeth yn eglwys y plwyf ar gyfer gwasanaeth cyntaf Thomas Bowles fe'u syfrdanwyd: llefarodd bob gair yn Saesneg. Bu'r rheithor newydd yn ddigon cyfrwys i hebrwng gŵr o'r enw Robert Edwards o Landegfan i'r gwasanaeth er mwyn sicrhau bod ganddo o leiaf un Cymro dwyieithog i lefaru'r atebion cywir ymhlith yr addolwyr. Ni ddeallodd dim ond llond dwrn o'r gynulleidfa yr hyn a lefarwyd gan Bowles. Ac wrth ymlwybro i'w cartrefi ar ôl y gwasanaeth mae'n rhaid fod y mwyaf selog ac effro ymhlith yr addolwyr wedi penderfynu gwrthdystio'n ffyrnig yn erbyn y tro sâl a wnaed â hwy gan esgob Bangor. Llonnodd Ieuan Fardd drwyddo pan glywodd ym

Yr Esgob John Egerton

Llun: Llyfrgell Genedlaethol Cymru

mis Mehefin 'fod gwŷr Môn am ddeol y Sais brych a ddyrchafwyd
yn Berson Trefdraeth i'w wlad ei hun'.

Nid oes unrhyw amheuaeth nad oedd trigolion Trefdraeth a
Llangwyfan yn argyhoeddedig fod Dr. Thomas Bowles yn
fygythiad peryglus, a hynny oherwydd ei fod yn estron di-Gymraeg
a oedd yn debyg o ddifa'r grefydd eglwysig. Trigent mewn
cymdeithas glòs, lle'r oedd cyfathrach agos iawn rhwng perthynas,
cymydog a châr. Yr oedd y cwlwm rhyngddynt a'u hamgylchfyd yn
rhyfeddol o dynn ac yr oedd eu balchder brogarol yn ddihareb.
Drwgdybient bobl estron a byddai ymddangosiad pobl ddieithr bob
amser yn achosi llawer iawn o holi a sisial. Ystyrid Deheuwyr yn
estroniaid. Yn yr ail argraffiad o lyfr Henry Rowlands, *Mona
Antiqua Restaurata* (1766) cyfeiriwyd at William Williams, rheithor
Llangadwaladr, fel 'a South Wales man'. Cafodd yr arweinwyr
Methodistaidd gryn anhawster i gael eu traed 'danynt ym Môn, a
rhan o'r rheswm am ddicter y werin-bobl yn erbyn Howel Harris
a'i gyfeillion oedd fod eu hacen ddieithr yn anghymeradwy. Mae'n
werth cofio i Goronwy Owen fynegi'r farn beryglus nad oedd yr
'Hwyntwyr ond hanner Cymry' am eu bod yn llefaru 'llediaith
ffiaidd'. Ond yr oedd cas Monwysion at Saeson yn fwy fyth. Yn
wir, croeso oeraidd iawn a roddid i ddynion dŵad o Loegr yn y rhan
fwyaf o ardaloedd gwledig Cymru. 'Sais yw ef Syn', meddai
gwerinwyr y Canolbarth pan fentrai estron i'w plith. Brifwyd
teimladau'r teithiwr Joseph Cradock yn arw ym 1770 gan arfer
cyffredin-bobl o glymu ansoddeiriau gwaradwyddus wrth y geiriau
'Sais' a 'Saxon'. Yr oedd yr hen gynnen yn erbyn 'hil Hors' yn dal
i ffaglu ymhlith beirdd a llenorion Môn. Cofier am y modd y bu i
Gwalchmai fynegi ei deyrngarwch i Owain Gwynedd:

> Gwalchmai y'm gelwir, gelyn y Saeson.

Erbyn blynyddoedd canol y ddeunawfed ganrif yr oedd gan
Fonwysion le i ofni fod nifer y Saeson ar gynnydd. Ffynnai'r
cysylltiad masnachol â Dulyn yn sgil gwella cyflwr y briffordd o
Gaer i Gaergybi. 'Nid oes yma ddim newydd', oedd cwyn Hugh
Hughes, 'Y Bardd Coch', wrth Richard Morris ym 1766, 'ond bod
y Saeson yn ymwthio attom beunydd i'n caethiwo megys arferol.'
O gwmpas Mynydd Parys o 1768 ymlaen yr oedd gweithwyr copr
ac asiaint yn dwyn enwau dieithr megis Silkstone, Dudding, Orme,
Winterbottom, Cartwright ac Elliott yn prysur fwrw gwreiddiau.
Ni chafodd y dynion dŵad hyn groeso gan y brodorion a bu cryn

anesmwythyd pan welodd ficer Amlwch yn dda i ddarparu gwasanaeth Saesneg ar gyfer y newydd-ddyfodiaid. Yn wir, mor ddiweddar â 1863 honnodd Capten George Trewren, asiant o Gernyw a weithiai ar Fynydd Parys: 'It appears to me that the Welsh people think that Wales was made for the Welsh alone, and that no other people ought to be allowed in the locality.' Fel estron annheilwng y syniai trigolion Trefdraeth a Llangwyfan am Thomas Bowles hefyd. Nid yw'n debyg fod y rhan fwyaf ohonynt wedi gweld na chlywed Sais uniaith o'r blaen. Yn eu tyb hwy, yr oedd eu rheithor newydd yn tresmasu ar eu gwinllan, yn difetha cymdogaeth dda, yn bygwth eu hunaniaeth fel Cymry Cymraeg ac yn llesteirio ffyniant yr Eglwys. Pa ddisgwyl oedd i Sais werth-fawrogi'r ffaith ei fod wedi ymgartrefu nid nepell o Aberffraw, hen lys tywysogion Cymru, a'i fod yn troedio tir lle ceid beddrodau hynafol megis cromlech Barclodiad-y-Gawres? A wyddai ef mai Môn oedd pencadlys y Derwyddon gynt? I'r sawl a garai ei fro, felly, gweithred sarhaus oedd penodi Sais uniaith, a hwnnw mewn gwth o oedran, i weini rheidiau Cymry Cymraeg. Fel y gwelsom, Cymraeg oedd unig iaith pob copa walltog, ac eithrio pump, ym mhlwyfi Trefdraeth a Llangwyfan. Yr unig rai a feddai wybodaeth o'r Saesneg oedd Charles ac Elizabeth Evans, Trefeilyr, eu dwy forwyn, a Jane, merch Owen Hughes, cyn-offeiriad y plwyf. Ar sail cyfrifiad 1801 amcangyfrifwyd bod 74.1% o bobl Môn yn Gymry uniaith, 6.4% bron yn Gymry uniaith, 14.9% yn ddwyieithog a dim ond 4.6% yn Saeson uniaith. Iaith werinol, gyhyrog oedd iaith gwladwyr Trefdraeth a Llangwyfan, yn llawn priod-ddulliau a gwirebau naturiol. Hwyrach, yn wir, eu bod yn fwy ymwybodol o rin a rhythmau y gair llafar nag yr ydym ni. Yn ôl Thomas Ellis, person Caergybi, 'ye most illiterate Country fellow talks ye best, truest, prettiest Welch'. Mae'n bosib fod hyd yn oed wladwyr cyffredin fel y rhain wedi clywed rywsut neu'i gilydd fod Henry Rowlands, un o'r offeiriaid mwyaf diwylliedig a fagwyd ym Môn, wedi datgan i'r byd fod y Gymraeg yn un o famieithoedd y dwyrain. Ai gormod fyddai honni fod a wnelo cas trigolion Trefdraeth a Llangwyfan at Thomas Bowles â'r gred mai rhodd gysegredig gan Dduw oedd eu mamiaith?

Ysgogwyd y Monwysion hyn i brotestio hefyd gan eu hawydd diffuant i ddiogelu enw da yr Eglwys. Er i Howel Harris, yn ei ffordd ysgubol arferol, honni fod pobl Môn mewn 'tywyllwch eithaf', y gwir yw fod grym yng nghrefydd trigolion yr ynys. Yr oedd i'r Eglwys sefydledig, er ei holl feiau, le cynnes iawn yng nghalonnau'r bobl. Y mae digon o dystiolaeth i ddangos fod plwyfolion yn cadw llygad barcud ar safonau bugeiliol a moesol eu hoffeiriaid ac yn dyheu am gael darpariaeth addysgol lawnach. Pan anfonwyd llond cist o Feiblau Cymraeg i Thomas Ellis, person Caergybi, ym 1748, bu bron i'r bobl leol, os oes coel ar air William Morris, 'dynnu llygaid' Ellis wrth ruthro amdanynt. Rhoddwyd croeso brwd i ysgolion teithiol Griffith Jones, Llanddowror: rhwng 1746 a 1777 cynhaliwyd 435 o wahanol ysgolion cylchynol ym Môn ac ym 1760-1 yn unig fe ddarparwyd addysg i 1,190 o blant ac oedolion. Tystia'r llwyddiant hwn i'r ffaith fod gwaith chwyldro-adol Griffith Jones wedi ennill sêl bendith offeiriaid a phlwyfolion fel ei gilydd. Pan sefydlwyd ysgol deithiol yn Eglwys Trefdraeth am y tro cyntaf ym 1749, bodlonwyd Robert Lewis, y rheithor, yn fawr gan ymroddiad yr athro ac eiddgarwch y 53 o blant a ddeuai ynghyd i ddysgu darllen. Synnwyd Hugh Williams, rheithor Aberffraw, hefyd gan awch gwerinwyr am addysg grefyddol a bu'n hwb i galon Griffith Jones i glywed am 'the present Eagerness of the People to procure the Seminaries, and godly Books, especially Welsh Bibles'. Llwyddodd yr ysgolion hyn i roi cyfle i bobl ddi-fraint dderbyn addysg rad ac felly i gryfhau, onid adfywio, bywyd eglwysig.

Nid gwiw i ni anghofio ychwaith fod praidd Thomas Bowles wedi hen gynefino ag offeiriaid a oedd yn barod i lafurio'n ddi-ball dros y grefydd Gristnogol ac i wneud eu gorau i gyfoethogi bywyd ysbrydol y sawl a oedd dan eu gofal. Gwyddent yn burion fod ansawdd crefydd bro yn dibynnu bron yn llwyr ar argyhoeddiad crefyddol yr offeiriad, ei sêl a'i frwdfrydedd, a'i allu i gyfathrebu'n rhwydd â'i blwyfolion. Cafwyd sawl offeiriad di-fai cyn dyfod Bowles. Pan fu farw Owen Hughes, a fu'n rheithor yn Nhrefdraeth am saith mlynedd ar hugain, ym 1740 fe'i disgrifiwyd gan William Bulkeley, y dyddiadurwr praff o Fryn-ddu, fel 'a man of sound sense and learning, of great spirit, firmness of mind and resolution'. Yr oedd coffa da yn y cylch hefyd am ragflaenydd Bowles, Robert Lewis, rheithor y plwyf o 1747 hyd 1766. Yr oedd Lewis yn ŵr a chanddo bersonoliaeth gref: yr oedd yn marchogaeth ceffyl gwyn bob amser pan âi i ymweld â'i braidd, ac yr oedd pob enaid byw yn ei adnabod, yn ei barchu ac yn ei gyfrif yn addurn ar yr Eglwys. Wedi ei farwolaeth ef, ofnid y byddai'r patrwm o addoli a bugeilio yn cael ei lesteirio gan Bowles. Mae'n bwysig cofio mai'r

Y Person Cymreig
Llun: Ymddiriedolwyr yr Amgueddfa Brydeinig

eglwys oedd y brif ganolfan i drigolion cefn gwlad. Yno y câi plant eu bedyddio. Yno y deuai teuluoedd i addoli, i wrando pregeth ac i gymuno. Yno y priodid ac y cleddid holl drigolion yr ardal. Y drefn arferol yn eglwys Trefdraeth oedd cynnal gwasanaeth boreol am 11.30 ac un arall am dri y prynhawn yn y gaeaf neu awr yn ddiweddarach yn yr haf. Traddodid pregeth bob yn ail Sul. Yn eglwys Llangwyfan cynhelid gwasanaeth boreol bob yn ail Sul. Dethlid y Cymun bedair gwaith y flwyddyn, ac adeg y Pasg deuai oddeutu 200 o bobl ynghyd yn Nhrefdraeth ac oddeutu 70 yn Llangwyfan i dderbyn bara a gwin o law'r offeiriad. Yr oedd y drefn hon yn rhan annatod o wead a theithi meddwl y gymdeithas ac ni fuasai eglwyswyr yn caniatáu iddi gael ei dymchwel. Ond dyna fyddai'r perygl pe câi Bowles ei ffordd. A byddai'r 'Pennau crynion' neu 'bobl y tân dieithr' yn sicr o fachu'r cyfle i fanteisio ar unrhyw wendidau yn nisgyblaeth Eglwys Loegr.

Er i blwyfolion Trefdraeth a Llangwyfan wasgu'n daer ar Thomas Bowles droeon i ymroi i ddysgu Cymraeg ac i gynnal gwas-anaethau yn Gymraeg, nid oedd ganddo mo'r ewyllys na'r egni i wneud hynny. Er ei fod yn ddigon abl i farchogaeth ceffyl ac yn gerddwr sionc, yr oedd yn fodlon i holl 'fagad gofalon bugail' syrthio ar ysgwyddau ei gurad, John Griffiths. Dim ond ar un achlysur, er enghraifft, a hynny'n fuan ar ôl ei benodiad, y mentrodd Bowles mor bell ag eglwys Llangwyfan. Trefnodd i John Griffiths wasanaethu yno bob yn ail Sul yn y bore, a'i wraig ei hun, Anne Bowles, a dderbyniai'r degwm o law'r plwyfolion. Truenus i'r eithaf fu ei ymdrech i ddiwallu anghenion ysbrydol pobl Trefdraeth hefyd. Tua blwyddyn ar ôl ei benodiad cafwyd pregeth Saesneg arall yn eglwys Trefdraeth gan Bowles—ar gais Elizabeth Evans, Trefeilyr, meddai ef. Y tro hwn, fodd bynnag, rhoes gynnig ar ddarllen y testun yn Gymraeg yn gyntaf. Bu cryn garthu gwddf ac ochneidio wrth iddo lefaru'n herciog, yn oediog ac, at ei gilydd, yn annealladwy. Methodd bron pawb o'i gynulleidfa wneud na phen na chynffon o'i ychydig eiriau Cymraeg na'r bregeth Saesneg goeth ac urddasol a ddilynodd. Pallodd amynedd Hugh Morris, Treddafydd Isa. Cododd ef ar ei draed yn ystod y bregeth a gweiddi'n uchel wrth ei gyd-addolwyr: 'Waeth i chi gyd fynd allan o 'ma, achos fedrwch chi ddim dallt dim mae o'n ddeud'. Brasgam-odd Morris, ynghyd â nifer o bobl eraill, allan o'r eglwys.

Yn ffodus, yr oedd gan werinwyr Trefdraeth a Llangwyfan gyfeillion mewn cylchoedd pwysig. Ar lawer ystyr, arweinwyr pennaf Cymru yn ystod y cyfnod hwnnw oedd y Cymry alltud a gwladgarol a gyrchai'n rheolaidd i gyfarfodydd Cymdeithas y Cymmrodorion yn Llundain. Nid oedd neb yn fwy brwdfrydig dros achosion Cymreig na Richard Morris, Llywydd y Gymdeithas a'r unig un o frodyr enwog y Morrisiaid a oedd yn dal yn fyw. Mynegwyd cwyn plwyfolion Trefdraeth a Llangwyfan wrtho ef gan John Thomas ('Sion Twm o Fangor'). Brodor o Ynyscynhaearn yn sir Gaernarfon oedd Thomas, gŵr ifanc disglair a fu am gyfnod yn is-geidwad Amgueddfa Ashmole yn Rhydychen. Syrthiodd dan hud y ddiod gadarn, a dychwelyd i Gymru i dderbyn swydd curad yng Nghaergybi ym 1760. Ar ddiwedd 1761 fe'i penodwyd yn athro yn ysgol Friars. Yr oedd yn achyddwr medrus iawn—'y mwyaf yn y parthau hyn o Gymru', yn ôl y Bardd Coch—a daeth yn gymaint meistr ar hanes Môn fel y lluniodd *History of the Island of Anglesey,* cyfrol a gyhoeddwyd chwe blynedd wedi ei farwolaeth sydyn, yn 32 mlwydd oed, ym 1769. Brogarwr a gwladgarwr pybyr oedd John Thomas ac fe wyddai'n dda am ddiffygion Thomas Bowles oherwydd fe'i penodwyd yn olynydd i'r Sais fel prifathro gweithredol ysgol ramadeg Biwmares ym 1766.

Beth bynnag, ym mis Ebrill 1766, ysgrifennodd John Thomas at Richard Morris yn Llundain yn achwyn yn arw oherwydd diffyg cefnogaeth esgobion Cymru at yr ymgyrch i gyhoeddi argraffiad newydd o'r Llyfr Gweddi Gyffredin yn Gymraeg ac yn cyfeirio'n benodol at y cam a wnaed â phlwyfolion Trefdraeth. Cafwyd ymateb di-flewyn-ar-dafod gan Richard Morris: 'O ffei ffei i Fangor wneuthur carn Sais oedrannus yn berson Trefdraeth. Fe gaiff dâl am y gwaith yn y byd nesaf, a llawer rhegfa yn y byd yma'. Buasai cysylltiad agos rhwng y brodyr Morris a theulu Meyrick ym Modorgan. Ym 1724 cawsai Lewis Morris ei gyflogi gan Owen Meyrick, ysgwier Bodorgan, i baratoi arolwg o diroedd yr ystad honno. Cawsai ef a'i frawd William sawl ffafr gan Meyrick (neu 'y Meuryg' fel y cyfeirient ato) a chan ei fab, yntau, wedi i'r hen ŵr farw ym 1759. Ym mis Mai 1762 aethai William Morris—dan annwyd trwm fel arfer—ar daith ddifyr o gwmpas ardal Trefdraeth lle y digwyddodd gwrdd â nifer o hen gyfeillion:

> . . . taro yno wrth Siarles o Drefeilir, cael dwrd am basio ei ddrws, myned gyda'r hwyr i Fodorgan i gael petha o'r ardd, etc., y gwr yn glaf yn Llundain . . . Galw yn Aberffraw efo'r Berson, cinhiewa yn Llangwyfan a'r Bardd Coch (yr hwn oedd yn y gymdogaeth) gyda mi a thrwy'r traethau ar rhydau adref cyn y nos.

Ni allai Richard Morris, felly, lai nag addo cynnal breichiau plwyfolion Trefdraeth a Llangwyfan.

Yn wir, yr oedd aelodau o Gylch y Morrisiaid yn ddigon balch o'r cyfle i droi tu min yn gyhoeddus ar y gyfundrefn eglwysig yng Nghymru. Nid oedd ganddynt yr un gair da i'w ddweud o blaid yr 'Esgyb Eingl diddaioni'. Rhwng 1716 a 1890 ni phenodwyd yr un Cymro i gadair esgob ym Mangor. Dechreuodd y dirywiad yng Ngwynedd pan benodwyd Benjamin Hoadly yn esgob Bangor ym 1716; gŵr cloff ydoedd a chan na allai farchogaeth nid aeth ar gyfyl ei esgobaeth erioed. Penodwyd rhes hir o Saeson ar ei ôl ef— Reynolds, Baker, Sherlock, Herring, Hutton, Pearce ac Egerton. Yr un oedd y stori yn y tair esgobaeth arall—ciwed o Saeson neu Sgotiaid yn dwyn enwau anghyfarwydd megis Clavering, Mawson, Newcome, Drummond, Lisle, Claggett, Willes, Squire, Lowth a Moss. Nid yw'n rhyfedd fod almanacwyr Cymru yn rhestru enwau'r esgobion hyn yn eu halmanaciau blynyddol. Onid oedd raid i'r werin-bobl rywsut ddod i adnabod enwau eu bugeiliaid ysbrydol? Oherwydd galwadau eraill yn Llundain ac yn arbennig yn Nhŷ'r Arglwyddi, treuliai'r esgobion hyn fwy o amser y tu allan i Gymru nag yn eu hesgobaethau. Dalient swyddi eraill *in commendam.* Gweinyddwyr yn hytrach nag arweinwyr ysbrydol oeddynt ac yr oedd nifer yn eu plith naill ai'n rhy hen neu'n rhy fethedig i fedru cyflawni eu dyletswyddau yn effeithiol. Yn eu tyb hwy, cosb, nid anrhydedd, oedd bod yn esgob yng Nghymru, ac er bod esgobaeth Bangor yn gyfoethocach nag esgobaethau Tyddewi a Llandaf ni fynnai'r un Sais uchelgeisiol oedi'n hir yno. I wŷr a oedd yn gynefin â phob esmwythdra, nid oedd ymborth syml Cymru wledig at eu dant. 'Though I love Wales very much', ysgrifennodd Thomas Herring, esgob Bangor, at Iarll Hardwicke ym 1742, 'I would not choose to be reduced to butter, milk, and lean mutton.' Adar ar adain, felly, oedd y rhan fwyaf o esgobion Bangor, yn dyheu am ddyrchafiad i swyddi brasach yn Lloegr. Pan ddeuent i blith eu preiddiau yn ystod misoedd yr haf dim ond lleiafrif y Cymry a fedrai ddeall eu Saesneg mindlws. Y mae'n debyg fod llawer o werinwyr yn credu mai cyfeirio at y môr a wnâi esgob o Sais wrth ailadrodd y geiriau *'more and more'* yn ystod y seremoni weinyddu bedydd esgob!

Ceryddid yr esgobion yn aml gan aelodau o Gylch y Morrisiaid am eu rhagfarn yn erbyn yr iaith Gymraeg. Pan dderbyniodd William Wynn, person Llangynhafal, wahoddiad i ginio gan

Yr Esgob Thomas Herring

Llun: Oriel Tate, Llundain

Robert Hay Drummond, mab Iarll Kinnoul ac esgob Llanelwy, cyhoeddodd y Sgotyn mawreddog hwnnw gerbron holl offeiriaid a goreugwyr ei esgobaeth 'mai gwell a fyddai ped fai'r iaith Gymraeg wedi ei thynnu o'r gwraidd'. Yr oedd hyn yn ormod i gig a gwaed ei ddioddef a chynhyrfwyd Wynn i ddicter cyfiawn. Yn ôl William Morris, fe 'roes i'r Scottyn wers y persli' ac ni chlywyd rhagor o sôn yn ystod y pryd bwyd am ddifa'r hen iaith. Cwynai'r brodyr Morris yn aml yn eu llythyrau am ymddygiad esgobion Bangor. 'Dyn bawaidd drewllyd di-ddaioni' oedd yr Esgob Zachary Pearce, yn ôl Lewis Morris, am ei fod yn dyrchafu offeiriaid a oedd yn fodlon moesymgrymu'n wasaidd a chynffonna am gymwynas o'i flaen. Gallai Thomas Bowles, felly, ei gyfrif ei hun yn ffodus fod y Llew wedi marw flwyddyn cyn ei benodi ef yn rheithor Trefdraeth oherwydd buasai ei erwinder—ar lafar ac ar bapur—wedi ei ddychryn yn ddirfawr! Fel y gwelsom yn achos Bowles, penodai'r 'Esgyb Eingl' ymgeiswyr o blith eu cydnabod. Offeiriaid llygad-y-geiniog oedd y mwyafrif o'r rheini, yn poeni mwy am gasglu'r degwm nag am borthi'r defaid. O ganlyniad, nid oedd gan Gymry disglair a gwladgarol fel Moses Williams, Goronwy Owen ac Ieuan Fardd obaith am ddyrchafiad eglwysig. Chwiliodd Goronwy Owen am gysur mewn poteli o jin a rym ac fe'i gorfodwyd yn y diwedd i fynd dros y don i chwilio am swydd. Claddodd Ieuan Fardd, yntau, ei ofidiau mewn alcohol, er mawr golled, fel y sylwodd Lewis Morris ('O bishops, O princes, O ye fat men of the land, why suffer ye that man to starve?') i'r sefydliad eglwysig.

Bu penodiad Thomas Bowles i fywoliaeth Trefdraeth yn dân ar groen Ieuan Fardd. Ef oedd gelyn pennaf pob 'Sais anrasusawl' ac yr oedd yn barod i frwydro, deued a ddelo, yn erbyn y 'gwancwn diffaith' a oedd yn dinistrio'r Eglwys ac yn ceisio prysuro tranc 'yr hen barchedig odidawg Frutaniaith' drwy benodi Saeson i fywoliaethau gwag a'u hannog i wasanaethu yn Saesneg. Credai mai rhagfarn esgobion Seisnig fu'r prif rwystr i'w ddyrchafiad ef ei hun ('our Bishops look upon me . . . with an evil eye') ac er 1764 buasai wrthi'n paratoi traethawd maith yn taranu yn erbyn y burguniaid gwancus a oedd yn dwyn estroniaith i mewn i eglwysi Cymru, yn diffodd cannwyll Gair Duw, ac yn peryglu eneidiau dynion. Er bod Ieuan wedi cael enw drwg oherwydd ei oferedd, ei wamalrwydd a'i hoffter o'r ddiod, daliai i gicio yn erbyn y tresi. Credai ei fod yn byw mewn dyddiau dreng ac ni allai lai na chymharu'r 'bleiddiaid rheibus' presennol â'r hen Gymry disglair a llengar—Richard Davies, William Morgan a Richard Parry—a fu'n gymwynaswyr mor wiw yn ystod oes Elisabeth ac Iago I. 'Ni welaf i wahan yn y byd', meddai, 'rhwng caffael Esgyb Eingl a chaffael Pab Rhufain.' Anfonodd ei draethawd at Richard Morris yn Llundain, gan wasgu arno ef ac aelodau'r Cymmrodorion i agor eu llygaid ac i weithredu. 'Pa ham nad ymrowlch yn enw Duw, a mynegi ein cam, modd i galler mewn iawn bryd ei atgyweirio?' Ond gwŷr pwyllog oedd Cymmrodorion y brifddinas: barnent fod ei waith yn 'rhy boethlyd' ac mai annoeth fuasai ei gyhoeddi tra oedd yr ymgyrch i ddisodli Thomas Bowles ar gerdded. Siomwyd Ieuan yn fawr gan ddiffyg menter y Gymdeithas a glynodd wrth ei gred fod yr 'Esgyb Eingl' mor glustfyddar fel bod angen i bob Eglwyswr cydwybodol a Chymro gwladgarol grochlefain yn uchel er mwyn iddynt glywed.

Dal i gynyddu, felly, a wnâi'r gwrthwynebiad i Thomas Bowles ym 1767. Daeth cefnogaeth bellach i hybu ysbryd gwerinwyr Trefdraeth a Llangwyfan o du John Jones, cymrawd yng Ngholeg Iesu, Rhydychen, a fu'n gyfreithiwr yn ddiweddarach yn Ysbytai'r Frawdlys yn Llundain. Cyhoeddodd Jones *Considerations on the Illegality and Impropriety of preferring Clergymen who are unacquainted with the Welsh Language to benefices in Wales* (1767), llyfr a fu mor ddylanwadol nes cyhoeddi ailargraffiad ohono ymhen blwyddyn. Carn ei ddadl oedd mai'r Gymraeg fu iaith crefydd yng Nghymru er 1563 a bod penodi Saeson i blwyfi uniaith Cymraeg nid yn unig yn weithred afresymol a chwerthinllyd ond hefyd yn drosedd. Ni fu, meddai Jones, hyd yn oed genhadon y Pab mor ddwl â gyrru estroniaid i bellafoedd Asia ac America i bregethu'r Efengyl mewn iaith ddieithr i'r brodorion. Gan adleisio geiriau Ieuan Fardd, honnodd fod rheidrwydd ar esgobion i wrthod Saeson di-sut ac i benodi Cymry cymwys i weini rheidiau arbennig y werin-bobl.

Yn sgil y gefnogaeth ardderchog a ddeuai o bob cwr o'r Ynys, o rannau helaeth o Ogledd Cymru ac o Lundain, magodd plwyfolion Trefdraeth a Llangwyfan ddigon o blwc i gasglu deiseb yn erbyn Bowles. Yn ôl Richard Morris, yr oedd holl foneddigion Môn yn cefnogi'r ymgyrch, 'felly e fydd ddigon o Fwstr yn y man'. Cyflwynwyd y ddeiseb i Dr. George Harris, canghellor Bangor a'r gŵr, efallai, a fu'n rhannol gyfrifol am benodi Bowles yn y lle cyntaf. Nid hwn, wrth gwrs, oedd y tro cyntaf i Gymry Cymraeg fynegi cwyn swyddogol yn erbyn offeiriad na wyddai air o Gymraeg. Ym 1688 anfonodd plwyfolion Llandaf a'r Eglwys Newydd yn sir Forgannwg ddeiseb at Archesgob Caergaint yn erfyn arno symud eu ficer, Thomas Andrews—'a mere stranger to the Welsh-tongue'. Cythruddwyd trigolion Castell Caereinion ym Mhowys yn y 1670au pan benodwyd Sais o'r enw Thomas Clopton gan ei ewythr, Isaac Barrow, esgob Llanelwy, yn rheithor arnynt. Dysgodd Clopton bregeth Gymraeg ar ei gof ond ni lwyddodd yr un enaid byw yn ei gynulleidfa i ddeall yr un gair ohoni. Pan benodwyd William Lloyd yn esgob Llanelwy aeth y plwyfolion â'u cwyn ato yn syth ac addawodd Clopton y buasai'n dychwelyd i Loegr petai'r esgob yn sicrhau ar ei gyfer fywoliaeth a oedd yn werth mwy na dau gan punt y flwyddyn! Sut bynnag, yr oedd y ddeiseb a gasglwyd gan blwyfolion Trefdraeth a Llangwyfan yn garreg filltir yn hanes esgobaeth Bangor, oherwydd hwn oedd y tro cyntaf i blwyfolion geisio diswyddo offeiriad am na fedrai wasanaethu yn Gymraeg.

Gwylltiodd George Harris pan dderbyniodd y ddeiseb. Honnodd nad oedd yr un ddeddf yn bod a oedd yn gorfodi offeiriad i wasanaethu yn Gymraeg yng Nghymru, mai peth llesol fuasai gweld y Cymry'n dysgu'r iaith Saesneg ac nad oedd amgenach ffordd o wneud hynny na thrwy benodi Saeson yn offeiriaid. Yn wyneb agwedd benstiff Harris, bu raid i blwyfolion Trefdraeth ddibynnu ar Gymdeithas y Cymmrodorion i gynnal eu breichiau. Cytunodd Richard Morris i weithredu fel dolen gydiol rhwng y Monwysion a byd y gyfraith yn Llundain, a'r cam nesaf fu gofyn i rai o gyfreithwyr pennaf y brifddinas i fynegi barn ynglŷn â phenodiad Bowles ac i awgrymu pa ddull a oedd yn briodol i sicrhau ei ymddiswyddiad. Ar 3 Ionawr 1768 cafwyd ateb calonogol iawn gan yr arbenigwyr hyn. Barnent fod gan yr achwynwyr achos teilwng, ond gan fod Bowles eisoes wedi ei sefydlu gan yr esgob na ellid dwyn achos yn ei erbyn mewn llys tymhorol. Yr unig lwybr ymwared oedd cychwyn achos yn erbyn Bowles yn Llys Archesgob Caergaint, sef Llys y Bwâu. A dyna a wnaed.

Yn y cyfamser, yr oedd presenoldeb Bowles yn Nhrefdraeth yn dal i achosi cryn boen meddwl i'r plwyfolion. Dal i gynyddu yr oedd y gwrthwynebiad iddo. Nid un i gadw draw o'r fath ffrae gythryblus oedd William Jones, Llangadfan. Voltaire oedd ei arwr ef ac yr oedd ei gasineb at 'hil Hors a phlant Alis' (heb sôn am Esgyb-Eingl a Lefiathaniaid gormesol) yn ddifesur. Canodd yntau, felly, yr utgorn ymosodol drwy gondemnio 'awydd a hunangarwch y Saeson' mewn llythyr at Richard Morris ym mis Chwefror 1768. Fel Monwysyn balch, ni allai Hugh Hughes, 'Y Bardd Coch', ychwaith, lai na llawenhau wrth weld y llanw yn troi yn erbyn Bowles. Er ei fod mewn gwth o oedran ac yn tuchan ac yn peswch yn waeth nag erioed, lluniodd gerdd (i'w chanu ar y dôn 'Gadael Tir y ffordd hwyaf') i ddathlu gwrhydri gwŷr Trefdraeth a'i hanfon at Richard Morris ym mis Mehefin 1768. Ofnai ef fod epil 'plant Alis' yn ceisio dwyn ymaith Air Duw ym mamiaith y Cymry 'mal y darfu iddynt ein difeddiannu o'n tir.' Fel hyn y mae'r gerdd yn gorffen:

> Pam waeth i ni'r Cymru roi'n meibion i lyfnu
> Na'r gost yn eu dysgu a hynny i'n gwanhau?

A chwedi'n gaeth weision dros oesoedd i'r Saeson
a'n hwythau'n Fol dewion fel Duwiau.

Na Ddelo'r fath Berson i darrio i Fon dirion,
Mae'r Doctor yn Ddigon i Ddiogi yn ein mysg;
Dewiswn ni'r Cymro er un-dyn ai wrando,
Trwy'r Arglwydd i'n llwyddo gwell addysg.

Gŵr pryderus iawn oedd Thomas Bowles erbyn yr hydref.
Suddodd ei galon fwyfwy pan drosglwyddwyd John Egerton, esgob
Bangor, i esgobaeth Lichfield a Coventry ar 12 Hydref. 'Y mae'r
Esgob wedi diangc oddiarnom', meddai John Thomas mewn
llythyr at Richard Morris, 'ac oddi ar y Doctor Bowles, ac e orfydd
arno ymladd a'r Dyrnau moelion, heb Gefn iddo.' Mae'n siŵr na
wyddai Bowles bellach pa le i droi na pha beth i'w wneud. Rhoes
gynnig ar geisio plesio'i braidd anniddig. Yn ôl tystiolaeth Richard
Williams, Treddafydd Ucha, gofynnodd Bowles i Hugh Hughes,
'Y Bardd Coch', gyfieithu pregeth Saesneg i'r Gymraeg drosto am
dâl o hanner gini. Cydsyniodd y bardd ac ar ei ffordd i Siamber
Wen dangosodd ei waith i Williams cyn ei drosglwyddo i law y
rheithor. Ond mae'n rhaid fod Cymraeg y Bardd Coch yn ormod
o goflaid i'r Sais oherwydd ni thraddodwyd y bregeth yn
gyhoeddus. Mewn anobaith, felly, aeth Thomas Bowles ati'n
fwriadol i gynllwynio yn erbyn rhai o'i blwyfolion er mwyn achub
ei groen ei hun.

Nid yw'r darlun o hyn ymlaen yn gwbl glir, yn bennaf oherwydd
fod y dystiolaeth braidd yn niwlog neu'n anghyson. Ond dyma, mi
gredaf, a ddigwyddodd. Ddydd Sul, 30 Hydref 1768, ceisiodd
Thomas Bowles, yn ei ddull cloff arferol, ddarllen rhan o wasanaeth
y Cymun yn Gymraeg. Ymhen chwinciad aeth yn nos arno a gorfu
iddo alw ar ei gurad, John Griffiths, i gwblhau'r gwasanaeth. Rai
dyddiau wedi hynny gofynnodd i Hugh Williams, y crydd, alw
heibio i'r rheithordy i'w fesur ar gyfer pâr o esgidiau newydd. Fe
wyddai Bowles yn burion fod Williams yn un o'r ddau warden
eglwys yn Nhrefdraeth a oedd wedi dwyn achos yn ei erbyn. Ond,
gan bledio henaint a chof fel rhidyll, cymerodd arno na fedrai byth
gofio enwau pobl. Felly, gofynnodd i Williams dorri ei enw ar
waelod dalen lân o bapur. Wedi petruso ychydig, cydsyniodd y
crydd a gofalodd Bowles—yn gyfrwys iawn—ei fod yn ysgrifennu
ei lofnod ar waelod y ddalen. Wedi ffarwelio â Williams, lluniodd
Bowles y cofnod canlynol uwchben llofnod y crydd:

Memorandum, That, on Sunday the 30th Day of October 1768, Thomas Bowles D.D. Rector of the Parish and Parish Church of Trefdraeth, within the Diocese of Bangor, and County of Anglesey, officiated and perform'd Divine Service, in the said Parish Church of Trefdraeth, in the Vernacular Language of Wales, with a fluent and easy Delivery, and a graceful Propriety of Accent and Pronunciation: And this we attest, by setting our hands hereunto, and personally knowing the Truth, the Day and Year above-written.

Y cam nesaf yng nghynllwyn dieflig Bowles oedd sicrhau llofnod Richard Williams, Treddafydd Ucha, y ffermwr uchaf ei barch yn y plwyf. Prysurodd draw i'w weld ar unwaith rhag i Hugh Williams achub y blaen arno. Gan wybod na fedrai tenant Treddafydd Ucha ddarllen Saesneg, chwifiodd Bowles y dystysgrif dan ei drwyn a thynnu ei sylw at y ffaith fod ei gyfaill, Hugh Williams, eisoes wedi

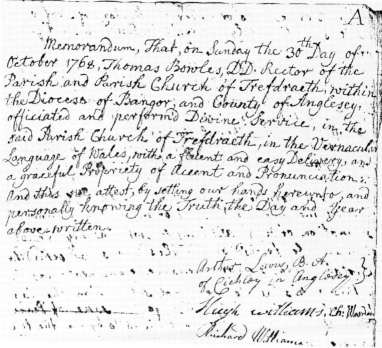

Y Dystysgrif a luniwyd gan Thomas Bowles

Llun: Llyfrgell Palas Lambeth

ei llofnodi. Synhwyrodd y rheithor fod Richard Williams yn
anesmwyth iawn ond, yn fêl ac yn fefus i gyd, fe'i sicrhaodd nad
oedd ddim o bwys yn y cofnod. Mewn parchedig ofn o'i reithor ei
hun, cytunodd Williams i dorri ei enw islaw llofnod ei gyfaill.
Hawdd credu bod gwên faleisus ar wyneb Bowles wrth iddo wylio'r
Cymro diniwed yn syrthio mor rhwydd i'w fagl. Cwblhaodd ei
gynllwyn drwy ddwyn perswâd ar Arthur Lewis, ei lysfab, a oedd
yn bresennol yn ystod y gwasanaeth Cymraeg (*sic*) yn eglwys
Trefdraeth, i ychwanegu ei lofnod yntau at y dystysgrif. Mae'n
siŵr fod Thomas Bowles wedi cysgu'n esmwythach yn ei wely y
noson honno nag a wnaethai ers misoedd: yr oedd ganddo mwyach
dystiolaeth o'i blaid i'w defnyddio, pe deuai rhaid, mewn llys barn.
Ar y llaw arall, ac yntau'n weinidog yr Efengyl, efallai fod ei
gydwybod wedi ei gnoi hyd doriad gwawr.

Ni bu'r ddau Williams fawr o dro yn gweld drwy'r twyll. Gwyllt-
iodd Hugh Williams a bu'r fath gweryl blin rhyngddo a'r rheithor
fel yr aeth y crydd â'i gŵyn at ustus heddwch. Aeth Richard
Williams draw i Siamber Wen sawl gwaith i ofyn am gael gweld y
dystysgrif. Ond ni fynnai'r rheithor ei weld. Cytunodd Mrs.
Bowles, fodd bynnag, i ddarllen cynnwys y tystysgrif yn ei ŵydd a'i
gyfieithu i'r Gymraeg ar yr amod na fyddai Williams yn ceisio
cyffwrdd â'r ddalen. Llanwyd Richard Williams ag arswyd wrth
wrando a thaerodd na fuasai byth wedi llofnodi'r ddalen pe
gwyddai beth oedd ei chynnwys. Â dagrau yn cronni yn ei lygaid,
erfyniodd Williams arni i ddileu ei enw oddi ar y dystysgrif. Cynig-
iodd roi hyd at bum gini iddi. Ond nid gwraig hawdd gwneud â hi
oedd Anne Bowles a methodd ei chymydog â thoddi ei chalon. Ei
gair olaf wrth Richard Williams oedd na fuasai'n gollwng y
dystysgrif o'i llaw hyd yn oed petai'n cynnig canpunt iddi.

Lledodd yr hanes am weithredoedd twyllodrus y rheithor drwy'r
ardal fel tân gwyllt. Bu sisial a chlebran di-baid am ddyddiau. Ni
chafwyd helynt cyffelyb yn y fro honno er 1762 pan gyhuddwyd
offeiriad arall, Owen Bulkeley o Gronant ('yr hurtyn penna a fu
erioed mewn gwenwisg', yn ôl William Morris), o dorri i mewn i
eglwys plwyf Bodedern liw nos er mwyn darnio gweddillion corff
John Owen, ysgwier Prysaeddfed.

Rwybryd yn ystod gaeaf 1768-9 digwyddodd anffawd arall ym
mywyd cythryblus Thomas Bowles: syrthiodd oddi ar ei farch ac
aeth asgwrn ei ysgwydd o'i le. Ni fu ar gefn ceffyl wedi hynny. Câi
ei gario mewn car Gwyddelig neu gerbyd. Ond go brin iddo gael

dim cydymdeimlad gan ei braidd. Eisoes lluniwyd cyfres o gyhudd-
iadau yn erbyn Bowles a'u cyflwyno i George Harris ar 4
Tachwedd 1768. Trosglwyddwyd y dogfennau perthnasol i
swyddogion Llys y Bwâu yn Llundain gyda thâl o ganpunt fel
arwydd o ddilysrwydd cwyn yr achwynwyr. Hyrwyddwyr achos
plwyfolion Trefdraeth yn y lle cyntaf oedd dau warden eglwys
Trefdraeth—Hugh Williams, Carreg Ceiliog a Rowland
Pritchard, Tyddyn Domas—, Evan Lloyd, Tyddyn Falent, a dau
warden eglwys Llangwyfan, Hugh Owens a John Owens.
Cytunodd Richard Morris i fod yn un o'r meichiafon am gostau'r
achos a phenodwyd Robert Bargrave i ddadlau achos y Cymry.

Ond yn boenus o araf y trôi olwynion y gyfraith ac erbyn
gwanwyn 1769 yr oedd Thomas Bowles yn barod unwaith eto i
geisio taflu llwch i lygaid ei blwyfolion. Ei nod yn awr oedd cynnal
nifer o wasanaethau yn Gymraeg er mwyn gallu gwadu'r
cyhuddiad na fedrai ac na fynnai wasanaethu yn iaith ei braidd. Ar
2 Ebrill 1769, sef y Sul cyntaf wedi'r Pasg, rhoes gynnig ar ddarllen
Y Weddi Fer, Gweddi'r Arglwydd a'r Deg Gorchymyn, ynghyd
â'r Epistol a'r Efengyl yn Gymraeg. Tystiodd Richard Williams yn
ddiweddarach na fuasai wedi deall yr un gair oni bai fod ganddo
Lyfr Gweddi yn ei law a'i fod yn eistedd yn agos iawn at y rheithor.
Yr oedd angladd yn digwydd bod yr un diwrnod ac yma eto fe
wnaeth Bowles gaff gwag drwy ddarllen y Salmau anghywir ar
gyfer yr achlysur. Bwriwyd anfri arno am lesteirio gwasanaeth trist
a difrifol. Rai wythnosau yn ddiweddarach cynhaliodd Bowles
wasanaeth y Cymun yn Eglwys Trefdraeth. Baglai dros ei eiriau ac
yr oedd ei fregliach mor ddoniol fel y chwarddodd nifer o'r
cymunwyr yn uchel, tra oedd eraill yn pwffian chwerthin yn eu
llawes. Yr oedd yn gymaint cyff gwawd fel y ciliodd o'r allor a
chwblhawyd y gwasanaeth gan ei gurad.

Go brin fod plwyfolion Trefdraeth wedi synhwyro fod elfennau
eironig iawn ym mherfformiadau truenus Thomas Bowles yn y
pulpud ac wrth yr allor. Mae'n haws i'r hanesydd, wrth edrych yn
ôl, ganfod pethau sy'n goglais ffansi dyn. Yr elfen eironig gyntaf
yw'r ffaith mai un o gyn-reithorion Trefdraeth yn ystod oes Iago I
oedd neb llai na Henri Perri. Hwn, wrth gwrs, oedd y gŵr a ysgrif-
ennodd *Eglvryn Phraethineb* (1595), y llyfr rhetoreg enwog a luniwyd
er mwyn tecáu a chyfoethogi'r iaith Gymraeg. Yr ail ffaith ogleisiol
yw fod Thomas Bowles ei hun, yn ei ramadeg enwog *Aristarchus*
(1748), wedi pwysleisio'r angen i athrawon ac offeiriaid osod

geiriau a chystrawennau yn eu priod le ('render'd smooth and agreeable to the ear') fel y gellid eu llefaru'n esmwyth ac yn ddeall-adwy. Pan luniodd y geiriau hynny, prin y breuddwydiodd Thomas Bowles y buasai ef ei hun—o bawb—yn merwino clustiau gwerinwyr Môn cyn diwedd ei oes.

Gymaint oedd y tyndra rhwng Bowles a'i braidd fel y pender-fynodd y rheithor roi'r gorau i'w fwriad i gynnal gwasanaethau Cymraeg. Ar 1 Mehefin 1769 ysgrifennodd at Henry Stevens, ei gyfreithiwr yn Llundain, i ddweud bod henaint ac afiechyd yn ei luddias: 'It is humbly requested that Mr. Chancellor Harris would favourably interceed with the Bishop of Bangor to dispense with my not officiating at either Parish, as I am advanced in the seventy sixth Year of my age, and am very sensible of the Infirmities and concomitant Decays of Nature, and unable to ride, and as I employ an unexceptionable curate.' Ond nid oedd y dirywiad yng nghorff a meddwl Bowles yn gyfryw ag i'w rwystro rhag gormesu a thwyllo rhagor o'i blwyfolion. Ar 21 Gorffennaf 1769 daeth i glywed fod Anne Tyrer, gwraig Robert Tyrer, llafurwr a drigai yn Gwna tros-yr-afon, wedi esgor ar fab y diwrnod hwnnw. Neidiodd Bowles at y cyfle. Yr oedd Tyrer yn un o'i weision a gwasgodd arno i ganiatáu iddo alw heibio i'w gartref ar unwaith i fedyddio'r baban newydd-anedig yn breifat. Gan fod ei phlentyn yn iach fel cneuen nid oedd Anne Tyrer yn hapus i weld y rheithor yn cyrraedd, ond gwyddai na allai ei gŵr weithredu'n groes i ewyllys Bowles. Cwblhaodd Bowles y seremoni yn Gymraeg—ac ar garlam. Gellir yn hawdd ei ddychmygu'n chwerthin yn braf wrth ymlwybro ar draws y caeau o dyddyn Tyrer yn ôl i Siamber Wen, ac yna yn eistedd wrth ei ddesg ac yn ysgrifennu'r cofnod hwn yng nghofrestr plwyf Trefdraeth: 'Richard, son of Robert and Anne Tyrer was Baptised July 21st, by T. Bowles, in the Vernacular Language of Wales'. Ond prin fod y fath wasanaeth carbwl wedi rhyngu bodd y rhieni oherwydd dengys adysgrifau'r esgob (a baratowyd gan y curad) fod John Griffiths, y curad, wedi ailfedyddio Richard Tyrer yn gyhoeddus yn eglwys y plwyf bedwar diwrnod yn ddiweddarach. Nid oedd y ffaith fod iddo enw drwg drwy'r ardal yn poeni dim ar Thomas Bowles. Wedi'r cwbl, yr oedd ganddo brawf ychwanegol o'i feistrolaeth ar y Gymraeg.

Dal i lusgo'u traed a wnâi gwŷr y gyfraith a bu raid i Richard Morris roi sawl proc i'w gyfreithiwr, Robert Bargrave. Ofnai Morris mai 'Hen genaw Ystrywgar' oedd Henry Stevens, proctor

Bowles, ac y byddai ef yn gwneud ei orau glas i gadw'r gyfraith ar gerdded cyhyd ag y gallai. Pellhau fwyfwy oddi wrth ei braidd a wnâi Bowles ac ar adegau arbennig gwelid eisiau offeiriad cydwybodol yn fwy nag erioed. Yr oedd disgwyl, er enghraifft, i berson plwyf fod o gysur i bobl ar adeg o argyfwng llethol. Brau ac ansicr oedd gafael gwerinwyr, ac yn enwedig eu plant, ar fywyd y dwthwn hwnnw a byddai llawer ohonynt yn marw'n ddisymwth pan ddigwyddai'r teiffws neu'r frech wen eu taro. Ym mynwent eglwys Trefdraeth, yn union gyferbyn â phorth yr eglwys, ceir carreg fedd yn nodi'r fan lle claddwyd saith o blant Edward a Gwen Williams, Bodargolwyn, a fu farw o fewn tair wythnos i'w gilydd rhwng 18 Rhagfyr 1769 a 2 Ionawr 1770. Naddwyd eu henwau a'u hoed—Elizabeth (19), Jane (9), Margaret (3), Anne (1), Richard (11), Catherine (8) ac Ellin (13)—ar y garreg, ynghyd â'r englyn trist hwn:

> Dyma fan Gwiwlan Gwelwch—7 Gorph
>   yn gorffwys mewn Heddwch
>   I Dir y Llann i droi'n Llwch
>   yn un Bedd a ni Byddwch.

Ac yntau heb fedru rhaffu brawddeg gall yn Gymraeg, faint o gysur fu Thomas Bowles i Edward a Gwen Williams yn awr eu profedigaeth, tybed?

Wedi oedi anfaddeuol o faith, dechreuwyd yr achos yn erbyn Dr. Thomas Bowles ar 11 Mai 1770. Ers sawl blwyddyn buasai Richard Morris yn casglu cyfraniadau ariannol oddi wrth aelodau blaenllaw Y Cymmrodorion, aelodau seneddol Gogledd Cymru, a boneddigion a masnachwyr Môn. Casglwyd dros ddau gant a hanner o bunnau mewn tanysgrifiadau. Llonnwyd plwyfolion Trefdraeth pan gafwyd cyfraniad o £100 i'r achos oddi wrth Syr Watkin Williams Wynn, Is-Lywydd y Cymmrodorion a'r pendefig mwyaf grymus yng Ngogledd Cymru. Ymhlith y rhoddion eraill cafwyd £30 gan yr Arglwydd Bulkeley, £21 gan Owen Meyrick, Bodorgan, ac £20 gan William Vaughan, 'Penllywydd' y Cymmrodorion. Fis cyn yr achos, lluniodd Richard Jones, un arall o gryddion Trefdraeth, gyfres o englynion yn mynegi anniddigrwydd gwerinwyr y fro ynglŷn â phenodiad Bowles:

> Trefdraeth wyd aeriaeth dirion,—ac enwog
>   I gynnal d'athrawon;
>   Ond yn llaw Sais, hyll yw sôn,
>   Ti'r aeriaeth wyt yr awron.

Barn y wlad pa rad priodi—aeres
    O eurwych fawrhydi
    A gado'r aeres gwedi
    Dim ond pluo'i heiddo hi.

Ar radlon ddofion ddefaid—anghynnes
    A fai 'nghanol bleiddiaid;
    Pa les gwŷn, pa loes a gaid?—
    Bugeiliwr heb eu gwyliaid.

Os rhodd dda, iawnfodd yw anfon—bugail
    Heb egor ffordd Aaron,
    A rhol yr Apostolion,
    Rhad ar y gwaith maith ym Môn.

Ar gost o £92 cludwyd chwech o drigolion Trefdraeth a
Llangwyfan—Richard Williams, Treddafydd Ucha, John
Thomas, Tan-y-lan, Henry Jones, Glan-y-traeth, John Roberts,
Gwna bach, Willim Jones, Glan-y-morfa a William Griffiths o
Langwyfan—i Lundain i dystio yn erbyn Bowles. I wŷr na fu
erioed, mae'n debyg, ar ddaear Lloegr yr oedd treulio wythnos
gyfan yn ninas fwyaf Ewrop yn gryn brofiad. Os cawsant eu

Llys Y Bwâu, Doctors Commons

Llun: Llyfrgell Palas Lambeth

diddanu yn hoff dafarnau'r Cymmrodorion bu raid sobri cyn
mentro i ffau llewod Llys y Bwâu. Hwn oedd prif lys apêl talaith
Caergaint, ac ynddo byddai proctoriaid a chyfreithwyr rhwysgfawr
a phrofiadol yn dadlau achosion gerbron Deon neu Farnwr y Llys.
Yn ôl Thomas Oughton, un o broctoriaid y Llys yn y ddeunawfed
ganrif, yr oedd rhyw urddas arswydus yn perthyn i holl weith-
garwch y Llys: 'Let us reverently enter on one of the court days into
the sanctuary of this august tribunal . . . Behold! How solemn, how
awakening the aspect of justice!' Hawdd credu bod y tystion
dibrofiad o Fôn yn crynu yn eu hesgidiau wrth fentro i gynteddau'r
Llys. Rhwng 11 a 15 Mai bu Richard Morris yn cyfieithu
tystiolaeth y chwe thyst yn y Llys. Yr oeddynt i gyd yn unfarn nad
oedd eu rheithor yn gymwys i gynnal gwasanaethau Cymraeg a'i
fod yn euog o 'excess and temerity'. Heb flewyn ar dafod,
dangosasant i'r byd fod esgob Bangor wedi penodi Sais uniaith
oedrannus a roddai bris uchel ar dwyll a chelwydd i ofalu am
eneidiau Cymry Cymraeg.

    Gwan iawn oedd achos Bowles. Yn ei dystiolaeth ysgrifenedig
honnai mai celwydd noeth oedd y cyhuddiad na fedrai wasanaethu
yn Gymraeg ac na fu iddo wasanaethu yn Saesneg erioed, ac eithrio
yn ystod gwasanaeth y Cymun pan fyddai, yn ôl ei arfer, yn
rhannu'r elfennau yn Saesneg i'r sawl a oedd yn deall yr iaith fain.
Cyfaddefodd na allai gyflawni ei ddyletswyddau yn ôl ei
ddymuniad ond ei henaint, ei salwch a'i anallu i farchogaeth a oedd
yn bennaf cyfrifol am hynny. Honnodd ymhellach nad wardeniaid
Trefdraeth a Llangwyfan oedd prif ysgogwyr yr achos yn ei erbyn.
Cyhuddodd Charles Evans, Trefeilyr, o gynllwynio y tu ôl i'r llenni
yn ei erbyn yn sgil ffrae rhyngddynt ynglŷn â'r degwm.

    Am ryw reswm ni chafodd cefnogwyr Bowles dystio yn Llundain
yr un pryd â phlwyfolion Trefdraeth a Llangwyfan. Gohiriwyd yr
achos am ddwy flynedd a'i drosglwyddo i Fiwmares a Llangefni.
Ceisiodd Arthur Lewis, llysfab Bowles, bleidio achos ei ewythr
orau gallai ar 5 Tachwedd 1772, ond yr oedd ei dystiolaeth ef yn
druenus o sigledig ac annibynadwy. Er i John Griffiths, curad
Trefdraeth, gael ei alw i gynnal breichiau ei reithor, tystiodd ef yn
blwmp ac yn blaen nad oedd Bowles yn gymwys i weinidogaethu a'i
fod wedi tynnu llawer o drigolion y plwyf yn ei ben. Mae'n debyg
fod John Griffiths yn fwy na pharod i dalu'r pwyth yn ôl i ŵr a fu'n
ei drin fel Siôn-pob-swydd er chwe blynedd. Yr oedd dau arall a
oedd yn fodlon dweud pwt o air dros Bowles: un oedd Richard

Owen, llafurwr 22 oed, gwas Bowles ei hun ac un digon drwg ei drwsiad. Ond ni allai yntau ychwaith dyngu ar lw fod ei feistr yn ddigon rhugl ei Gymraeg i weinidogaethu. Ac er bod y tyst olaf, Robert Tyrer, hefyd dan iau Bowles, tystiolaeth benagored iawn a gafwyd ganddo ef. Rhwng popeth, nid oedd yr argoelion yn olau iawn i Thomas Bowles.

Wrth grynhoi eu dadleuon ar ddiwedd yr achos, aeth twrneiod plwyfolion Trefdraeth a Llangwyfan mor bell â honni petai Dr. Bowles yn ennill y dydd y byddai'r grefydd Gristnogol yn darfod yng Nghymru. Dweud go fawr, efallai, ond nid oeddynt mor bell â hynny o'u lle. Eisoes yr oedd Richard Morris wedi dweud yr un peth mewn ffordd wahanol: 'Os diswyddir y Doctor e fydd lawer hawsach o hyn allan i Gymro gael bywoliaeth yn ei wlad ei hun'. Honnodd y twrneiod fod deddf cyfieithu'r Beibl i'r Gymraeg ym 1563 wedi gorchymyn mai'r Gymraeg yn unig oedd i'w defnyddio mewn eglwysi ym mhob ardal Gymraeg. Ategwyd hynny gan amodau Deddf Unffurfiaeth 1662. Profwyd y tu hwnt i bob amheuaeth, meddent, nad oedd gan Bowles feistrolaeth ar y Gymraeg a'i fod felly yn anghymwys i ofalu am eneidiau pum cant o Gymry uniaith. At hynny, yr oedd y rheithor wedi gwneud tro gwael â'i blwyfolion drwy ffugio tystysgrif. Bowles ei hun a'i lluniodd ac nid oedd unrhyw ddyddiad wrthi. Tybed faint o drigolion Lloegr, meddent yn wawdlyd, heb sôn am Gymry cyffredin uniaith, a wyddai ystyr y gair *vernacular*? Ac yn olaf, dadlennwyd bod Robert ac Anne Tyrer wedi bod mor anfodlon ar ymgais Bowles i fedyddio'u mab drwy gyfrwng y Gymraeg fel yr ailfedyddiwyd y baban gan y curad yn eglwys plwyf Trefdraeth. Diswyddo Bowles oedd yr unig ddedfryd deg:

> It is true, a man's freehold is sacred, and he ought not to be deprived of it without good evidence; yet, is the care of souls much more sacred? And as there is in this case sufficient evidence to prove his inability, we pray that the court may pass sentence of deprivation against doctor Bowles.

Yn naturiol ddigon, gwadwyd hyn oll gan dwrneiod Bowles. Honnent nad oedd yr iaith Gymraeg yn ddieithr iddo. Nid oedd ei ynganiad, efallai, yn berffaith ond pa ddisgwyl oedd i estron mewn gwth o oedran berffeithio acen Gymreig? A beth bynnag, bu erioed yn bolisi i hyrwyddo'r iaith Saesneg yng Nghymru. Gwlad orchfyg-edig oedd Cymru a Saesneg fu iaith cyfraith a chofnod ynddi er

1536. Ni phasiwyd yr un ddeddf seneddol yn Gymraeg erioed. Yn wir, melltith ar Gymru oedd yr iaith Gymraeg: 'the confusion of languages at the tower of Babel was revealed to us as a curse from heaven'. Iaith ysgymun oedd iaith y Cymry a dyletswydd pob esgob oedd hyrwyddo'r iaith Saesneg yng Nghymru.

Wrth gloriannu'r dystiolaeth mynegodd y barnwr, Dr. George Hay, ei farn fod anwybodaeth o'r iaith Gymraeg yn achos digonol i esgob wrthod derbyn offeiriad i wasanaethu yn y Gymru Gymraeg. Yn wir, awgrymodd yn gryf na ddylid gwneud penodiadau mor gibddall ac annoeth yn y dyfodol. Ond gan fod Thomas Bowles eisoes wedi ei sefydlu yn Nhrefdraeth ac nad oedd, ar sail y dystiolaeth a glywsai ef, yn *gwbl* analluog i wasanaethu ni allai orchymyn ei symud. Eto i gyd, beirniadodd ymddygiad Bowles yn hallt, gan ychwanegu na châi ei gostau ar unrhyw gyfrif. Ar un olwg, felly, plwyfolion Trefdraeth a Llangwyfan a gariodd y dydd. Dysgwyd gwers i'r 'Esgyb Eingl' a llwyddwyd i atal—am ennyd beth bynnag—ymgais arall i Seisnigo'r Cymry.

Nid dyfarniad barnwr Llys y Bwâu oedd yn bwysig, felly, yn gymaint â'r ffaith fod pum cant o werinwyr, dan nawdd y Cymmrodorion, wedi herio'r polisi o ddefnyddio'r Eglwys fel offeryn i ddigymreigio Cymru. Ddiwedd 1769 fe ysgydwodd Thomas Bowles lwch Trefdraeth oddi ar ei draed a dychwelyd i gynefin ei wraig ger Biwmares. Yn llaw John Griffiths, curad Trefdraeth, y mae cofnodion y cofrestr plwyf rhwng 1770 a 1773. Ar 10 Awst 1773 bu farw Thomas Bowles, yn 77 mlwydd oed, ac ymhen tridiau fe'i claddwyd ym mynwent Llanfaes. Ar 6 Tachwedd sefydlwyd Richard Griffith yn rheithor Trefdraeth a Llangwyfan. Yr oedd ef yn Gymro glân gloyw. Ni ellir llai nag edmygu safiad diamwys trigolion Trefdraeth a Llangwyfan. Oni ddylid eu rhestru ymhlith glewion Ynys Môn?

> Pwy a rif dywod Llifon?
> Pwy rydd i lawr wŷr mawr Môn?

Y Chwyldro Ffrengig
a Voltaire Cymru*

Ar brynhawn Mawrth, 14 Gorffennaf 1789, ymgasglodd torf ddicllon a newynog y tu allan i garchar y Bastille ym Mharis. Cryddion, seiri, teilwriaid, hetwyr, masnachwyr a gwrthgilwyr o'r fyddin oedd y mwyafrif o'r gwrthdystwyr, ac atseiniai eu gwaedd—'Rhowch inni'r Bastille'—drwy'r ddinas. Eisoes, yn blygeiniol iawn y diwrnod hwnnw, yr oedd y *classes populaires* hyn wedi ymosod ar yr *Hôtel des Invalides* a llwyddo i gipio 32,000 o ddrylliau a phedair magnel fawr. Gan fod y si ar led fod 30,000 o filwyr yn gorymdeithio i'r brifddinas i gynnal breichiau'r llywodraeth, rhaid oedd i'r gwrthdystwyr wrth arfau i'w diogelu eu hunain. Eu nod yn awr oedd cymryd meddiant o'r cyflenwad helaeth o bowdr gwn a gedwid yn y Bastille. Caer ysgeler oedd y Bastille, ac i drigolion Paris ymddangosai ei dyrau uchel yn symbol atgas o rym yr *ancien régime* yn Ffrainc. Yn ôl Gwallter Mechain, yr hen berson llengar a fu'n gymaint o gefn i'r eisteddfod gystadleuol fodern, yr oedd y gair *Bastille* yn ddigon i 'lenwi calon dyner â lluniau ellyllig llawn o ddychryniadau'. Gan chwythu bygythion a chelanedd, ymosododd y dorf ar y carchar, ac ar ôl cryn dywallt gwaed rhyddhawyd y saith carcharor a oedd yno, sef pedwar ffugiwr, dau wallgofddyn ac un oferwr, a chipiwyd stôr sylweddol o bowdr gwn ac arfau. Martsiwyd Marquis de Launay, llywodraethwr y carchar, drwy strydoedd Paris. Poerai'r dorf arno a'i gicio a'i drywanu, ond peidiodd ei ddioddefaint pan dorrwyd ymaith ei ben â chyllell gan gogydd pastai o'r enw Desnot. Gosodwyd pen de Launay ar flaen gwaywffon ac ymlaen yr aeth y dorf gan grochlefain a chanu'n orfoleddus. Tuag un ar ddeg y noson honno, hysbyswyd y Brenin Lewis XVI yn Versailles gan Duc de la Rochefoucauld-Liancourt fod y Bastille wedi syrthio. 'Ai gwrthdystiad yw hwn?' gofynnodd y Brenin. 'Nage, syr', oedd yr ateb, 'chwyldro ydyw.'

Er bod Pierre Goubert, un o haneswyr disgleiriaf Ffrainc, wedi honni na all pobl Ffrainc heddiw, hyd yn oed y rhai mwyaf gwybodus ac addysgedig yn eu plith, gytuno ynglŷn ag arwyddocâd a chanlyniadau'r Chwyldro Ffrengig, y farn gyffredinol yw mai

*Darlith Eisteddfodol y Brifysgol, Eisteddfod Genedlaethol Cymru, Llanrwst 1989.

Cipio Marquis de Launay yn garcharor

Llun: Musée de Versailles

hwn oedd y digwyddiad gwleidyddol pwysicaf yn hanes Ewrop fodern cyn 1917. Gwyddai'r chwyldrowyr eu hunain eu bod yn byw mewn cyfnod trobwyntol a'u bod yn dystion i ddigwyddiadau ffrwydrol. Nid hunan-dyb a barodd iddynt newid y calendr ym mlwyddyn gyntaf Gweriniaeth Ffrainc ym 1792; yr oedd *L'An un* yn symbol o'u cred fod Amser ei hun wedi cychwyn yr eildro. Ac mae'n weddus i bawb ohonom gofio eleni mai ffrwyth y Chwyldro Ffrengig yw syniadau megis sofraniaeth y bobl, iawnderau dyn, cenedlaetholdeb, rhyddid crefyddol, cydraddoldeb, yr apêl at reswm, ideoleg chwyldro, rhyfel dosbarth ac athrawiaeth cynnydd. Hawdd deall paham y dywedodd Mao Ze Dong ei bod yn rhy gynnar i geisio mesur a gwerthfawrogi canlyniadau 1789. Ond ni ddylem gau ein llygaid ychwaith i'r ffaith fod breuddwyd llachar haf 1789 wedi troi'n hunllef arswydus. Agorwyd cwys waedlyd drwy Ffrainc gan y Chwyldro yn y 1790au ac, fel y dengys digwyddiadau megis dienyddio'r Brenin, dyddiau'r Dychryn, cwymp y

Girondins, llofruddiaeth Marat, dienyddio Danton, cwymp Robespierre ac unbennaeth Napoleon, daeth trais a thywallt gwaed yn rhan annatod o fywyd y wlad. Serch hynny, er drwg ac er da, y mae cysgod y Chwyldro Ffrengig drosom o hyd.

Ymron ddwy flynedd union ar ôl cwymp y Bastille, ar 11 Gorffennaf 1791, gwelwyd pasiant rhyfedd arall ar strydoedd Paris, sef y *fête de Voltaire*. Ym marn nifer o'r chwyldrowyr mwyaf blaengar ac uchel eu cloch, ffrwyth syniadau a gweithiau Voltaire oedd y Chwyldro 'gogoneddus' a gafwyd ym 1789 ac yr oeddynt yn awyddus i gydnabod hynny'n gyhoeddus. Bu Voltaire farw ar 30 Mai 1778, ond turiwyd am ei gorff eneiniedig a'i osod ar ben cerbyd mawr a phrydferth i'w ryfeddu. Yn boenus o araf, tynnwyd y cerbyd drwy strydoedd Paris gan bedwar march gwyn hardd wedi eu harneisio â dim namyn plu trilliw. Er ei bod yn bwrw hen wragedd a ffyn, daeth oddeutu can mil o bobl ynghyd i dalu teyrnged i *le roi Voltaire* ac, yn briodol iawn, teithiwyd heibio i adfeilion y Bastille lle bu'r hen Ddëist ei hun yn garcharor ddwywaith. Cymerwyd saith awr i gwblhau'r daith urddasol i'r Panthéon lle rhoddwyd corff Voltaire i orffwys.

Yn ystod yr un haf, ar 14-15 Mehefin 1791 a bod yn fanwl gywir, cynhaliwyd math ar basiant tipyn llai uchelgeisiol yma yn Llanrwst, sef y drydedd o'r eisteddfodau cystadleuol i'w cynnal er 1789 dan nawdd Cymdeithas y Gwyneddigion. Yn ôl y bardd Evan Ellis:

> Cymanfa hardda oedd hon—dda fwriad
>   Ddifyrrwch Prydyddion
>   Prydyddu mewn llu mwyn llon
>   Ymroesant i ymryson.

Yn eironig iawn, o gofio'r digwyddiadau cynhyrfus yn Ffrainc, enillwyd tlws arian y Gwyneddigion gan Ddafydd Ddu Eryri, yr arch-geidwadwr o Landdeiniolen. Fflamio mewn dicter a wnâi Dafydd Ddu pan grybwyllid y gair 'Chwyldro', ac ni ellid bod wedi cyfansoddi cerdd fwy anwleidyddol na'i awdl ef ar y testun 'Gwirionedd'. Ond efallai mai gormod fyddai disgwyl i ŵr a arferai lunio cerddi Saesneg i'w canu ar alaw 'Rule Britannia' gefnogi brwydr y *sans-culottes*. Mynychwyd eisteddfod Llanrwst, fodd bynnag, gan hen ŵr 65 mlwydd oed a oedd nid yn unig yn llawn sêl tanbaid dros achos gwerin-bobl Ffrainc ond hefyd yn fawr ei edmygedd o Voltaire. Daeth William Jones, Llangadfan, i Lanrwst i ddosbarthu taflenni ymhlith y 'Brythoniaid cynhenid', taflenni a oedd, fel y cawn weld maes o law, yn cynnig llwybr ymwared i'w gyd-wladwyr gorthrymedig.

Yn ystod haf 1789 y clywodd William Jones, Llangadfan, yr hyfrydlais. Yn sgil y Chwyldro Ffrengig y daeth o hyd i'w lais gwleidyddol ei hun a chael ei feddiannu gan awydd anniwall i ddatgan ei farn yn groyw ac i ymladd dros hawliau ei gyd-Gymry gorthrymedig. Cyn y digwyddiad hwnnw bu'n llunio carolau plygain a charolau haf, cerddi a oedd mor boblogaidd ymhlith trigolion dyffrynnoedd Banw, Efyrnwy a Thanad yn sir Drefaldwyn, ac yn cyfansoddi cerdd i ddiolch am adferiad iechyd y Brenin Siors y Trydydd. Ond rhoes y gorau i bethau bachgennaidd felly pan ddymchwelwyd yr unbennaeth grymusaf yn Ewrop yn haf 1789. Fel y dengys ei lythyrau gwybodus a diddan at William Owen Pughe, Gwallter Mechain ac Edward Jones, rhoes William Jones groeso afieithus i egwyddorion y Chwyldro am eu bod yn tanseilio cyfundrefn lwgr a thrahaus. Bellach brithid ei sgwrs a'i lythyrau â chyfeiriadau at ormeswyr, cneifwyr, bastileiddio, *sans-culottes,* Jacobin a Thwm Paen. Yr oedd yn falch i'w gyfrif ei hun yn *citoyen du monde.* Hyd yn oed cyn 1789, wrth gwrs, yr oedd yn adnabyddus yn ei ardal fel dychanwr angheuol ac fel gŵr a ddywedai'r caswir am bawb, hyd yn oed os oedd hynny'n clwyfo, ond yn sgil cwymp y Bastille credai fod arno gyfrifoldeb i fynegi ei gydymdeimlad â dyheadau'r Chwyldro Ffrengig a'i atgasedd at anghyfiawnderau dybryd yng Nghymru.

Y mae llawer iawn o'r hyn a ysgrifennwyd am William Jones, Llangadfan, yn seiliedig ar gynnwys ysgrif goffa a gyfansoddwyd mewn Saesneg mindlws a chwyddedig gan Wallter Mechain ac a gyhoeddwyd yn *The Cambrian Register* (1796), cylchgrawn dan olygyddiaeth William Owen Pughe. A dyfynnu Gwyn A. Williams, ysgrif 'sgitsoffrenig' iawn ydyw, a pheryglus fyddai dibynnu'n ormodol ar y dystiolaeth a gyflwynir ynddi. Yn un peth, fe'i cyfansoddwyd ar frys (fel y cyfaddefodd Gwallter ei hun yn ddiweddarach) ac fe'i seiliwyd bron yn gyfan gwbl ar gynnwys llythyrau personol William Jones at Wallter ei hun. Go brin, felly, y llwyddodd Gwallter i gyflwyno portread llawn o'i athro barddol nac ychwaith i dreiddio i ddyfnderoedd plygion ei gymeriad. Yn wir, y mae'r ysgrif yn aml yn datguddio mwy am bersonoliaeth a rhagfarnau Gwallter ei hun nag am gymeriad William Jones. Brodor o Lanfechain oedd Gwallter ac wedi iddo ddysgu crefft y cylchwr ysai am gael dod ymlaen yn y byd academig. Gwelodd Owain Myfyr addewid ynddo, a thrwy ei haelioni ef cafodd Walter Davies (Gwallter Mechain oedd ei enw barddol) addysg yn Neuadd St. Alban a Choleg yr Holl Eneidiau yn Rhydychen rhwng 1791 a 1795. Yn ystod ei ddyddiau coleg, *prig* cysetlyd a hunandybus oedd Gwallter, ac yr oedd ei duedd i seboni 'gwŷr mawr' yn gwylltio William Jones. Nid mwynder Maldwyn sy'n dod i'r meddwl wrth gloriannu William Jones; gallai beri i bobl deimlo'n anghysurus iawn yn ei ŵydd, a chafodd Gwallter Mechain sawl cerydd a phwniad ganddo dros y blynyddoedd. Nid anghofiodd hynny. Dëist a gweriniaethwr oedd William Jones, Eglwyswr a Chwig oedd Gwallter Mechain. Tra gorfoleddai William Jones yng nghampau'r *sans-culottes,* canai Gwallter Mechain glodydd Syr Watkin Williams Wynn a Syr Thomas Picton. Fel y dywedodd R. T. Jenkins, yr oedd yn well gan Wallter 'fel Balaam gynt, fendithio na melltithio'r deyrnas yr oedd yn byw dani'. Gŵr pwyllog a pharchus o'i 'well' oedd Gwallter yng nghwmni boneddigion di-Gymraeg a ffroenuchel, ond hyrddio geiriau cas atynt a wnâi William Jones. Pa ryfedd fod William Jones mor ysgornllyd o'i ddisgybl ac mor siomedig ynddo? Dywedir iddo ryw dro weiddi yn ddirmygus ar ei ôl:

> Nid tindew mo'r pretendiwr,
> Ond tenau a main yw'r 'tommy-moor'.

Mae'n rhaid fod y *protégé* wedi diflasu droeon ar fod yn gyff gwawd. Beth bynnag, yn sgil marwolaeth William Jones ym 1795 manteisiodd ar ei gyfle i dalu'r pwyth yn ôl. Yn ei ysgrif goffa lluniodd bortread hynod nawddogol (ac weithiau'n ffiaidd) o werinwr difreintiau a aethai ar gyfeiliorn. Bychanodd ymarweddiad William Jones, ei Saesneg llafar cloff, a'i wladgarwch tanbaid. Tynnodd sylw at ei duedd 'anffodus' i orffen brawddegau Saesneg â geiriau Cymraeg, ac wfftio at ymgais o'i eiddo i esbonio damcaniaeth ynglŷn â'r blaned Iau drwy ddefnyddio 'iaith y gegin' wrth ddwyn i gof arfer ei fam o ddefnyddio padell bres fawr i rostio gŵydd er mwyn dal y gwres a ddihangai o'r tân. Yn waeth na dim, awgrymodd fod casineb ysol William Jones at Saeson a'i syniadau gweriniaethol anuniongred yn arwydd o'r culni meddwl a oedd yn ffrwyth plwyfoldeb a diffyg gweld y byd! Nid 'gwanc anghlerigol am wobrau', chwedl Hywel Teifi Edwards, yw'r unig smotyn du ar gymeriad Gwallter Mechain.

Ond nid siarad yn ei gyfer a wnâi Gwallter Mechain pan alwodd ei hen athro yn 'Voltaire gwledig'. Propagandydd enwocaf Ewrop oedd Voltaire (neu François-Marie Arouet wrth ei enw bedydd), a bu'n ffasiynol ar un adeg i alw'r ddeunawfed ganrif yn *le siècle de Voltaire*. Yr oedd cynnyrch llenyddol Voltaire yn ddigon o ryfeddod; ar wahân i *Candide* (1759), un o'r nofelau enwocaf yn hanes Ffrainc, a'i *Dictionnaire philosophique* (1764), cyfansoddodd lu o ysgrifau, cerddi, dychangerddi, trasiedïau, deialogau, *contes* ac *épitres,* heb sôn am y 17,000 o'i lythyrau sy'n dal ar glawr. Gŵr o ddisgleirdeb meddyliol ac annibyniaeth barn oedd Voltaire, a chredai William Jones nad oedd gawr mwy nag ef ymhlith athronwyr Ewrop. Yn ôl Gwallter Mechain (a welsai luniau a cherfluniau o Voltaire), yr oedd y ddau yr un ffunud. O graffu ar

William Jones

Llun: Llyfrgell Genedlaethol Cymru

Voltaire gan Houdon
Llun: Amgueddfa Victoria ac Albert, Llundain

yr unig lun sydd gennym o William Jones ochr-yn-ochr â gwahanol bortreadau o Voltaire, gellir canfod tebygrwydd amlwg o ran pryd a gwedd: yr oedd gan y ddau dalcen llydan, dau lygad byw a threiddgar, trwyn main, a gwên gellweirus ar wefus denau. Dau digon siabi yr olwg oeddynt hefyd. 'Gwrengyn mynyddig' blêr ac anniben oedd William Jones, a byddai rhai'n cael sbort am ben ei ymddangosiad gwladaidd a thrwsgl. Er bod Voltaire yn ŵr cefnog, hoffai wisgo fel gwerinwr tlawd a di-lun. Pan ymwelodd Thomas

Pennant ag ef yn Ferney ym mis Mai 1765, cafodd ysgytiad wrth
ganfod fod yr athronydd byd-enwog yn gwisgo cot las olau, capan
glas wedi ei droi i fyny dros berwig lwyd hir, llodrau melfed, sanau
garw ac esgidiau mawr trwchus. Dylid ychwanegu ei fod wedi dotio
ar lygaid disglair Voltaire a'i synnu'n ddirfawr gan y rhegfeydd
Seisnig a lifai o'i enau!

Ond syniadau Voltaire a apeliai'n bennaf at William Jones.
Gwyddai amdano fel gelyn pob gormeswr a chyfaill i'r gorthrym-
edig, fel carwr doethineb, rheswm a gwirionedd, ac fel dychanwr
deifiol. Fel yn achos ei arwr, gallai William Jones fod yn llym, yn
chwerw ac yn wenwynllyd. Tystiai ei gyfeillion i'w ddawn fel
goganwr miniog. Yn ôl Thomas Jones, yr ecseismon o Gorwen,
pan fyddai rhywun yn tynnu'n groes i Gadfan byddai ei lygaid yn
fflachio tân: 'O! fel y tru ei weflau ai lygaid os gwel o achos i Satyr
ymddangos—dyna fo yn y munud yn ei ddewis elfen.' *Écrasez
l'Infâme* oedd cadlef Voltaire, ac ymosodai William Jones, yntau, ar
bob agwedd ar lygredd ac anghyfiawnder a berthynai i'r eglwys
sefydledig. Ac nid y lleiaf o'r nodweddion a oedd yn peri fod y
Ffrancwr a'r Cymro yn ddau gymeriad rhywiog a brith oedd eu
hiaith gableddus a masweddus, eu hoffter o ferched ifainc hardd,
a'u gallu i werthfawrogi troeon ysmala. Gwyddom fod athroniaeth
Voltaire wedi dylanwadu ar feddwl Iolo Morganwg a Jac Glan-y-
gors, a bod 'hen weriniaethwyr cadarn' ym Merthyr Tudful a'r
cyffiniau yn ddyledus iawn iddo, ond nid oes unrhyw amheuaeth
nad William Jones oedd disgybl ffyddlonaf Voltaire yn y Gymru
wledig.

Er bod William Jones yn cyfeirio'n aml yn ei lythyrau at fro ei
febyd fel 'y gilfach lom yma', byddai'n gamgymeriad credu bod ei
orwelion a chylch ei ddarllen yn gyfyng. Dengys ei draethawd ar
hanes plwyfi Llangadfan, Llanerfyl a Garthbeibio fod ganddo
lygaid craffach na'r cyffredin, a'i fod yn ymffrostio yn arbenig-
rwydd ei ardal. Ond er ei fod yn frogarwr pybyr, cenfigennai'n
fawr wrth y rheini a oedd yn byw yn Llundain ac yn gallu fforddio
teithio'r Cyfandir:

> Chwi sydd, ac awenydd gain,
> Yn llawnder hawddfyd Llundain;
> Minnau yn annymunol,
> Llithro wnaf i'r llethr yn ôl.

Eto i gyd, rhaid cofio bod Llangadfan ar y ffordd dyrpeg o'r

Trallwng i Fachynlleth, a bod tad William Jones yn gweithio'n rhan-amser fel swyddog ar y goets fawr a deithiai o Amwythig tua'r gorllewin. Gofalai'r tad (ac eraill, mae'n siŵr) fod sypynnau o lyfrau, cylchgronau a newyddiaduron Saesneg megis *Gentleman's Magazine, Political Magazine* a'r *Shrewsbury Chronicle* yn cael eu trosglwyddo i William Jones yn Cann Office, swyddfa bost y pentref. Gwyddom hefyd fod William Jones yn benthyg llyfrau yn rheolaidd oddi wrth David Evans, rheithor Llanerfyl 1737-67 a rheithor Llanymynech 1767-88, a John Tilsley, ficer Llandinam 1784-1830. Datblygodd yn ddarllenwr mawr; ymddiddorai mewn hanes, daearyddiaeth, morwriaeth, seryddiaeth a meddygaeth. Yr oedd yn gyfarwydd â gwaith y gwyddonydd William Whiston a'r seryddwr Syr William Herschel; gwyddai am deithiau Capten Cook i Hemisffer y De a theithiau James Bruce i Affrica, Arabia a'r Aifft; darllenodd yn awchus lyfrau Garcilaso de la Vega (neu El Inca) ar hanes Periw, Tobias Smollett ar hanes Lloegr a William Robertson ar hanes yr Alban; fe'i trwythodd ei hun yng nghyfrolau Charles Burney ar gerddoriaeth; a thrwy ymgodymu'n ddiorffwys â gramadegau daeth yn gryn feistr ar yr iaith Ladin. Ond Voltaire a'i dysgodd i gasáu gormes ac anghyfiawnder, a phan ddigwyddodd y Chwyldro Ffrengig yr oedd yn fwy na pharod i groesawu'r cyfle i fynegi'r gwewyr a'r rhwystredigaeth a'r dicter a oedd yn corddi ynddo.

Er nad yw llythyrau William Jones at bobl fel William Owen Pughe, Edward Jones a Gwallter Mechain yn allwedd i holl ddirgelion ei bersonoliaeth, rhoddant inni, mewn arddull ddeifiol a di-flewyn-ar-dafod, syniad go glir am bynciau llosg y dydd, sef hawliau gwleidyddol yr unigolyn, Seisnigrwydd yr eglwys, ceidwadaeth y Methodistiaid, Sais-addoliad yng Nghymru, a natur argyfwng economaidd yr oes. Er na lwyddodd i wyntyllu'r pynciau llosg hyn mewn print, fe'i hystyrid yn ŵr peryglus yn ei ardal oherwydd ei barodrwydd i fynegi ar lafar—ac yn ei lythyrau—yr ymdeimlad cryf o anghyfiawnder ac anniddigrwydd a oedd yn cyniwair yng Nghymru. Yn wir, cyfaddefodd ei fod yn barod i gael ei erlid, ei 'Fastileiddio' am oes, a'i ddirwyo hyd gannoedd o bunnoedd, er mwyn cyflawni ei genhadaeth i ddeffro'r Cymru o'u trymgwsg.

Blinid William Jones yn fawr gan agwedd oddefol a thaeogaidd gwerin-bobl Cymru; fel y dywedodd Thomas Roberts, Llwyn'rhudol, yr oedd y mwyafrif ohonynt yn byw 'mewn math o hunglwyf'. Oes aur y tirfeddianwyr grymus oedd y ddeunawfed ganrif ac un o brif amcanion y Senedd oedd amddiffyn annibyniaeth a chysegredigrwydd eiddo. Tair hawl, meddid, a oedd gan ddyn, sef yr hawl i fynnu bywyd, rhyddid ac eiddo. Cyfoeth, eiddo a braint oedd sail yr etholfraint ac nid oedd lle i'r syniad fod pob dyn yn rhydd ac yn gyfartal â'i gyd-ddyn. Gan mai dim ond y rheini a oedd yn werth deugain swllt neu fwy y flwyddyn a gâi bleidleisio mewn etholiad, rhyw 4% (25,000 o bobl) a feddai'r hawl i fynegi eu barn ar ddiwrnod lecsiwn, ac yr oedd llawer ohonynt yn gaeth beth bynnag i ewyllys tirfeddianwyr a stiwardiaid trahaus. Yn etholiad mawr 1774 yn sir Drefaldwyn, er enghraifft, hysbyswyd tenantiaid Syr Watkin Williams Wynn gan brif stiward Wynnstay y byddent yn colli'r hawl i bori defaid a chasglu mawn ar y tir comin pe meiddient bleidleisio yn groes i ddymuniad eu meistr. Go brin fod gan yr un Cymro gwledig yn y 1790au amgenach dealltwriaeth o brif egwyddorion y Chwyldro Ffrengig na William Jones, ac yr oedd yn naturiol, felly, iddo ffieiddio'r Cyfansoddiad Prydeinig. Gwyddai fod byw dan fawd Siôn Tarw a'r 'Gwŷr Mawr' wedi crino gwroldeb y Cymry i raddau helaeth a chywilyddiai ar brydiau at daeogrwydd a difrawder ei gyd-wladwyr. Fel cynifer o radicaliaid Cymru yn y 1790au, deffro ymwybod gwleidyddol a chenedlaethol y Cymry oedd ei brif nod.

Yn rhyfedd iawn, ni cheir sôn yn llythyrau William Jones am ddylanwad yr athronydd disglair Richard Price nac am ei bregeth gyffrous *A Discourse on the Love of our Country*, llith a draddodwyd ar 4 Tachwedd 1789. Ond mae'n amlwg iddo ddarllen ateb y ceidwadwyr i Price, sef clasur Edmund Burke, *Reflections on the Revolution in France* (1790), a'i gythruddo i'r byw gan 'ffrost ragrithiol' y 'Bustiog Byrhwch'. Eli i'w galon, felly, oedd cael prynu a darllen *The Rights of Man*, ymateb ysgubol Tom Paine i waith Burke. Cyhoeddwyd y rhan gyntaf o *The Rights of Man* ym mis Mawrth 1791, ac er ei fod yn costio tri swllt (yr un pris â gwaith Burke) gwerthwyd 50,000 o gopïau. Cymaint oedd y galw am feibl y democratiaid fel pan gyhoeddwyd yr ail ran o'r gwaith yng ngwanwyn 1792 gwerthwyd degau o filoedd o argraffiad rhad (6c.) yn ogystal ag argraffiad drud (3s.). Erbyn diwedd 1793 yr oedd oddeutu 150,000 o gopïau wedi eu gwerthu. Cyfareddwyd William Jones gan waith 'Twm Paen' ac fe'i hargyhoeddwyd yn llwyr gan ei ddadl rymus dros iawnderau naturiol dyn, sofraniaeth y bobl ac egwyddorion gweriniaethol. Lluniodd awdl ar y pedwar mesur ar hugain ar y pwnc 'Rhyddid a Thrais', gan fynnu mai 'rhodd Duw yw rhyddid':

> Rhai ni wyddant ei rhinweddau
> Na hanesion ei hen oesau
> Moesau a maswedd
> A thrais a thrawsedd
> Bonedd ac unbennau . . .

Yn wyneb hyn, hawdd deall paham yr ymfflamychai pan fyddai Prydeinwyr gwlatgar fel Gwallter Mechain a Dafydd Ddu Eryri— dau a oedd yn ofni twrw'r eithafwyr yn Ffrainc—yn brolio'r Cyfan-soddiad Prydeinig ac yn annog y Cymry i beidio â 'rhedeg . . . tros y terfyn'. 'Ir ŷm yn clywed aml abwch gwenwynig', cwynai William Jones, 'yn erbyn y Ffrancod truain am ddiffyn braint naturiol dynolryw.' Ymhlith y seirff mwyaf gwenwynig yr oedd Gwallter Mechain. Dengys ei gerdd 'Arwyrain Rhyddid' (1790) a'i draethawd 'Rhyddid' (1791) fod Gwallter wedi camddeall arwydd-ocâd y Chwyldro Ffrengig yn llwyr. Credai ef mai nod y Ffrancod oedd sicrhau'r un breintiau gwleidyddol ag a geid ym Mhrydain. Moli'r drefn a sancteiddiwyd gan Chwyldro Gogoneddus 1688 a wnâi ef:

> Brydain, bydd fyth heb wradwydd,
> Rhyddid di lid yw dy lwydd;
> Trefnwyd, gosodwyd dy sail
> Ar dda adail, wir ddedwydd.

Credai fod y cyfansoddiad gwleidyddol yn 'batrwm perffeith-rwydd' ac ergydiai'n slei yn erbyn 'cydwladwyr ceintachus' a oedd yn 'cwyno eu caethiwed'. Anodd gwybod beth oedd yn mynd trwy feddwl y Chwig rhodresgar hwn pan dderbyniodd ei wobr yn Eisteddfod Llanelwy ym 1791, sef tlws arian a gynlluniwyd gan Monsieur Dupré, gŵr a benodwyd yn ysgythrwr swyddogol Gweriniaeth Ffrainc ymhen blwyddyn.

Cadwai William Jones lygad barcud ar Ddafydd Ddu Eryri hefyd. Yn ystod hydref 1792—cyfnod pan oedd 'Y Gymdeithas er Diogelu Rhyddid ac Eiddo rhag Gweriniaethwyr a Gwastatwyr' yn dechrau ennill tir—derbyniodd lythyr oddi wrth gyfaill o Lanrwst yn ei rybuddio fod Dafydd Ddu yn bwriadu ymosod yn chwyrn ar *The Rights of Man.* Heb oedi dim, ysgrifennodd Cadfan ato yn erfyn arno i 'gymeryd rhyw waith mwy llesol mewn llaw na blino ymenyddiau gwerin Cymru ynghylch ystryw llywodraeth'.

Dafydd Ddu Eryri

Llun: Llyfrgell Genedlaethol Cymru

Credwr cryf mewn disgyblaeth a threfn oedd Dafydd Ddu. Byddai ei ddisgyblion yn ysgol Llanddeiniolen yn crynu gan ofn pan ddefnyddiai eu hathro ei 'ffon fagal fawr' i'w gwastrodi, a dichon y byddai'r Methodist gorselog hwn wedi rhoi curfa dda i Tom Paine hefyd petai wedi cael y cyfle. Troes yn glustfyddar i apêl daer William Jones ac aeth yn ei flaen (gydag anogaeth frwd Paul Panton, ysgwier Plas Gwyn, Pentraeth) i lunio'i gerdd enwog 'Cân Twm Paine'. Galwodd ar bobl Cymru i ddangos parch dyladwy i

frenin, gwlad ac eglwys, i dderbyn bod pob anffawd a phrofed-
igaeth wedi eu hordeinio er eu lles, ac i ymwrthod yn llwyr â
syniadau 'aflywodraethus' Paine:

> Ordeiniodd Rhagluniaeth Unbenaeth diball,
> A'r naill yn Warcheidwad nid Lleiddiad i'r llall;
> Rhoi haelder i'r cefnog, yn bwyllog, heb wawd,
> A rhoi gostyngeiddrwydd, boddlonrwydd i dlawd.
> Cyfiawnder yn glir sy'n gwarchod y gwir;
> Rhy uchel ei wrychyn i lawr myn ei ddisgyn,
> Mae'n rhwym i amddiffyn cardotyn ar dir.
> Symuder pob maen sy'n dramgwydd o'n blaen;
> Dibrisiwn yn wresog ddull Ffrengcyn gwallbwyllog
> Heb garu'r gwag-eiriog, a'r pigog DWM PAEN.

Ni thrawodd y Chwyldro Ffrengig yr un tant yn enaid Dafydd Ddu
Eryri, ac nid oes ryfedd fod William Jones ac Iolo Morganwg yn
pentyrru melltithion lu am ei ben. Cynnig diod gwsg a wnâi Dafydd
Ddu a'i fath i bobl Cymru a chynddeiriogai hynny'r sawl a geisiai
ddeffro ymwybyddiaeth wleidyddol y werin-bobl.

Erbyn y 1790au yr oedd Seisnigrwydd yr eglwys sefydledig hefyd
yn dân ar groen William Jones. Pan oedd William yn flwydd oed,
sef ym 1727, trosglwyddwyd John Wynne, y Cymro olaf i ddal
swydd esgob yn Llanelwy yn y ddeunawfed ganrif, i esgobaeth
Caerfaddon. Am weddill ei oes gorfu iddo ddygymod â'r ffaith mai
dim ond Saeson, Sgotiaid a Gwyddelod a fernid yn gymwys i lenwi
cadair esgob yn Llanelwy. Gan nad yw enwau'r esgobion hyn yn
debygol o fod ar flaen ein tafod wrth ddwyn i gof rai o gymwyn-
aswyr mawr y genedl, cystal imi nodi enwau'r gwŷr anghyfiaith
hyn—Francis Hare, Thomas Tanner, Isaac Maddox, Samuel
Lisle, Robert Hay Drummond, Richard Newcome, Jonathan
Shipley, Samuel Hallifax a Lewis Bagot. Gwŷr digon galluog ar
lawer cyfrif, ond nid oedd eu calon yn y gwaith. Yr oedd
Drummond a Newcome yn enwog am eu rhagfarn wrth-Gymreig;
datganent ar goedd mai aflwydd oedd yr iaith Gymraeg ac y dylid
prysuro ei thranc er lles pobl Cymru. Heb unrhyw ymdeimlad o
gywilydd, byddent yn dyrchafu eu meibion a'u neiaint i swyddi
cyfforddus yng Nghymru ac yn gwrthod gwobrwyo Cymry
Cymraeg haeddiannol. Achoswyd stŵr lledled Gogledd Cymru ym
1766 pan benodwyd Dr. Thomas Bowles, hynafgwr o Sais uniaith o
Swydd Northampton, yn rheithor ar blwyfi Trefdraeth a
Llangwyfan yn Ynys Môn, plwyfi lle'r oedd bron pawb yn Gymry

uniaith. Cynhyrfwyd aelodau blaenllaw o Gymdeithas y Cymmrodorion i ddicter cyfiawn, a chychwynnwyd achos llys yn erbyn Bowles. Ymhlith y rheini a gefnogai'r ymgyrch i ddisodli'r 'Sais Brych' yr oedd William Jones. Mewn llythyr at Richard Morris, a oedd yn gweithredu ar ran achwynwyr Môn, ymosododd yn chwyrn ar drachwant a hunanoldeb y Saeson yn 'anfon eu gwehilion gwangcus fel cynifer o gaccwn geifr i sugno melusdra ffrwythau llafur eraill'. Y mae'n amlwg fod William Jones yn gynddeiriog pan luniodd y llythyr oherwydd y mae ei frawddeg gyntaf yn ymestyn i 125 o eiriau, tipyn o gamp hyd yn oed mewn oes mor amleiriog â'r ddeunawfed ganrif.

Am ran helaeth o'r ganrif, John Williams o'r Parc, hen berson diwylliedig a llengar, oedd rheithor Llangadfan, ond pan fu farw ym 1773 ar ôl gwasanaethu'r plwyf yn ffyddlon iawn dros gyfnod o 56 mlynedd cafwyd tro ar fyd. Rheithor absennol a heb gariad at 'y pethe' oedd ei olynydd, sef Matthew Worthington, ac nid oedd ef a William Jones yn gweld lygad yn llygad ar fawr ddim. Tua'r adeg honno, mae'n siŵr, y daeth William Jones yn drymach nag erioed dan ddylanwad syniadau crefyddol 'anuniongred' Voltaire. Dilynodd ei arwr drwy gofleidio Dëistiaeth a Rheswm, gan ymosod yn chwyrn ar farweidd-dra, llygredigaeth a Seisnigrwydd yr eglwys sefydledig yng Nghymru. Honnodd fod rhagrith, trachwant a gormes llywodraethwyr yr eglwys yn beth gwarthus ac nad oedd yn syndod yn y byd fod 'penboethiaid Ffrainc' wedi ymwrthod yn llwyr â'r grefydd Gristnogol. Credai mai peth ffiaidd oedd caniatáu i offeiriaid diog—a oedd yn prysur Seisnigeiddio bröydd Cymraeg—i hawlio'r degwm a phregethu mewn iaith estron:

Hoffi yr ydoedd offeiriadau
Eu gwaith i wneud yn gaeth eneidiau
A'u cau'n dynion mewn cadwynau
Yno i ymgadw mewn mygydau
I wag ymaelyd dan gymylau
Ag i arfeddyd gau grefyddau . . .

Pan benodwyd rheithor y Drenewydd, Sais o'r enw William Brown, yn ficer Meifod ym 1794, ni allai William Jones lai na chredu bod yr esgob Bagot wedi cymryd trueni ar Brown oherwydd iddo golli ei law wedi damwain â dryll! Aeth yn ei flaen yn ei ddull deifiol unigryw i ddweud mai tynged pobl Meifod mwyach fyddai naill ai dysgu Saesneg neu ffrio yn uffern yng nghwmni'r *sans-*

culottes. Pan ddaeth plwyf Garthbeibio yn wag, ceisiodd William Jones ac eraill ddwyn perswâd ar Matthew Worthington i gefnogi cais John Jones, curad tlawd Llangadfan a gŵr a orfodwyd gan ei reithor i draddodi pregeth Saesneg unwaith bob mis yn yr eglwys. Cythruddwyd Worthington gan ymyrraeth Cymro Cymraeg a oedd hefyd yn 'Weriniaethwr ac yn Wastatáwr', a dywed William Jones iddo fygwth ei saethu â'i wn. Er bod ganddo dyaid o blant anghenus nid ystyriwyd cais John Jones; rhoddwyd Garthbeibio i David Lewis, curad Croesoswallt ac un o raddedigion Coleg Iesu, Rhydychen. 'Oni fagwyd Twpsyn erioed yn Rhydychen neu Gaergrawnt?' oedd ymateb chwyrn William Jones.

Fel cynifer o weriniaethwyr ei oes, poenai William Jones yn fawr oherwydd dylanwad cynyddol Methodistiaeth ar feddylfryd y Cymry. Sefydlwyd deunaw seiat Fethodistaidd yn sir Drefaldwyn erbyn 1750, ac er i beth golli tir ddigwydd wedi hynny, gwyddai William Jones yn dda am lafur diarbed Richard Tibbott, Llanbryn-mair, a Lewis Evans, Llanllugan, dros achos 'y Poethyddion' ym Maldwyn. I ŵr a roddai gymaint pwys ar reswm, goleuni a gwybodaeth, rhacsyn coch i darw oedd mudiad emosiynol ac 'anwleiddyddol' fel Methodistiaeth. Ysgyrnygai ei ddannedd wrth glywed am ddylanwad llesmeiriol eu pregethu, eu diwinyddiaeth arallfydol, eu 'penchwibandod', a'u piwritaniaeth gul. Arferai ddweud mai allan o Flwch Pandora y daethai gwŷr ysgeler fel George Whitefield a John Wesley. Credai fod mwy o sŵn nag o sylwedd yng nghenadwri Howel Harris, ac fe'i cyhuddodd o gipio meddiannau'r rheini a hudwyd i ymuno â'i 'deulu' yn Nhrefeca:

> Hywel un or deheuwyr
> Fu'n llygru Gymry ai gwŷr
> Llawer dynan fuan fodd
> Dwl adyn a dylododd
> Llawer plant mewn tyfiant da
> A fwriodd ef o fara.

Fflangellwyd Peter Williams, yntau, am feiddio 'difwyno' Salmau Cân Edmwnd Prys 'â'i faldordd hyll' a'i 'brydyddiaeth gwageiriog'. Pan gyhoeddodd Harri Parri (Harri Bach o Graig-y-gath) gerdd wrth-Fethodistaidd yn almanac Gwilym Howell ym 1774, cyfansoddodd William Jones gerdd yn ei gefnogi'n frwd, a phan feiddiodd Gwallter Mechain bryfocio'i athro drwy geisio achub cam 'gwŷr y tân dieithr' fe'i cystwywyd yn hallt:

Beth a welaist boeth olwg
Trwyn mul yn troi'n y mwg
Ai Crwth mewn talfwth wyt ti
Ffidil y Gau broffwydi
Apostol yr hudol haid
Toccion yr hereticciaid
Y dingam, wingam, wangul
Wyrgam argam fingam ful . . .

Yn nhyb William Jones, 'Hudol bla' o Phariseaid oedd y
Methodistiaid, pobl a oedd yn ceisio difa'r 'hen Gymru lawen'.
Cwynai wrth Edward Jones fod gormes tirfeddianwyr a brwdan-
iaeth y Methodistiaid wedi taenu cwmwl o ddiflastod dros y wlad.
Rhaid cofio, wrth gwrs, mai cymeriad digon brith a garw oedd
William Jones, ac yn fwy na bodlon clywed bod y Methodistiaid
wedi ei gollfarnu i ddamnedigaeth dragwyddol. Ymhlith ei hoff
bethau yr oedd 'cwrw iachus a chusan'. Treuliai oriau lawer yng
nghwmni'r rhyw deg yn y dafarn—yn Llangadfan, y Trallwng ac
Amwythig—a hawdd ei ddychmygu yn llawn straeon byrlymus,
ffraethebion a rhegfeydd. A barnu yn ôl cynnwys ei lythyrau, yr
oedd yn *raconteur* penigamp. Pan oedd yn ŵr ifanc byddai'n mynd
i gnocio neu garu'r nos, ac ymhlith ei lawysgrifau ceir cerdd ddigon
aflednais yn adrodd hanes ymgais aflwyddiannus i ddeffro merched
swrth, a cherdd arall am wraig yn 'dodwy'n y ffynnon' ar y dôn
'Pais agored'. Pan aeth John Bevan Jones, rheithor Llangadfan
rhwng 1902 a 1912, ati i gopïo llawysgrifau William Jones, gwelodd
yn dda i hepgor nifer o gerddi masweddus, yn eu plith gerdd
Saesneg, 'The enraptured lover', sy'n telynegu ynghylch tafod,
llygaid a phen ôl merch o'r Trallwng. Yr un modd, barnodd
Tecwyn Ellis, yn ei gofiant i Edward Jones, nad oedd y pennill
canlynol yn ddigon chwaethus i'w gyhoeddi:

Tyrd yma f'anwylyd cei eiste ar fynglin,
Cei deimlo fy mronne cei sippian fy min,
Cei arian iw gwarrio ynghwmni rhai hael,
Beth amgen fanwylyd a fynni di gael.

Hyd yn oed pan oedd yn ŵr gweddw 65 mlwydd oed, ac yntau'n
cyfaddef ei fod yn hen a musgrell a di-ynni, syrthiodd mewn cariad
â merch ifanc hardd. Lluniodd gerdd (ac iddi dinc anllad) i ofyn am
fidog (*pen-knife*) i'w alluogi i dorri rhwymau rhwyd ei serch, ond fe'i
rhybuddiwyd gan ei gyfaill Thomas Roberts i ymwrthod â 'merch
wisgi heini hael' ac i chwilio am wraig yn nes at ei oed:

Yr eli gore ich dolur er cysyr siccir serch
Os rhowch eich hun yn ynfyd i 'maflyd efo merch
'Mofynnwch am ryw Rappog lew godog hir ei gên
A ddwg bob peth wrth achos ond plantos honos hen.

Nid oes ryfedd nad oedd gan ŵr a ganai gerddi awgrymog ac aflednais ddim byd da i'w ddweud am y Methodistiaid. Yn wir, mynnai mai godinebwr digywilydd oedd Howel Harris, mai chwantau'r cnawd a dynnai wŷr a gwragedd ifainc i'r seiadau liw nos, a bod ambell sant difrycheulyd yn ei chael hi'n anodd i reoli ei drachwant:

> Da gan sant os caiff fantais
> Dynu y boen o dan bais
> Poen fydd ar dduwiol pan fo
> Ei ganol yn egino
> A byd syn ydyw bod sant
> Yn methu trechu trachwant.

O safbwynt Methodistiaeth, mae'n dda fod 'yr hen Langadfan' wedi marw ychydig fisoedd cyn i'r 'danbaid fendigaid Ann' o Ddolwar Fach brofi tröedigaeth.

Nid ymosodiadau'r Methodistiaid ar hoff ddiddanion gwerin-bobl, megis dawnsio a meddwi, tyngu a rhegi, halogi'r Saboth, a chanu baledi ac anterliwtiau, oedd unig ofid William Jones. Ofnai eu bod yn dallu pobl â'u 'jargon' ac yn codi ofn arnynt drwy floeddio fel petai'r Bod mawr yn drwm ei glyw. Gan eu bod yn siarsio'u dilynwyr i fod yn ufudd, yn llonydd ac yn ddistaw, credai eu bod yn fygythiad mawr i dwf syniadau radicalaidd ac annibyniaeth barn yng Nghymru. Ymhyfrydai yn ysbryd rhesymolgar y Cyfandir, a pharchai'r rheini a oedd yn barod i ysgwyddo'r cyfrifoldeb o weithredu yn erbyn anghyfiawnder yn hytrach na'r rheini a ymddiriedai yn naioni Rhagluniaeth. Yma eto gellir canfod ôl syniadau Voltaire ar ei feddwl: yn ei *Dictionnaire philosophique,* dywedodd Voltaire fod brwdaniaeth yn debyg i win, yn treiddio i'r gwaed, yn aflonyddu ar y nerfau ac yn dinistrio'r gallu i ymresymu. Cyffur i dawelu unrhyw ysbryd gwrthryfelgar oedd Methodistiaeth, yn nhyb William Jones, ac anobeithiai pan fyddai un o'i gyd-feirdd Dafydd Ionawr yn canu i'r Drindod yn hytrach nag i Jacobiniaeth, a phan fyddai eisteddfodwyr Gogledd Cymru yn bwrw eu llach ar 'Beuniaid uffernol'. O gofio'i gas at hyrwyddwyr y Diwygiad Mawr, mae'n eironig fod William Jones wedi ei droi ymaith o westy'r Boar's Head yn Rhuthun (ac yntau'n teithio ar y pryd i eisteddfod Llanelwy) oherwydd i'r perchennog ei gamgymryd am bregethwr Methodist! Treuliodd oriau yn chwilio'n ofer am lety arall, a phan ddychwelodd i'r Boar's Head rhegodd y gwestywr mor daer fel na allai lai na derbyn nad un o'r Methodistiaid oedd William Jones a chafodd ef a'i geffyl lety y noson honno.

Pwnc llosg arall a enynnai sylw William Jones oedd cyflwr diwylliant y Cymry a'u hymwybod â'u gorffennol. Bu'n dyst i newidiadau mawr yn natur landlordiaeth yng Nghymru a'r sgil-effeithiau andwyol o safbwynt treftadaeth ddiwylliannol y genedl. Gwelodd hyn yn glir yn ystod y cyfnod 1784-95 pan oedd yn casglu a chopïo llawysgrifau ac yn cyfieithu deunydd Cymraeg i'r Saesneg ar gyfer Edward Jones, 'Bardd y Brenin', neu 'Humstrum Jones' fel y'i gelwid gan Iolo Morganwg. Wrth deithio o lyfrgell i lyfrgell, dysgodd William Jones gryn dipyn am ragfarn a dihidrwydd gwŷr bonheddig ynghylch yr iaith Gymraeg a'r diwylliant a oedd ynghlwm wrthi. Daeth o hyd i lawysgrifau prin yn cael eu cadw 'fal gwair yngorweddfa cŵn'. Clywodd i drysorau llenyddol gael eu taflu i'r afon ym Melin-y-grug, ac i forwyn Cyfronnydd gael ei gorchymyn i losgi swrn o lyfrau a llawysgrifau mewn popty. Gwerthwyd cyfrol o lawysgrifau a oedd yn cynnwys cywyddau Dafydd ap Gwilym am rôt mewn ocsiwn yn Rhiwsaeson. Mawr oedd ei gynddaredd pan ddarganfu fod llawysgrifau'r teulu Trefor wedi cael eu trosglwyddo i Goleg Iesu, Rhydychen, i fod yn 'garcharorion parhaus' ac ymhell y tu hwnt i'w gyrraedd ef. O ganlyniad, daeth i sylweddoli fod angen canolfan dysg—math ar lyfrgell genedlaethol—i ddiogelu hen lawysgrifau prin. Gan fod cynifer o foneddigion Cymru yn ystyried y Gymraeg yn faich, yn boen ac yn ddiwerth, byddai raid i'r werin-bobl eu hunain weithredu fel noddwyr a cheidwaid yr iaith. Dywedod wrth gyfaill ryw dro mai taflu gemau gerbron moch oedd canu awdlau marwnad i foneddigion Sais-addolgar Cymru.

Er mwyn codi'r hen wlad yn ei hôl y rhoes William Jones ei gefnogaeth i'r eisteddfod atgyfodedig. Blwyddyn fawr yn hanes yr eisteddfod oedd 1789 oherwydd dyna pryd y penderfynodd Thomas Jones, yr ecseismon o Gorwen, ei throi yn ŵyl ddiwylliannol gystadleuol fodern. Cyn pen dim llwyddodd i ennill nawdd a chefnogaeth Cymdeithas y Gwyneddigion, gydag Owain Myfyr a William Owen Pughe yn arbennig yn awyddus i ennyn diddordeb helaethach yn nhraddodiadau llenyddol gorau'r genedl. Wrth reswm, seiadau bychain iawn o'u cymharu â rhai heddiw oedd eisteddfodau'r Gwyneddigion; digon ffwrdd-â-hi oedd y trefniadau, ac yr oedd safon y canu yn isel drybeilig. Yfai'r beirdd fel pysg ac efallai fod a wnelo hynny rywfaint â syrthni'r awen. Yn eisteddfod Corwen, er enghraifft, meddwodd yr henwr Harri Parri yn gaib cyn i'r ymryson ddechrau, a bu'n wylo mewn cywilydd am hydoedd. Ar wahân i'r meddwi, pennaf nodwedd yr eisteddfodau hyn oedd y ffraeo a'r ymgecru rheolaidd. Bu twrw rhyfeddol yn sgil eisteddfod Corwen pan ddadlennwyd fod Gwallter Mechain, sef enillydd y tlws arian a'r gadair, wedi cael gweld y testunau ymlaen llaw ac wedi cribo i lawes William Owen Pughe ac Owain Myfyr wedi hynny. Hyd yn oed yn y cyfnod hwnnw byddai beirdd yn anghytuno'n ffyrnig â'r beirniaid, yn pwdu, ac yn dweud pethau cas iawn am ei gilydd. Collwr arbennig o sâl oedd Twm o'r Nant; fe'i galwyd yn 'ddrewbwll gwenwynllyd' gan Ddafydd Ddu Eryri oherwydd bob tro y canfyddai wallau yn ei waith byddai'n gorfoleddu 'ac yn neidio ysgatfydd rai latheni oddiwrth lawr'. Byddai William Jones yn mynychu'r eisteddfodau yn weddol reolaidd— Gwilym Cadfan oedd ei enw barddol—ond pur anaml y byddai safon y canu yn ei blesio. Wrth feirniadu'r cynnyrch, meddai: 'A chas gennyf glywed ymrennial rhyw erthylod (sydd ry ddall i weled eu gwaelder eu hunain) yn ceisio chwythu cynnen a dangos ir byd debygent eu bod mewn goruchder o ddysgeidiaeth'. Rhaid cofio bod William Jones yn gynefin iawn â chanu crefftus a gloyw Beirdd yr Uchelwyr ac yn edmygu gwaith Ieuan Fardd a Goronwy Owen yn fawr. Dysgodd ddigon o Ladin i'w alluogi i gyfieithu i'r Gymraeg ddarnau o waith Horas ac Ofydd, ac wrth dynnu blewyn o drwyn Gwallter Mechain dangosodd ei allu i saernïo cywydd clyfar dros ben:

> In School bûm nes cael bod
> In skill Hector 'scolheigtod
> Alpha, Beta, Jota, Well!
> Gamma in Hebrew Gimel
> Mine Hebrew mae yn o brin
> Mine Greeg mae'n o gregin
> Lag lag lag gag gag o geg
> I Ddiawl dyna Wyddeleg
> Diawl etto ond yw Latin
> Fel plu yn tyfu om tîn

Omnibus stercus bestow
Item dyna ladin etto
Gibberish or English wrangling
Begad Sirs dat be good sing
In mine addle brain mae'n odli
Noun mood mind Awen me . . .

Ni châi fawr o bleser yng nghwmni Dafydd Ddu Eryri ychwaith, gan iddo sylweddoli, chwedl Syr Thomas Parry, fod modd i ddyn 'fod yn gynganeddwr rhwydd a chwbl gywir heb fod yn fardd'.

Siomid ef hefyd gan gynnwys cerddi'r beirdd. Er i'r Gwynedd-igion ddewis testunau o natur wleidyddol, ymddengys nad oedd gan brydyddion Gogledd Cymru affliw o ddiddordeb yn egwydd-orion y Chwyldro Ffrengig. Yr oedd beirdd y dwthwn hwnnw (megis rhai heddiw) yn hapusach yn canu am bob pwnc dan haul ond pynciau gwleidyddol dadleuol. Pa ddisgwyl a oedd i weriniaethwr fel William Jones deimlo'n gartrefol ymhlith beirdd a oedd yn defnyddio ffugenwau fel 'Mwyalch Gwynedd' a 'Y Maccwy Gwirionffol', ac yn mwynhau llunio cerddi ar destunau anobeithiol fel 'Pont Corwen', 'Llyn Tegid', 'Ffydd ac Edifeirwch', 'Meddyg y Brenin' a 'Marwolaeth Syr Watkin Williams Wynn'? Efallai mai ceidwadaeth beirdd y Gogledd yn gymaint â'i ymwybod cenedlaethol ef ei hun a barodd i William Jones ddadlau (cyn i Iolo Morganwg ddechrau hybu'r syniad) y dylai'r eisteddfod ddwyn deheuwyr a gogleddwyr ynghyd fel y gellid ymfalchïo ynddi fel achlysur gwir genedlaethol: 'mae'n resyn', meddai wrth Gwallter Mechain ym Mehefin 1789, 'ymddi-eithrio oddiwrth yr hen frodyr o Ddeheubarth.'

Ymboenai William Jones hefyd ynglŷn â gwedd bwysig arall ar ddiwylliant traddodiadol y Cymry, sef eu cof cerddorol. Ofnai fod ei gyd-wladwyr wedi colli gafael bron yn llwyr ar eu hetifeddiaeth gerddorol. Ym mhlasau'r boneddigion yr oedd y ffidil, y ffliwt a'r harpsicord wedi disodli hen offerynnau Cymreig megis y crwth, y delyn a'r pibgorn. Boddwyd yr hen alawon traddodiadol gan lifeiriant nerthol o donau Seisnig. O ganlyniad, nid oedd prin neb mwyach yn ddigon hyddysg i allu dehongli a deall yr hen gerddor-iaeth gynhenid. Un o gymwynasau mwyaf William Jones, felly, oedd iddo achub toreth o hen gerddi, penillion ac alawon rhag mynd i ddifancoll. Ei ymchwil manwl a dygn ef oedd yn bennaf cyfrifol am fod yr ail argraffiad o gyfrol Edward Jones, *Musical and Poetical Relicks of the Welsh Bards* (1784), gwaith a gyhoeddwyd ym

1794, yn fwy na dwywaith maint yr argraffiad cyntaf, ac mae'n drueni na welodd 'Bardd y Brenin' yn dda i gydnabod cyfraniad amhrisiadwy Gwilym Cadfan ar wyneb-ddalen y gyfrol. Cofiwn am William Jones yn y cyswllt hwn hefyd fel y gŵr a achubodd yr hyn a elwir *The Llangadfan Dances,* dawnsfeydd megis 'The Roaring Hornpipe', 'The Galloping Nag', 'Ally Grogan' a 'Lumps of Pudding'. Arferai ei dad ddawnsio'r rhain pan oedd yn llanc ac yn byw yn High Ercall, Swydd Amwythig, a chyfaddefai William fod angen cryn fedr, ystwythder a dyfalbarhad i'w meistroli. A thrwy gopïo ac achub deunydd o'r fath, diogelodd gyfran bwysig o gof y genedl.

Elfen allweddol arall ym mywyd diwylliannol William Jones oedd ei ymwybod â hanes. Ffaglwyd tân cenedlaethol ynddo gan y Chwyldro Ffrengig, a dywedodd wrth William Owen Pughe ym 1792 mai pennaf ddyletswydd Cymro (ac eithrio gofalu am ei deulu) oedd hybu lles a llwyddiant ei genedl. Gwyddai mai cenedl farw oedd cenedl fud. Ceisiai, felly, blannu rhywfaint o hunan-barch ym mynwes ei gyd-Gymry drwy apelio at hanes. Er nad oedd yn gwbl anfeirniadol—credai, er enghraifft, mai ffiloreg oedd chwedlau Sieffre o Fynwy—tueddai i lynu'n dynn wrth hanesion gwlatgar megis gwrhydri honedig Hywel ap Gruffydd (Hywel y Fwyall) yn cipio brenin Ffrainc yn garcharor ym mrwydr Poitiers, 1356. Dehonglai hanes Cymru fel brwydr barhaus (o leiaf hyd at ddyddiau Harri Tudur) i amddiffyn hunaniaeth y genedl. Ni flinai ar adrodd hanes Brad y Cyllyll Hirion, llofruddio beirdd Cymru ar orchymyn 'y gormeswr' Edward I, a'r deddfau gormesol a weithredwyd yn sgil gwrthryfel Owain Glyndŵr. 'Hil Hors ladron' oedd y Saeson, meddai, pobl drahaus a gormesol. Cystwyai haneswyr Seisnig megis Smollett, Gordon a Lyttelton yn ddidrugaredd, a syrffedodd gymaint ar ganeuon gwladgarol y Sais fel 'God Save the King', 'The Roast Beef of Old England' a 'Rule Britannia' fel y cyfansoddodd anthem genedlaethol i'w chanu gan Gymry Cymraeg eiddgar yn eu cyfarfodydd:

> Cyttunwn hen Fryttaniaid yn unblaid tan y nef
> I foli Duw ar unwaith mae gobaith gydag ef,
> Er darfod ein gwasgaru a'n tanu i lawer tir
> Heb gaffael er y cynfyd fawr ennyd hawddfyd hir;
> Ond goddef lawer amser ysgeler lymder loes
> Yn llidiog dan drallodion gelynion creulon croes:

I siarad ymgyssurwn lle rhodiwn etto'n rhydd,
Ac unwn lawen ganiad ar dorriad teg y dydd.

Cân ddigon di-fflach ydyw, ond yr oedd y thema ganolog, sef toriad y wawr, yn amserol ac yn apelio'n fawr at chwaeth ramantaidd yr oes.

Er pwysiced y pynciau llosg a drafodwyd hyd yma, diau mai argyfwng economaidd yr oes a bwysai drymaf ar feddwl William Jones. Ac eithrio cyfnod byr fel tenant ym Mwlch Llety Griffith, treuliodd y rhan fwyaf o'i oes yn byw yn ffermdy Dolhywel, ar y ffin rhwng plwyfi Llangadfan a Llanerfyl, nid nepell o Gwm Nant yr Eira. Pan fu ei frawd hynaf farw, erfyniodd ei dad arno i gymryd gofal o'r fferm 57 erw, ac er bod William yn awyddus i deithio'r byd, ni allai wrthod apêl daer ei dad. Priododd ferch o'r enw Ann, a ganed iddynt dri o blant (mab a dwy ferch), ond clafychodd ei wraig ac ar ôl cystudd maith bu farw. Tasg anodd oedd ennill digon o elw i dalu'r rhent, y dreth a'r degwm. Yr oedd rhan helaeth o'r ucheldir corsiog yn bur arw, a thystia enwau lleoedd y fro—Moel Ffridd-ddolwen, Rhosydd, a Blaen-y-ffridd—i lymder y tir. Yr oedd y tir yn garegog a noethlwm, ac yr oedd prinder cyfalaf yn llesteirio ymdrechion dygn William Jones i wella'i fferm. Golygai'r

Ffermdy Dolhywel

Llun: Ann Ffrancon

gwlybaniaeth a'r oerfel na ellid tyfu cnydau amrywiol, a dibynnai William Jones a'i gymdogion ar fagu gwartheg a defaid am eu cynhaliaeth.

Meistr tir William oedd y gŵr grymusaf yng ngogledd Cymru, Syr Watkin Williams Wynn, y pedwerydd barwnig, o Wynnstay. Tipyn o gadiffán oedd Wynn: hoffai wisgo dillad y Derwyddon yng nghyfarfodydd y Cymmrodorion a byddai'n mwynhau cael ei weld yng nghwmni enwogion fel Garrick, Handel a Reynolds. Er bod elw gwerth £27,000 y flwyddyn yn dod iddo o'r rhenti a gesglid ar ei ystadau helaeth, gwariai ei arian fel pe na bai yfory. Erbyn 1784 yr oedd cyfanswm ei ddyledion yn £160,000 a threuliai yntau ran helaeth o'i amser yn chwarae mig â'i echwynwyr yn Llundain. Yn y cyfamser, deuai ef a'i fath yn drwm dan lach cenedlgarwyr yng Nghymru. Pan gyflwynodd Ieuan Fardd ei gyfrol *Casgliad o Bregethau* i Wynn ym 1776, dywedodd yn blwmp ac yn blaen wrtho mai trachwant yn unig oedd yn cymell tirfeddianwyr Cymru a bod miloedd o bobl yn eu rhegi am godi rhenti i'r entrychion. Yn ôl Hugh Jones, Maesglasau, ni faliai tirfeddianwyr barus ffeuen am hawliau tenantiaid:

> Nyni [*meddai'r bonedd*] a fynnwn wneud fel fynnon,
> A gwnawn i chwitheu syffro drosto'n:
> Ni godwn Renti, ni gawn rantio,
> A gwnawn i chwitheu fod yn effro,
> I'n plesio ni ymhob Plwy.

Teimlai William Jones yn ddig iawn oherwydd fod 'gweddillion tlawd yr hen Frythoniaid' wedi eu gwthio i'r mynyddoedd i geisio crafu bywoliaeth a chynnal ciwed fechan o gyfoethogion. Ffieiddiai'r tirfeddianwyr oherwydd eu 'trachwant anniwall', a chan adleisio Voltaire honnai fod dau ddosbarth mewn cymdeithas mwyach, sef y Blingwyr a'r Porthwyr:

> Paradwys y cyfoethogion ydyw [*sef Ynys Prydain*],
> eithr mae nifer a chaledi y tlodion yn amlhau ac
> felly y gwna ymhob gwlad lle y trethir anghenrheidiau
> bywioliaeth a chynnyrch llafur y gwerin yn lle
> meddiannau y cyfoethogion, hyn a bair i rai fynd
> gyfoethocach gyfoethocach a'r lleill dlottach
> dlottach. Llawer cynt y coeliwn darogan Voltaire,
> na bydd ein hynnys yr oes nesaf yn cynwys onid
> deuryw greaduriaid, Teyrniaid a chaethweision.

Gan nad oedd Syr Watkin Williams Wynn yn preswylio yng Nghymru, câi ei brif stiward, Francis Chambre o Groesoswallt, rwydd hynt i weinyddu'r ystad yn ôl ei fympwy ei hun. Un o gaseion pennaf William Jones oedd Chambre, oherwydd gwyddai'n dda am ei barodrwydd i 'sugno mêr' o esgyrn tenantiaid drwy hawlio rhenti, trethi a gwasanaethau yn ddiymdroi. Yr oedd Chambre yn ymgorfforiad o'r stiward trahaus a bortreedir gan Lewis Morris yn 'Deg Gorchymyn y Dyn Tlawd':

> Addola'r Stiwart tra bych byw,
> Delw gerfiedig dy feistr yw;
> Mae Stiwart mawr yn ddarn o Dduw.
>
> Dos tros hwn trwy dân a mwg,
> Gwilia ei ddigio rhag ofn drwg;
> Gwae di byth os deil o wg.

Mewn ymgais i gynyddu elw Wynnstay, newidiwyd y dull o gynnig lesi i denantiaid. Yr arfer traddodiadol oedd caniatáu i denant les am dri bywyd (neu 99 mlynedd), ond yn ystod ail hanner y ddeunawfed ganrif daeth les fer o saith, naw, neu bedair blynedd ar ddeg ynteu un mlynedd ar hugain yn fwy cyffredin. Ac erbyn diwedd y ganrif les flynyddol oedd yr arfer ar sawl ystad. Yn ôl William Jones, caniatâi hyn i'r 'bleiddiaid rheibus' ddefnyddio pob ystryw dichellgar i flingo tenantiaid gymaint ag y medrent. Oni fedrai tenant dalu ei rent yn brydlon, anfonid ciwed o feiliaid treisgar i ddifrodi ei eiddo ac i daflu'r methdalwr ar y clwt. Pe digwyddai i denantiaid gwyno am eu trallod dywedid wrthynt 'mai diog oeddynt'. Magodd William Jones ddigon o hyder i ysgrifennu llythyr yn Saesneg at Syr Watkin ym mis Rhagfyr 1786. Fe'i hatgoffodd fod ei dad, y trydydd barwnig, wedi arfer derbyn llythyrau uniaith Cymraeg oddi wrth ei denantiaid a'u hateb yn fonheddig yn ei law ei hun yn eu hiaith hwy eu hunain. At hynny, perchid ef ledled y sir fel gŵr cyfiawn a thrugarog. A wyddai ef, felly, fod ei stiwardiaid yn gormesu tenantiaid mewn ffordd mor drahaus a digywilydd nes bod enw Syr Watkin yn gyfystyr â 'Theirant a Gormeswr'? Go brin fod stiwardiaid Wynnstay wedi caniatáu i'w meistr weld y fath lythyr tanllyd. Mewn llythyr at William Owen Pughe ym 1791, soniodd William Jones am ei ymdrech i 'adrodd yn lled dywyll fal yr oedd ei stiwardiaid yn gorthrymu'r wlad', ond fod 'trais a thwyll a dichellion cywilyddus' y stiwardiaid wedi ei rwystro rhag dwyn perswâd ar Syr Watkin i wastrodi ei weision.

Gan na allai William Jones ddygymod â'r fath driniaeth sarhaus, rhoes y gorau i'r dasg o geisio gwella'i fferm a cheisiodd ganolbwyntio ar ei waith fel meddyg gwlad. Pan oedd yn blentyn fe'i trawyd gan y manwynnau (*scrofula*), neu glwy'r brenin fel y gelwid y clefyd ar lafar. Chwyddodd y chwarennau yn ei wddf ac ymddangosodd sawl tyfiant a phothell lidus ar ei gorff. Cyn ei oes ef, y gred gyffredin oedd mai dim ond drwy arddodiad dwylo'r brenin y gellid cael iachâd llwyr o'r manwynnau, a bu cyrchu cyson i lys y Stiwartiaid. Peidiodd y pererindota hwn ym Mhrydain yn ystod oes yr Hanoferiaid, ond nid felly yn Ffrainc. Hyd yn oed mor ddiweddar â 1774, pan goronwyd Lewis XVI yn frenin ym Mharc Abbey yn St. Remi, daeth 2,400 o bobl a oedd yn dioddef o'r manwynnau ynghyd i dderbyn cyffyrddiad llaw y brenin newydd. Gan nad oedd meddygon Prydain yn gallu cynnig iachâd penderfynodd William Jones feistroli meddygaeth ei hun. Llwyddodd yn y pen draw i'w iacháu ei hun, efallai drwy ddefnyddio llwch carpiau llosgedig! Pan fyddai gwŷr bonheddig yn amau ei lwyddiant ac yn ddibris o'i gymwysterau, arferai dynnu oddi amdano a dangos y creithiau ar ei gorff. Datblygodd hefyd ddull arbennig o frechu rhag y frech wen. Rhaid ei fod yn feddyg pur ddeheuig: gallai ollwng gwaed, glanhau'r stumog, agor cornwydydd, tynnu dannedd, a thrin esgyrn briw. Dibynnai'n drwm iawn ar lysiau a phêrlysiau llesol i ymlid elfennau tocsig o'r corff, ac yr oedd ganddo ffydd ddiderfyn ym meddyginiaethau cefn gwlad. Dirmygai feddygon proffesiynol; credai mai ymhonwyr a 'threfnwyr angladdau' oeddynt. Soniodd am feddyg o'r enw Jeremiah, a oedd yn byw ger Porth-y-waun, a ddywedodd ar ôl archwilio corff dyn a oedd yn dioddef o glwyf y marchogion: 'mae ei ysgyfaint a'i afu wedi pydru'n ddarnau, ond fe allaf i eu hadnewyddu!' Dro arall, dywedodd tri meddyg proffesiynol wrth William Rowlands, Peniarth, mai'r unig ffordd o arbed bywyd ei fab oedd drwy dorri ymaith ei goes. Ond llwyddodd William Jones i arbed coes y mab, er mae'n debyg na fuasai wedi trafferthu pe gwyddai mai dim ond coron a gâi yn wobr gan berchennog crintachlyd Peniarth. Sut bynnag, pan basiwyd Deddf Feddygaeth 1785 amharwyd ar ei yrfa fel meddyg. Ni châi ymarfer bellach oni chyflwynai gais blynyddol am drwydded crachfeddyg. Byddai gorfod gwneud hynny yn ormod o ergyd i'w falchder a'i hunan-barch: 'ni allaf ymostwng', meddai, a gorfu iddo gydio o ddifrif unwaith eto yn y dasg o ddwyn y ddeupen ynghyd ar ei fferm yn Nolhywel.

Aethai'r gorchwyl hwnnw yn fwyfwy anodd iddo ef a'i gyd-denantiaid erbyn y 1790au cynnar. Suddodd llawer ohonynt i dlodi affwysol. Difethwyd y cynhaeaf gan haf gwlyb 1792, ac erbyn mis Chwefror 1793 yr oedd gwartheg duon a defaid Dolhywel yn ddim ond croen ac esgyrn oherwydd prinder porfa. Erbyn mis Mai nid oedd arian ar gael i'w ennill na'i fenthyg na'i ladrata yn y sir. Gwaedai calon William Jones wrth weld pobl dlawd ar eu cythlwng, a hynny'n rhannol oherwydd (fel y rhybuddiodd Voltaire) fod peiriannau newydd yn y ffatrïoedd gwlân yn 'difa' pobl ac yn eu gorfodi i 'wystno mewn gweddwdod hyd na bont ry hen i blanta, a llaweroedd i grwydro dros y byd a gormod i 'mroddi i drythyllwch a chwilenna a drwg gampau eraill'. Rhwng Medi 1794 ac Awst 1795 cynyddodd pris gwenith o 6s. 1d. i 14s. 8d. a phris ceirch o 2s. 2d. i 3s. 8d. Ni allai gwerin-bobl fforddio prynu bara ac fe'u cythruddid gan ffermwyr a masnachwyr crafangus a oedd yn allforio ŷd prin i wledydd tramor. Yr oedd terfysgoedd ledled Cymru ym 1795, a chedwid milwyr ar flaenau eu traed. Dywedodd ficer Llanbryn-mair wrth Lewis Bagot, esgob Llanelwy, fod y Llywodraeth yn ddirmygedig yng ngolwg ei braidd, a honnodd Rhisiart Powell, ysgolfeistr Ysbyty Ifan, fod ysbryd gwrthryfelgar yn cyniwair yng ngogledd Cymru: 'Am un a geir yma yn Frenhinwr (Royalist) y mae tri o'r hyn lleiaf yn Gyf-lywodraethwyr (Republicans) mewn cgwyddor'. 'Gwynfydedig fyddo'r Bendefigaeth', meddai William Jones yn goeglyd, 'a'r Cyfansoddiad, *magna Diana Ephesorum!*'

O weld ei gymdogion yn 'gwywo fel rhedyn yn ddihad' yng Nghymru, ni allai William Jones lai na dyheu am gyfle i'w rhyddhau o grafanc tirfeddianwyr, stiwardiaid ac offeiriaid gormesol. Nid oedd ef ei hun mwyach yn fodlon magu anifeiliaid, medi cnydau a thraenio corsydd 'hyd at fy nghanol mewn mwd' er mwyn llenwi coffrau treiswyr. Felly, aeth yn unswydd i eisteddfod Llanrwst ym Mehefin 1791 i annog y Cymry gorthrymedig i ymadael â Gwlad yr Aifft a hwylio 'dros yr Adlannog' i'r Ganaan Newydd yn America. Taniwyd ei ddiddordeb yn America fel lloches i'r gorthrymedig gan hanes enwog Madog ab Owain Gwynedd, y tywysog yr honnid iddo groesi Môr Iwerydd mewn tair llong ym 1170 er mwyn dianc rhag gormes, erledigaeth a dioddefaint yng Nghymru. Poblogeiddiwyd yr hen chwedl hon yn

William Jones yn cymell y Cymry i ymfudo i America
Llun: Llyfrgell Genedlaethol Cymru

y ddeunawfed ganrif gan Theophilus Evans yn yr ail argraffiad o'i epig cyffrous, *Drych y Prif Oesoedd* (1740), hoff lyfr hanes y Cymry Cymraeg. Honnai Theophilus Evans mai 'y Cymru oeddent y cyntaf o holl Drigolion Ewrop, a gawsant y ffordd allan i America', ac aeth yn ei flaen i ddweud bod disgynyddion Madog yn parhau i fyw yno ac 'yn cadw eu hiaith hyd y dydd heddyw'. Tynnai'r hanes ddŵr o ddannedd William Jones. Fe'i cyfareddwyd gan hanes y Brodyr Coll ac fe'i trwythodd ei hun yn y pwnc drwy ddarllen llyfr Dr. John Williams, *An Enquiry into the Truth of the Tradition concerning the Discovery of America by Prince Madog ab Owen Gwynedd* (1791). Casglai William Owen Pughe ac Iolo Morganwg, hwythau, bob briwsionyn o wybodaeth am ddisgynyddion Madog. Porthwyd eu cred yn y chwedl gan y 'Cadfridog' William Augustus Bowles, Gwyddel lliwgar o dras Americanaidd a gymerai arno fod yn un o benaethiaid yr Indiaid. Yng ngwisg ysblennydd yr Indiaid, daeth Bowles i Lundain i dystio i fodolaeth y Madogwys gwynion. Croesholwyd ef yn fanwl gan William Owen Pughe a Dafydd Samwell, a llwyddodd i'w hargyhoeddi fod y Madogwys yn fyw ac yn iach a'u bod yn siarad Cymraeg. 'Rhaid i'r byd gredu yn awr', meddai Pughe wrth Iolo Morganwg. Lledodd twymyn y Madogwys fel tân gwyllt drwy hoff dafarnau'r Gwyneddigion yn Llundain, ond nid oedd yr un ohonynt mor hyddysg yn y pwnc â William Jones. Daliai i gasglu gwybodaeth. Wedi iddo ddarllen gwaith John Williams, *The Natural History of the Mineral Kingdom* (1789), daeth i gredu bod Madog wedi mynd yn ei flaen i ddarganfod Mecsico a Pheriw, mai Madog a'i wraig oedd ystyr yr enwau Manco Capac a Mama Ocello, a bod iaith gyfrin yr Incas yn cynnwys geiriau Cymraeg.

Ffurfiwyd pwyllgor gan y Gwyneddigion i ymchwilio i hanes y Madogwys ac i baratoi adroddiad. Sefydlwyd cronfa i gynorthwyo mintai o Gymry amlwg i fynd i chwilio am y Brodyr Coll y tu hwnt i afon Missouri. Rhoes Iolo Morganwg ei fryd ar fynd ac er mwyn paratoi ar gyfer yr antur enbyd bu'n byw yn wyllt yn y meysydd a'r gelltydd. Ond am nifer o resymau personol ni fentrodd Iolo dros Fôr Iwerydd. Rhwystrwyd William Jones, yntau, rhag mynd pan drawyd ef gan waedlif cas yn ei lwnc. Ond gwirfoddolodd un o'r rheini a gyfareddwyd gan ei genadwri yn Eisteddfod Llanrwst: mentrodd John Evans o'r Waun-fawr—'y Columbus Cymreig' fel y gelwid ef gan Thomas Jones yr ecseismon—ar ei siwrnai enwog i berfeddion y Missouri ym 1792. Cydiodd yr 'haint ymfudo' yn y Cymry, ac o hynny ymlaen teithiodd rhai cannoedd o deuluoedd i

America, gan fwrw gwreiddiau mewn taleithiau fel Maryland, Pennsylvania a Vermont. Ond nid dyna oedd nod William Jones; ceisiai ef eu perswadio i gynllunio'n fwy effeithlon ymlaen llaw ac i ystyried sefydlu gwladfa Gymreig yn Ohio neu Kentucky. Ceisiodd gymorth William Pulteney, aelod seneddol Amwythig (1775-1805) ac awdur *The Present State of Affairs with America* (1778), ond ateb swta a negyddol a gafodd i'w lythyr. Ofnai Pulteney y byddai ymfudo ar raddfa fawr yn amddifadu Prydain o'i thenant-iaid a'i chrefftwyr a'i llafurwyr da, a cheisiodd ddarbwyllo William Jones nad oedd hapusach gwlad dan yr haul na Phrydain. Mae'n chwith meddwl fod Pulteney, a oedd yn berchen ar filoedd o erwau yn America ac yn werth bron dwy filiwn o bunnau adeg ei farwolaeth ym 1805, wedi ceisio rhwystro pobl dlawd a thrallodus Cymru rhag cael hyd i amgenach byd. Ond sylweddolodd William Jones mai sarff twyllodrus ydoedd. 'Digon gwir', oedd ei ymateb i honiad Pulteney fod Prydain yn ffynnu, 'Paradwys y cyfoethogion ydyw.' Daliai i geisio cymell ei gymdogion i ddianc rhag 'gweision Pharaoh', ac yn yr un cyfnod yr oedd Bedyddwyr fel Morgan John Rhees, Samuel Jones a Morgan Jones—Jacobiniaid Cymreig pybyr—yn dadlau mai dyletswydd y Cymro gorthrymedig oedd ffarwelio â'i famwlad a theithio i Wlad Canaan.

Ond dyddiau anodd dros ben i bob Jacobin Cymreig oedd y cyfnod o 1792 ymlaen. Yn Ffrainc digwyddodd 'Cyflafan Medi' ar yr ail a'r trydydd o'r mis; ar 21 Ionawr 1793, gerbron 20,000 o drigolion Paris, syrthiodd y gilotîn ar wddf Lewis XVI; ac ar 1 Chwefror cyhoeddodd Prydain ryfel yn erbyn Ffrainc, rhyfel a fyddai'n rhygnu ymlaen am ddwy flynedd ar hugain. Peth ffiaidd oedd y rhyfel, ym marn William Jones. 'Cigyddion a Gorthrym-wyr yn afradu chwys a gwaed y cyffredin', meddai, 'Gwario £20,000,000 a dibriddo 60,000 o eneidiau a wnaed yn America. Pa faint a wneir yn Ffraing?' Dyfnhaodd y rhyfel yr hen ragfarn afiach yn erbyn pobl Ffrainc, rhagfarn a welir yn eglur, er enghraifft, yn llythyrau'r Morrisiaid, cofnodion Cymdeithas y Cymmrodorion, a cherddi beirdd Gogledd Cymru. Ychwanegwyd dimensiwn newydd i'r casineb hwn at y Ffrancod gwaedlyd gan ddigrifluniau James Gillray, Isaac Cruickshank a Thomas Rowlandson: dangosent hwy mai gŵr gonest, diwyd a dibynadwy oedd y Siôn Tarw boliog, ond fod y Ffrancwr esgyrnog a oedd yn byw ar frogaod, malwod a chawl tenau yn ŵr twyllodrus, diog ac annibyn-adwy. Pan basiwyd cyfres o ddeddfau yn dileu rhyddid barn ac yn

cwtogi'n llym ar weithgarwch y Jacobiniaid, bu raid i ddilynwyr
Tom Paine droedio'n ofalus iawn. Cadwai ysbïwyr William Pitt—
'locustiaid y pwll ddiwaelod', fel y galwai William Jones hwy—
lygad barcud ar bob heretig a gweriniaethwr. Agorid pob llythyr at
ac oddi wrth William Jones, ac er iddo ddyfeisio ffurf ar law fer er
mwyn drysu postfeistr Llanfair Caereinion ni châi lonydd gan yr
awdurdodau. Bu raid iddo drefnu i'w gyfaill, John Jones,
Stonehouse, Llangadfan, dderbyn ei lythyrau, a bu'r gŵr hwnnw
hefyd yn ddigon dewr i amddiffyn ei enw da mewn cyfarfod stormus
o wŷr bonheddig ac ustusiaid heddwch y sir. Ond dal i daranu yn
erbyn gormes, llygredd ac anghyfiawnder a wnâi'r 'hen
Ddolhywel'.

Eto i gyd, tristach na thristwch yw darllen rhai o'i lythyrau olaf
ym 1794-5. 'Druan â Chadfan', meddai nifer o'i gyfeillion yn
Llundain, ac yr oedd ei gyflwr erbyn hydref 1795 yn druenus i'r
eithaf. Teimlai ei fod yn fethiant llwyr, ac fel y dywedai droeon yn
ei lythyrau, 'mwyaf poen, poen methu'. Hawdd iawn tosturio
wrtho: darfu'r les ar Ddolhywel yn sgil marwolaeth ei frawd;
oherwydd beichiau rhenti a threthi, ynghyd â'i fethiant i werthu ei
anifeiliaid esgyrnog, nid oedd ganddo arian wrth gefn; trigodd ei
gaseg farchogaeth; yr oedd ei ferch, a fu'n gofalu amdano, am
briodi a gadael y nyth; ac ystyrid ef yn bagan colledig gan
eglwyswyr y plwyf. Ei unig gyfaill yn Llangadfan oedd John Jones,
Stonehouse, a'i unig gysur yn ei henaint, efallai, ar ôl iddo erfyn
gyhyd am i ryw 'Bainc/Baun i ysgrechian Ynghymru', oedd cael
byw i weld cyhoeddi *Seren Tan Gwmmwl* gan Jac Glan-y-gors ym mis
Hydref 1795. Daliai i obeithio y câi ef a'i deulu ymfudo ryw ddydd
i Kentucky a chael gwaith yno fel meddyg, ond drylliwyd ei
freuddwyd am sefydlu gwladfa Gymreig yng nghwmni'r
Madogwys pan gyfaddefodd John Evans ym 1797 nad oedd y
Brodyr Coll yn bodoli. Erbyn hynny, drwy drugaredd, yr oedd
William Jones yn ei fedd; ac yntau'n 69 mlwydd oed, bu farw ar
ddiwedd mis Tachwedd 1795. 'Drwg yn wir', meddai Thomas
Jones yr ecseismon, oedd clywed bod yr hen Gadfan wedi 'sengyd
Brenhinllys Angau.'

Mewn troednodyn byr yn ei ysgrif goffa, dywedodd Gwallter
Mechain fod William Jones wedi edifarhau ar ei wely angau a galw
am offeiriad i weini'r Cymun sanctaidd. O gofio popeth a ddywed-
wyd eisoes am William Jones, y mae'n amhosib credu bod Gwallter
yn dweud y gwir. Cyn i Voltaire farw gwrthododd dderbyn y

Cymun, a'i eiriau olaf wrth yr offeiriad pabyddol a swatiai'n obeithiol ger ei wely oedd: 'Gadewch i mi farw mewn heddwch!' Haws credu mai felly hefyd y bu farw'r Dëist a'r gweriniaethwr o Langadfan, gan lynu hyd y diwedd wrth ei egwyddorion. Onid e paham y claddwyd ef, yn ôl ei ddymuniad ef ei hun, yn y ddaear anghysegredig ar ochr ogleddol mynwent eglwys Llangadfan? Da cael y cyfle hwn eleni, felly, i dalu teyrnged i werinwr diwylliedig a dewr a chwifiodd faner Rhyddid Ffrainc ag afiaith. Tybiai ei gyfaill, Thomas Jones yr ecseismon, mai ef oedd y Cymro 'mwya tin-boeth' a welsai erioed. Gwyn fyd na chaem fwy o rai tebyg iddo yn ein hoes ni.

Glaniad y Ffrancod yn Abergwaun ym 1797*

Rwyf yn eich annerch chwi Frytaniaid,
Dewch yn nes, rhowch glust i glywed,
Mi adroddaf i chwi'n gryno
Fel digwyddodd yn sir Benfro,
Fel y cadwodd Duw ei bobol
Rhag y ffyrnig lu uffernol.

Geiriau Philip Dafydd, gweinidog y Methodistiaid Calfinaidd yng Nghastellnewydd Emlyn, yw'r rhain. Cyfansoddodd ei faled, *Annogaeth i Foliannu Duw,* yn sgil y waredigaeth fawr a gafodd trigolion Abergwaun ym mis bach 1797. Cyhoeddwyd cnwd o faledi tua'r adeg honno a phob un ohonynt yn tystio mai glaniad y Ffrancod ar greigiau Carreg Wastad oedd y digwyddiad mwyaf cyffrous a welwyd erioed yn sir Benfro. Adroddwyd yr hanes lawer gwaith o'r blaen ond, a ninnau'n eisteddfota'n frwd yn Abergwaun eleni, mae'n werth ei adrodd unwaith yn rhagor, gan ymgorffori astudiaethau mwy diweddar ar gefndir a natur y digwyddiad.

Pan daenwyd y newyddion fod gwerin Ffrainc wedi herio grym eu meistri yr oedd radicaliaid Cymru wrth eu bodd. Llifai cwrw yn rhydd yng nghyfarfodydd bywiog Cymdeithas y Gwyneddigion yn Llundain a chenid y cytgan chwyldroadol, *Ça Ira* ag afiaith anghyffredin. Apeliai arwyddair gwerin Ffrainc—*Liberté, Egalité* a *Fraternité*—yn fawr atynt a gwelent fod dygn angen mynd ati i ddeffro'r werin gyffredin fud yng Nghymru. Daeth y Chwyldro Ffrengig â bywyd newydd i wythiennau Anghydffurfwyr radical Cymru: Ffrainc, yn ôl Dafydd Dafis, Castellhywel, oedd 'Brenhines y gwledydd', a thybiai llawer o'i gyd-radicaliaid fod 'Haul Cyfiawnder' ar fin codi. Ar flaen y gad yr oedd carfan frwd o Undodiaid a Bedyddwyr a oedd yn awyddus i frwydro dros ryddid crefyddol a gwleidyddol. Yr oedd rhyw hunanhyder beiddgar yn eu corddi ac yn peri iddynt herio'u meistri gwleidyddol, fwrw sen ar arweinwyr eglwysig, ac wfftio at genadwri geidwadol y Methodistiaid. Eu harwyr pennaf oedd Richard Price a Tom Paine. Ac yntau'n 66 mlwydd oed, gwelodd Price yn dda ym mis Tachwedd 1789 i groesawu'r Chwyldro Ffrengig mewn araith ysgubol yn

*Darlith a draddodwyd gerbron y Gymdeithas Feddygol yn Eisteddfod Genedlaethol Abergwaun, 1986.

Dr. Richard Price

Llun: Llyfrgell Genedlaethol Cymru

dwyn y pennawd llachar *A Discourse on the Love of our Country.*
'Crynwch chwi ormeswyr y byd!', oedd ei neges, 'ni ellwch gadw'r
byd mewn tywyllwch.' Eisoes gwnaeth Richard Price safiad unplyg
dros hawliau trefedigaethwyr America ac yn awr nid oedd yn
fodlon arbed dim ar ei dafod wrth rybuddio llywodraethwyr
gormesol Ewrop. Yn wir, brwydrodd yr athronydd disglair hwn
hyd at ysictod corff dros iawnderau dyn. Ac yn sgil ei farwolaeth ym
1791 daeth Tom Paine, gŵr tra gwahanol o ran cefndir a doniau, i'r
adwy i boblogeiddio'r gred fod yr Hollalluog wedi creu pob dyn yn
rhydd ac yn gyfartal. Proffwyd pennaf y 1790au oedd Paine.
Cyrhaeddodd argraffiadau rhad o'i glasur *The Rights of Man*
(1791-2) ddegau o filoedd o bobl, gan ddisodli *Robinson Crusoe* a *The
Pilgrim's Progress* fel llyfr mwyaf poblogaidd yr oes.

Bu'r gweithiau hyn yn ysgogiad mawr i'r mudiad democrataidd
yng Nghymru. Chwifiwyd baner rhyddid gan do newydd o wŷr
ifainc radical a digymrodedd. Codent wrychyn yr awdurdodau
drwy gyhoeddi newyddiaduron a phamffledi herfeiddiol a

chableddus. Tynnai Tomos Glyn Cothi ei elynion i'w ben drwy alw William Pitt, y prif weinidog, yn 'gigydd annedwydd' a thrwy fygwth pob gormeswr:

> Yn bendramwnwgl bwr i lawr
> Holl dreiswyr byd mewn munud awr;
> O! gwasgar, Hollalluog Dad,
> Y rhai sy'n pesgi ar ddynol waed.

Ymosodai John Jones (Jac Glan-y-gors), y tafarnwr a'r diwygiwr cymdeithasol, yn daer yn erbyn llywodraeth Prydain a'i theulu brenhinol. Honnai fod y brenin Siôrs III yn dda i ddim ond am hel pryfed ac adar yn ystod y dydd a phuteiniaid gyda'r nos. 'Mae hanes pennau coronog Lloegr', meddai, 'yn drwstan a gwaedlyd a phuteinllyd agos drwyddo.' Yr oedd siarad plaen fel hyn yn llonni calon Iolo Morganwg oherwydd credai'r 'Bardd Rhyddid' y dylid taflu brenhinoedd i garchar, cloi'r drws, a cholli'r allwedd! Ei

Jac Glan-y-gors

Llun: Llyfrgell Genedlaethol Cymru

obaith ef oedd y byddai Gorsedd y Beirdd yn hybu achos rhyddid
ac yn meithrin Cymry a fyddai'n ddigon dewr i fynegi'r gwir yn
erbyn y byd. A phan ddychwelodd Morgan John Rhees o Paris, a'i
orwelion wedi eu lledu a'i syniadau wedi eu cyfoethogi, cyhoedd-
odd *Y Cylch-grawn Cynmraeg* (1793) er mwyn gwyntyllu pynciau llosg
y dydd megis rhyddid gwleidyddol a chrefyddol, y degwm, caeth-
wasiaeth a heddychiaeth. Hyd yn oed yn unigeddau Maldwyn yr
oedd William Jones, Llangadfan—'Voltaire Cymru'—yn tynnu
blewyn o drwyn boneddigion ac eglwyswyr y fro drwy ymosod ar
ormes stiwardiaid, twyll cyfreithwyr, anghyfiawnder y degwm, a
cheidwadaeth y Methodistiaid. Yn nhyb y radicaliaid pybyr hyn,
yr oedd y Chwyldro Ffrengig yn 'un o'r rhyfeddodau mwyaf yn
hanes y byd'.

Rhaid prysuro i ddweud, serch hynny, mai llugoer oedd y croeso
a roddwyd i genadwri'r radicaliaid hyn yng Nghymru, yn enwedig
ar ôl i'r rhyfel rhwng Prydain a Ffrainc ddechrau ar 1 Chwefror
1793. Bellach ystyrid pob 'Jacobin' neu weriniaethwr yn fradwr, ac
yr oedd llywodraeth William Pitt yn benderfynol o ddistewi llais y
radicaliaid trwy deg a thrwy drais. Hon oedd Oes Arswyd William
Pitt. Mygid llais unrhyw radical a feiddiai ddweud anair yn erbyn
y llywodraeth. Dim ond dynion anarferol o ddewr a oedd yn barod
i sefyll yn wrol ym merw'r storm ac i gyhoeddi eu cred heb wanhau
nac ysigo. Llosgwyd delwau o Tom Paine yn nhrefi Cymru,
bwriwyd sen ar 'damned infernal Painites', ac anogwyd bonedd a
gwrêng fel ei gilydd i gefnogi'r frwydr fawr yn erbyn Ffrainc a'i
lluoedd. Cenid 'Duw Gadwo'r Brenin', 'Rule Britannia' a 'The
Roast Beef of Old England' mewn cyfarfodydd gwladgarol a molid
gwŷr y got goch a'r fidog. Rhan annatod o'r jingoyddiaeth afiach
hwn oedd y duedd gynyddol i wawtar a difrïo crefydd a moesau'r
Ffrancod. Y gred gyffredin oedd mai gwerinwr troednoeth, tenau
a thwyllodrus oedd y Ffrancwr, yn cnoi wniwn drwy'r dydd ac yn
llafarganu paderau gyda'r nos. Hoff arfer digriflunwyr oedd
cymharu'r Siôn Tarw blonegog a'r dandi esgyrnog o Ffrainc, y
naill yn bwyta cig eidion ac yn cadw ci-teirw a'r llall yn bwyta
brogaod ac yn cadw milgi tenau. Yn sgil taenu propaganda fel hyn
daeth pobl Cymru i gredu na ellid llai na dirmygu a chasáu pobl
Ffrainc. Eto i gyd, y tu ôl i'r rhagfarn hon llechai ofn dirdynnol, ofn
y grefydd 'atgas a gormesol' a goleddid gan estroniaid. Er dyddiau
Elisabeth I cyflyrwyd y Cymry i gredu mai ffydd wag, lwgr a
thwyllodrus oedd Pabyddiaeth ac mai nod gweision y Pab oedd

llosgi Protestaniaid ac adfer yr Hen Ffydd ledled Ewrop. Nid gormod dweud bod y bwgan Pabyddol yn codi arswyd ar bobl yn y 1790au ac yr oedd hynny'n peri i drwch y boblogaeth ddangos eu parodrwydd i frwydro hyd eithaf eu gallu dros frenin, gwlad ac eglwys. Gwyddent yn dda pe bai Ffrainc yn ennill goruchafiaeth dros Brydain y byddent yn gorfod dygymod â chrefydd atgas, trais ac esgidiau pren—y tri arwydd o gaethwasiaeth. Pa ryfedd, felly, fod cynifer o Gymry yn ystyried y rhyfel yn erbyn Ffrainc yn frwydr sanctaidd? Nid oedd Eglwyswyr Cymru uwchlaw annog milwyr i dorri gyddfau'r gelyn bwystfilaidd. Yn wir, credai Gwallter Mechain (un o gefnogwyr selog yr Eisteddfod) fod angen rhyfel er mwyn tocio poblogaeth y byd! Trefnid Dyddiau Ympryd a Dyddiau o Ddiolch i ddathlu buddugoliaethau ar fôr a thir. Drwy'r pulpud a'r wasg lledaenid y farn mai gwlad uchelgeisiol, ysbeilgar ac erlitgar oedd Ffrainc, a'r ofn cyffredinol oedd y byddai ei byddinoedd yn glanio ar dir Prydain ac yn ei goresgyn.

Dwysaodd yr ofnau hyn erbyn diwedd 1796. Ar 21 Rhagfyr cyrhaeddodd llynges gref o Ffrainc Fae Bantry yn ne-orllewin Iwerddon. Dan arweiniad cadfridog disglair o'r enw Lazare Hoche yr oedd 12,000 o filwyr Ffrainc yn barod i gynorthwyo'r Gwyddelod i sefydlu Gweriniaeth. Yr oedd Hoche a Wolfe Tone, arweinydd y Gwyddelod Unedig, yn gyfeillion pennaf ac o ran cymeriad yn dra thebyg i'w gilydd—yr oeddynt yn weriniaethwyr pybyr, yn elynion ffyrnig i Loegr, ac wrth eu bodd yn ceisio ennill ffafr gwragedd ifainc, hardd. Ond rhwystrwyd y Ffrancod rhag glanio ar yr Ynys Werdd gan dywydd garw—'gwynt Protest-annaidd', yn ôl gelynion Wolfe Tone—a bu raid iddynt ddychwel-yd adref. Gellid dadlau mai trueni oedd hynny oherwydd dim ond minteioedd bychain o filwyr a oedd gan Loegr yn Iwerddon y pryd hwnnw a chollwyd cyfle euraid i gynorthwyo'r Gwyddelod i sefydlu Gweriniaeth.

Ymhen mis yr oedd Lazare Hoche yn cynllwynio unwaith eto: y tro hwn y bwriad oedd glanio byddin gref ger Bryste, yr ail ddinas fwyaf yn Lloegr, a macsu gwrthryfel ymhlith y werin-bobl. Ar 18 Chwefror 1797 hwyliodd pedair llong—*La Vengeance, La Résistance, La Constance* a *La Vautour*—o Camaret dan arweiniad Commodore Jean Joseph Castagnier. Y *Chef de Brigade* oedd William Tate, anturiaethwr milwrol a aned yn Ne Carolina ond a oedd o dras Wyddelig. Ar ôl cyfnod o wasanaeth yn rhengoedd byddin George Washington ffodd, dan amgylchiadau pur amheus, i Ffrainc ym

1795 gan gynnig ei wasanaeth i Hoche. Gŵr tal, esgyrnog oedd Tate a barnai Hoche fod ei brofiad milwrol a'i gasineb dwfn at Brydain yn bwysicach na'r ffaith ei fod yn 72 mlwydd oed. Criw brith iawn o filwyr oedd y *Legion Noire* a oedd ar fwrdd y pedair llong. Cynullwyd 1400 o filwyr digon blêr a di-sut, lawer ohonynt yn garthion carchardai Ffrainc. 'Sad blackguards' oeddynt, yn ôl Wolfe Tone, ac mae lle i gredu bod llywodraeth Ffrainc yn fwy na balch o'u hanfon megis ŵyn i'r lladdfa. Fe'u disgrifiwyd yn ddiweddarach gan John Lloyd, cyfreithiwr o Gaerfyrddin, fel 'a set of jail-bird-looking rascals'.

Unwaith eto ni fu'r tywydd yn garedig wrth finteioedd Ffrainc. Methwyd â glanio ym Mryste oherwydd fod y gwynt a'r llanw yn eu herbyn. Felly, hwyliodd y llynges tua'r gorllewin. Y nod bellach oedd glanio rywle ym Mae Ceredigion, ennill cefnogaeth y werin-bobl, meddiannu tai ac eiddo gwŷr bonheddig, a gorymdeithio tua'r gogledd gyda'r bwriad o gipio dinasoedd Caer a Lerpwl. Credai Tate y câi groeso gan werinwyr Cymru oherwydd gwyddai pa mor dlawd a helbulus oedd eu hamgylchiadau yn ystod y 1790au. Yr oedd pris ŷd mor uchel erbyn 1795-6 fel y câi llafurwyr amaethyddol a diwydiannol gryn anhawster i gadw'r ddeupen ynghyd. Gwelid pobl ar eu cythlwng yn ysbeilio stordai grawn ac yn ymosod ar fasnachwyr, ffermwyr cyfoethog a chapteniaid llongau. Ym mis Mawrth 1795 hysbyswyd y Llywodraeth gan Arglwydd Dinefwr fod pris uchel ŷd a barlys wedi cymell cyffredin-bobl i derfysgu yn Arberth a Hwlffordd. Petai'r sefyllfa'n gwaethygu, meddai, gallai arwain at gynnwrf a therfysgoedd bradwrus. Ar 18 Awst 1795 llifodd glowyr o Hook i mewn i ganol tref Hwlffordd dan lafarganu 'One and All—One and All!'; wedi iddynt gipio llong a oedd yn cludo menyn i Fryste bu ffrwgwd digon ffiaidd rhyngddynt a'r milisia lleol. Clywid mwy a mwy o ddatganiadau bygythiol. Yr oedd awydd ymhlith rhai o weithwyr copr Llangyfelach ym Morgannwg i godi yn erbyn eu meistri 'a'n gosod ni oll yn yr un cyflwr â Ffrainc'. Credai William Jones, Llangadfan, fod Prydain yn baradwys i'r dyn cyfoethog ond yn burdan i'r llafurwr tlawd, a'r un nodyn lleddf a drawyd gan John Ellis, Llanbryn-mair: 'Y mae y Tylawd in cail ei gwascu gan y Cywaithog ag i mae ne wedi resolvio y gael rheiolaeth arall ag ny dydiw ddim yn power Gwir-boneddigion y wlad ei rhwstro ne ag ys gwna nhw fe geiff fod yn waed am waed'. Mae'n amhosib dweud i ba raddau yr oedd Tate a'i filwyr yn gyfarwydd â helbulon a theimladau gwerin-bobl

Abergwaun ym 1797

Llun: Llyfrgell Genedlaethol Cymru

Cymru, ond yr oeddynt yn ffyddiog y caent groeso twymgalon. Ni wyddent, mae'n debyg, pa mor ddwfn oedd rhagfarn y Cymro yn erbyn estroniaid a pha mor ddwfn oedd ei gasineb at Babyddiaeth.

Cyrhaeddodd y llynges arfordir Penfro ar 22 Chwefror 1797. Yr oedd yn fore heulog braf a'r môr mor dawel a digyffro â llyn. Tua deg o'r gloch gwelwyd y llongau gan Capten Thomas Williams, Treleddyn, cyn-forwr profiadol ac ustus heddwch uchel ei barch. Syllodd arnynt yn fanwl drwy ei sbienddrych ac er bod lliwiau Prydain ar eu mastiau gwyddai i sicrwydd mai Ffrancod oeddynt. Aeth ias oer i lawr asgwrn ei gefn: yr oedd yr hen elyn gerllaw! Anfonodd ei was i hysbysu'r awdurdodau fod milwyr Ffrainc yn bygwth sangu ar dir cysegredig Cymru. Yr oedd y môr yn dal yn llonydd pan benderfynodd Castagnier fwrw angor ger penrhyn Carreg Wastad am bedwar o'r gloch y prynhawn. Rhwyfwyd y *Legion Noire*, ynghyd â'u hoffer a'u harfau, i'r lan mewn 17 o gychod. Er mawr loes i Tate, dymchwelodd un o'r cychod a boddwyd rhai o'r milwyr. Erbyn tua dau y bore yr oedd William Tate wedi sefydlu ei bencadlys yn ffermdy Trehywel ac aeth y si ar led yn gyflym: 'Mae'r Frensh ar Ben-caer, mae'r Frensh ar Ben-caer!' Drwy'r nos a thrannoeth bu carfanau o'r Ffrancod yn ysbeilio ffermdai'r ardal, gan ddwyn bwydydd, anifeiliaid a cherti. Yr oedd rhai ohonynt mor newynog fel y berwasant ieir, hwyaid a gwyddau (heb eu pluo) mewn crochan llawn o fenyn tawdd. Yfodd eraill boteli gwin hyd nes eu bod yn feddw gaib. Ymddengys fod llong o Bortiwgal wedi dryllio ar y creigiau ryw fis ynghynt ac yr oedd trigolion lleol wedi dwyn ei chargo gwerthfawr i'w seleri. Yn awr, tro y Ffrancod ydoedd; ac yn ôl un baledwr, gwnaethant yn fawr o'u cyfle:

> Dwyn a difa moch a defaid,
> Y dynged oedd yn dost,
> Berwi a rhostio yn ffast a ffestio,
> Cestio heb hidio'r gost.
> Dwyn yr yde o'r sguborie,
> Gwartheg a lloe'n llu,
> Mynd i'r seleri, naws hwyl arw
> I gael Cwrw croyw cry' . . .

Aeth y sôn fod milwyr Ffrainc ar dir Cymru ac yn bygwth einioes a meddiannau'r Cymry ar led fel tân mewn to gwellt. Cyrhaeddodd y newyddion gapel Rhyd-y-bont yn Llanybydder pan oedd yr Annibynwyr yn cynnal eu cwrdd chwarter. Tarawyd y Parch. Griffith Hughes o'r Groes-wen yn fud ac ni fedrai yngan gair o'i bregeth. 'Cerwch 'mlaen, Mr. Hughes', meddai gwraig o'r enw Nansi Jones, 'peidiwch â becso am y Ffrancod. Mae'n Duw ni'n gryfach na'r Ffrancod i gyd gyda'i gilydd!' Ond yr oedd Hughes yn gryndod drwyddo. 'Wel', meddai Nansi, 'os marw sy raid, man a man i ni farw yn canu emyn.' Ac fe lediodd yr emyn:

> Os wyt Ti am ddybenu'r byd
> Cyflawna'th air yn gynta i gyd;
> Dy etholedigion galw'n nghyd,
> Ac yna tyrd i lawr.

Ymhen eiliadau yr oedd y capel bach yn atsain i ganu melys Anghydffurfwyr y fro.

Yn y cyfamser yr oedd gwŷr bonheddig sir Benfro yn paratoi i fynd i gwrdd â'r gelyn a'i drechu. Aeth Cyrnol John Colby, pennaeth Milisia Penfro, ati i geisio casglu holl filwyr y sir ynghyd. Prif amddiffynwyr porthladd bychan Abergwaun oedd y Fishguard Fencibles, catrawd o filwyr rhan-amser y buasem heddiw, mae'n debyg, yn eu galw yn 'Dad's Army'. Gellir gweld digriflun gwatwarus o un ohonynt ar furiau tafarn y Royal Oak yn Abergwaun. Yn eu rhengoedd ar y pryd ceid 12 swyddog, 24 NCO, 8 drwmiwr, 4 pibydd a 235 o filwyr rhan-amser cyffredin. Arweinydd y criw anhydrin hwn oedd yr Is-Gadfridog Thomas Knox, gŵr ifanc 28 mlwydd oed a chanddo fawr o brofiad o dywallt gwaed ar faes y gad. Pan alwyd Knox o'r bwrdd swper gan un o **weision John Colby yr oedd yn gyndyn iawn i fynd i gwrdd â gofid.**

Aelod o'r Fishguard Fencibles
Llun: Llyfrgell Hugh Owen, Coleg Prifysgol Cymru, Aberystwyth

Gwrthododd gydnabod bod unrhyw berygl mawr yn wynebu trigolion Abergwaun ac arweiniodd y Fencibles i dreulio'r noson yng Nghaer Abergwaun. Tra oedd Knox yn petruso a gwamalu gweithiodd John Colby yn egnïol i gynnull byddin gref. Erbyn canol bore Iau, 23 Chwefror, yr oedd wedi llwyddo i gasglu ynghyd 440 o filwyr, gwirfoddolwyr a morwyr a oedd yn barod i orymdeithio o Hwlffordd i Abergwaun. Cyn hynny, yr oedd Thomas Knox, ar gais y Pwyllgor Goresgyniad yn Abergwaun, wedi penderfynu tywys ei wŷr i Hwlffordd. Ymhen pum milltir cyfarfu â mintai gref dan arweiniad Arglwydd Cawdor o Lys Stackpole. Siomwyd Cawdor yn fawr gan benderfyniad Knox i gilio o'i briod ddyletswyddau yn Abergwaun ac fe'i hysbysodd yn blwmp ac yn blaen mai derbyn gorchmynion a fyddai o hynny ymlaen. Wrth orymdeithio yn eu hôl i Abergwaun bu raid i'r Fencibles ddioddef crechwen milwyr Cawdor. Serch hynny, pan gyhuddwyd Thomas Knox yn ddiweddarach o fod yn llwfrgi tystiodd ei filwyr yn uchel amdano fel arweinydd a mynnu ei fod wedi ymddwyn yn gwbl anrhydeddus.

Yn y cyfamser yr oedd nifer o drigolion mentrus lleol wedi penderfynu nad oedd y fyddin geiniog-a-dimai hon o Ffrainc yn debygol o fod yn berygl einioes i Gymry gwrol, yn enwedig gan fod cynifer o'r estroniaid yn drwm dan ddylanwad y ddiod gadarn. Er pan ledaenwyd y si fod y 'Frensh' ar Ben-caer buasai'r werin-bobl yn hogi min ar eu crymanau, eu pladuriau a'u cyllyll, ac yn casglu arfau. Gorfodwyd siopwyr i ildio bob mymryn o bowdr-gwn a oedd yn eu meddiant. Yn Nhyddewi bloeddiodd gof lleol: 'Dyma fwyell, dacw'r Eglwys Gadeiriol; mae'n well i ni gymryd y plwm oddi ar y to na gweld y cyfan yn llosgi'. Rhwygwyd plwm oddi ar y to a'i doddi er mwyn gwneud bwledi. Ymdaflodd y bobl leol â'u holl egni i'r frwydr er mwyn dysgu gwers i'r Ffrancod. Fe'u cythruddwyd gan ymddygiad afreolus ac anfad yr estroniaid wrth iddynt ysbeilio'u ffermdai a'u tyddynnod. Wrth geisio dianc o'u gafael saethwyd Mary Williams o Gaer-lem yn ei throed ac fe'i treisiwyd yng ngŵydd ei gŵr. Treisiwyd gwraig wyryf drigain oed gan swyddog o dras Wyddelig a ddaethai, meddai, 'only for that amusement'. Torrodd carfan o Ffrancwyr i mewn i dyddyn Cotts lle'r oedd gwraig newydd esgor ar faban. Cododd y wraig ei baban oddi ar ei bron ac ymbil am drugaredd. Chwarae teg i'r Ffrancwyr, ciliasant mewn cywilydd gan adael y wraig a'r baban yn ddianaf. Ac os dywed rhai bod angen pinsiad llew o halen y môr i gredu'r stori

Gwrhydri Gwerin-bobl

Llun: Cwmni Darluniau Hulton

honno, cofier mai enw'r baban oedd Lot! Cafodd milwr ofnus
gymaint o fraw yn ffermdy Brestgarn pan glywodd bendil y cloc
mawr yn ticio fel y saethodd fwled ato. Gellir gweld y cloc, ynghyd
â'r twll yn ei gasyn, heddiw; dywedir bod y cloc yn dal i gadw amser
yn berffaith! Syrffedodd Mr. Whitesides, peiriannydd o Lerpwl a
oedd yn gyfrifol am adeiladu goleudy yn y cyffiniau, ar ymddygiad
anystywallt â thrahaus y Ffrancod ac arweiniodd griw o forwyr
Solfach yn eu herbyn. Saethwyd dau o'r Ffrancod a chlwyfwyd dau
arall yn ddifrifol. Synnwyd William Tate, a oedd yn gwylio'r
sgarmes ar greigiau Carn Gelli, gan wroldeb y Cymry.
    Ond dichon mai'r arf grymusaf a feddai trigolion Abergwaun
oedd Amazon o wraig o'r enw Jemeima Nicholas. Crydd oedd y
wraig fawr, flonegog hon ac yr oedd yn bur hoff o gwrw a thybaco.
Jemeima Fawr a fyddai'n gwastrodi meddwon a dihirod y fro ac yr
oedd, yn ôl pob golwg, yn wraig i'w hosgoi ar noson dywyll. Ni bu
fawr o dro yn bwrw ei llinyn mesur dros y 'blacks' o Ffrainc. Â
phicfforch yn ei llaw, brasgamodd yn wyllt i Lanwnda. Yn ôl
disgrifiad blodeuog Cunllo Griffiths: 'Saethwyd ati, ond nid un i

droi'n ôl oedd Jemeima; er tân a mwg, a phlwm wedi'i boethi, ymlaen â hi fel arthes wedi colli ei chenawon'. Llwyddodd i gipio dwsin o filwyr Ffrainc yn garcharor a'u martsio'n ddiymdroi i'r celloedd yn Abergwaun. Ac os oes coel ar y chwedl, cafodd hoe i yfed dau chwart o gwrw cyn mentro allan yr eilwaith a dychwelyd â dau filwr arall dan bob cesail! Yn sgil ei gwrhydri derbyniodd bensiwn o £50 y flwyddyn tan ei marwolaeth, yn 82 mlwydd oed, ym 1832. Ceir carreg fedd yr arwres nodedig hon wrth fur Eglwys y Santes Fair, Abergwaun.

Bwriwyd William Tate oddi ar ei echel gan wroldeb annisgwyl y Cymry. Cyfaddefodd yn ddiweddarach: 'yr wyf wedi bod mewn aml frwydr, dros fy esgidiau mewn gwaed; ond nid wyf erioed wedi profi'r fath deimlad ag a gefais pan droediais ddaear Prydain— cefais bwl enbyd o wangalondid'. Erbyn hyn yr oedd ei longau wedi dychwelyd adref, yr oedd ysbryd ei 'filwyr' yn bur isel, ac yr oedd y Cymry—yn gwbl groes i'r disgwyl—yn ei drin ef a'i wŷr yn sarhaus ac yn greulon. Y mae lle i gredu hefyd fod yr Arglwydd Cawdor wedi ei dwyllo drwy roi'r argraff fod ganddo lu niferus arfog a oedd yn ysu am gyfle i dorri gyddfau'r Ffrancod. Dim ond 750 o filwyr ar y mwyaf a oedd gan Cawdor, ond drwy gynnull rai cannoedd o wragedd yn gwisgo mentyll cochion a hetiau uchel duon ar dir uchel llwyddodd i beri i Tate gredu bod byddin gref yn paratoi i ymosod arno y noson honno. Wedi hir bendroni penderfynodd Tate roi'r ffidil yn y to. Anfonodd ddau o'i swyddogion—Baron de Rochemure a François l'Hanard (a oedd yn siarad Saesneg yn rhugl)—i drafod amodau ildio â'r Arglwydd Cawdor yn nhafarn y Royal Oak. Mynnodd Tate yr hawl i gael dychwelyd i Brest ar draul llywodraeth Prydain, ond gwyddai Cawdor fod y Ffrancod wedi cyrraedd pen eu tennyn ac y byddent yn ildio'n ddiamod pe bai'n gwasgu arnynt i wneud hynny. Dyna a wnaeth. Dychwelodd y ddau swyddog i ffermdy Trehywel ac ymhen fawr o dro penderfynodd Tate ei fod ar ben arno. Anfonodd neges i Abergwaun am naw bore trannoeth i ddweud ei fod ef a'i wŷr yn fodlon ildio. Fe'i gorchmynnwyd gan Cawdor i dywys ei fyddin i draeth Wdig i fwrw eu harfau.

Diwrnod mawr yn hanes trigolion Abergwaun oedd dydd Gwener, 24 Chwefror 1797. Yn sŵn drymiau'n curo'n lleddf, gorymdeithiodd y Ffrancod yn benisel i lawr o Garn Wnda i draeth Wdig a gosod eu harfau ar y tywod. Yr oeddynt yn flinedig ac yn ddigalon. Yn ôl tystiolaeth a glywyd mewn llys barn yn ddiwedd-

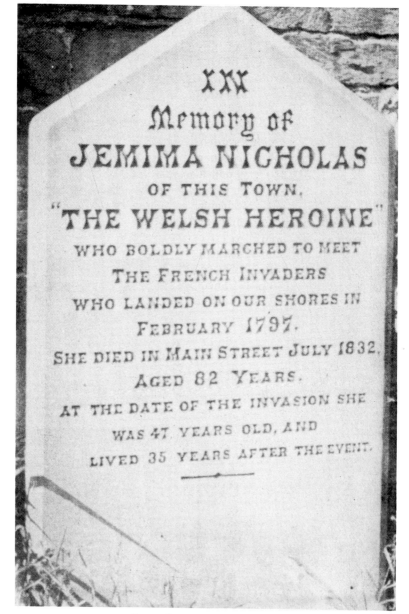

Carreg Fedd Jemeima Nicholas

Llun: 'Country Quest'

arach credai rhai ohonynt eu bod yng ngogledd Iwerddon. Cwynai eraill yn arw am fod eu llywodraeth wedi eu gadael yn ddiymgeledd ar dir y gelyn. Wedi iddynt ollwng eu harfau, rhwygodd nifer ohonynt y plu trilliw oddi ar eu hetiau a bloeddio 'Au Diabl la République'. Tua phedwar y prynhawn hebryngwyd y Ffrancod carpiog blinedig i garchar Hwlffordd. Carcharwyd rhai ohonynt hefyd yn Abergwaun a Phenfro. Yn nes ymlaen llwyddodd 25 o'r Ffrancod i ddianc o 'Garchar Aur' Penfro drwy gydweithrediad dwy ferch ifanc a oedd yn paratoi bwyd ac yn glanhau yn y carchar. Syrthiodd y ddwy ferch mewn cariad â dau o'r Ffrancod a'u cynorthwyo i gloddio twnel dan furiau'r castell. Ar ôl dianc yn y tywyllwch lladratasant gwch pleser yr Arglwydd Cawdor a hwylio am Ffrainc! Yn ddiweddarach cyfnewidiwyd rhai dwsinau o filwyr Tate am garcharion Prydeinig yn Ffrainc ac erbyn mis Tachwedd 1798 yr oedd Tate ei hun wedi dychwelyd i Paris. Nid oedd fawr o barch yno i'r cadfridog penllwyd a phrin fod ei bensiwn blynyddol o 1500 ffranc yn ddigon i gadw corff ac enaid ynghyd.

Dengys hanes glaniad y Ffrancod yn Abergwaun pa mor eiddgar yr oedd y mwyafrif o bobl Cymru o blaid brenin, gwlad ac eglwys.

Y Ffrancwyr yn ildio ar Draeth Wdig
Llun: Amgueddfa Caerfyrddin

Ni fu angen gofyn ddwywaith i filwyr, gwirfoddolwyr a ffermwyr lleol i ymarfogi ac i weithredu. Yn nhref gythryblus Merthyr Tudful arfogwyd mil o weithwyr haearn gan Richard Crawshay a'u paratoi i gynnal breichiau pobl Abergwaun. Unwyd bonedd a gwrêng mewn cwlwm gwladgarol a gwrth-Ffrengig. Hysbyswyd awdurdodau lleol i ofalu bod milwyr yn effro i'r perygl o du Ffrainc ac i wylio'r glannau rhag ofn i ragor o longau gyrraedd. Drylliwyd breuddwydion nifer o radicaliaid blaenllaw Cymru gan ymgyrch Tate a'i filwyr. Ofnai Tomos Glyn Cothi uchelgais y 'diawl-ddyn' o Ffrainc a lluniodd gerdd yn cystwyo'r 'dynion beilchion' a drechwyd gan 'y Cymry dewrion':

Mae'r Ffrancod nawr ar gyhoedd i bawb Brenhinoedd byd
Yn llym wrthwynebwyr llidiog, afrywiog o un fryd;
Chwenychent ladd ein Gwerin, a'n Brenin er ein braw,
Ond siomwyd eu hamcanion, aer droion oddi draw.

Er iddynt hwy dros ennyd, trwy adfyd penyd pwys,
Orchfygu lluoedd mawrion o ddynion dewrion dwys;
Pan ddaethant dros y dyfnder, mewn digter trawster trwch,
Y Cymry roent eu mawredd yn llwyrwedd yn y llwch.

Er na roes Jacobiniaid Cymru eu radicaliaeth o'r neilltu, sylweddolent bwysigrwydd ennill y frwydr ar dir a môr. Erbyn 1805 yr oedd neb llai na Jac Glan-y-gors yn canmol gwrhydri'r Arglwydd Nelson yn Nhrafalgar ac Iolo Morganwg yn canu clodydd Gwirfoddolwyr Morgannwg.

I ryw raddau yr oedd rheidrwydd ar hen radicaliaid i newid eu tiwn, o leiaf dros dro, oherwydd credai awdurdodau lleol mai Anghydffurfwyr a fu'n gyfrifol am wahodd y gelyn i Brydain. Manteisiwyd ar y cyfle i erlid Annibynwyr a Bedyddwyr a'u cyhuddo o roi swcr i fyddin estron. Arweiniwyd y cŵn hela gan Fethodistiaid lleol a dywedwyd fod 'eu surni enllibus a'u chwerwedd athrodus a goganllyd ... ymron yn annioddefol'. Yn dynn wrth eu sodlau yr oedd gwŷr bonheddig ac eglwyswyr y fro. Tybid fod Henry Davies, gweinidog y Bedyddwyr yn Llangloffan, a John Reynolds, gweinidog y Bedyddwyr yn Felin Ganol, Solfach, wedi croesawu'r Ffrancod. Honnwyd fod Davies wedi cynorthwyo'r Ffrancod i lanio ac er iddo allu profi i sicrwydd ei fod yn mynychu cwrdd chwarter ym Mynachlog-ddu adeg y glanio llosgwyd delw ohono yn ffair Abergwaun. 'Damia fe', meddai un o'i elynion, 'pregethwr yw e, a does dim da yn yr un o'r rheini.'

'Rhaid ei grogi', oedd y gri. Fe ŵyr y sawl sydd wedi byw drwy'r ddau ryfel byd yn y ganrif hon sut y gall pobl ymddwyn yn gwbl afresymol yn ystod cyfnod o argyfwng dwys. Gwelwyd hyn yn amlwg iawn yn sir Benfro yn sgil glaniad y Ffrancod. 'Great noise about the French landing', meddai Siôn Dafydd y crydd o Lanfihangel Ystrad yn ei ddyddiadur, ac mae'n amlwg fod yr awdurdodau yn argyhoeddedig fod bradwyr yn eu mysg.

Methwyd â chasglu digon o dystiolaeth i brofi fod gan Henry Davies a John Reynolds fys yn y brywes, ond llwyddwyd i ddwyn perswâd ar rai o'r carcharorion o Ffrainc i gamdystiolaethu ar lw yn erbyn John Reed, gwehydd o Drenewydd, Pen-caer, Thomas John, ffermwr a Bedyddiwr o Gasnewydd-bach, a Samuel Griffith, ffermwr ac Annibynnwr o Poyntz Castle, ger Solfach. Gollyngwyd yr achos yn erbyn Reed ond cadwyd y ddau arall yng ngharchar Hwlffordd am saith mis. Honnwyd eu bod wedi eu hudo gan y Diafol i fod yn fradwyr i'w gwlad, ond er gwaethaf sylwadau sarhaus y barnwr ni roes y rheithgor yn 'nhreial mawr Hwlffordd' ddim coel ar dystiolaeth hynod fregus yr erlyniad. Cafwyd Thomas John a Samuel Griffith yn ddieuog. Eto i gyd, ni ddarfu'r rhagfarn yn erbyn 'gwŷr y cyrddau' a chyffrowyd William Richards, y dadleuwr grymus o King's Lynn, i achub cam Anghydffurfwyr y fro yn ei bamffled nodedig *Cŵyn y Cystuddiedig* (1798).

Os bu glaniad y Ffrancod ym 1797 yn esgus i amddiffynwyr y drefn fwrw eu cas ar Anghydffurfwyr a Jacobiniaid, bu hefyd yn foddion i ddyfnhau casineb pobl Cymru at bob Ffrancwr ac estron a Phabydd. Canmolwyd trigolion Abergwaun i'r cymylau gan faledwyr am ddifa'r 'rheibus elynion cythreulig ysglyfyddwyr mileinig'. Yn ddi-os, cafwyd gwaredigaeth fawr:

> Y Ffrancod digrefydd,
> Sy flinion aflonydd,
> I wledydd, maent beunydd yn boen.
> Ond Saeson a Chymry
> A ddarfu eu dychrynu,
> Mae Boni'n darn grynu'n ei groen.

Mor ddiweddar â 1885 soniodd Cunllo Griffiths am Ffrainc fel 'y wlad gyfnewidiol, goegfalch, ddi-Dduw acw', gan ychwanegu'n herfeiddiol, 'os beiddia gelyn droedio dwy lathen o'n daear, y ddwy lathen hynny fydd ei orweddfa dawel hyd fore caniad yr utgorn diwethaf'. A hyd heddiw deil pobl Abergwaun i ymhyfrydu yn safiad eu hynafiaid yn erbyn William Tate a'r *Legion Noire*. Rhown y gair olaf i'r baledwr Philip Dafydd:

Nawr fy mrodyr, rwyf yn rhoi ffarwel,
Gobeithio na ddaw mwyach ryfel,
Ac os rhaid myned i ryfela,
Enw Duw fyddo ymlaena;
Gyda â'n gilydd bawb i godi,
Oll o'n bronnau, heb ymrannu;
    Cymry glân, awn ymlaen,
    Ag allan, trwy allu,
    Y Duw hwn oedd gyd â Dafy',
    Pan gadd pen Golia' dorri.

Mynegai